L'HÉRITAGE SCARLATTI

*Robert Ludlum est né en 1927, à New York. Après une brillante
carrière en tant que producteur et acteur de théâtre, à quarante
ans, il abandonne tout et se met à écrire des romans d'action,
riches en suspense. Il est maintenant considéré comme un des
grands maîtres mondiaux du suspense. En France, ses romans,
La Mémoire dans la peau (Prix Mystère du meilleur roman étranger 1982), La Mosaïque Parsifal, Le Cercle bleu des Matarèse,
Osterman week-end et L'Héritage Scarlatti, publiés aux Éditions
Robert Laffont, ont obtenu un énorme succès.*

Autour d'une table, en Suisse, à l'aube de la seconde guerre
mondiale, une conversation secrète réunit les leaders industriels d'Europe et des Etats-Unis. Ils ont été rassemblés par
Elizabeth Scarlatti, fondatrice et maître d'œuvre de l'immense
fortune Scarlatti. Son but : un ultime coup de dés, désespéré,
pour sauver le monde des plans machiavéliques de son fils,
l'élégant, le brillant, l'extrêmement dangereux Ulster Stewart
Scarlatti. Ulster préfère maintenant se faire appeler Heinrich
Kroeger. Il a changé de visage et il est prêt à livrer au IIIe Reich
le contrôle de l'instrument le plus puissant de la Terre : l'héritage Scarlatti.

D1538253

ROBERT LUDLUM

L'Héritage Scarlatti

ROMAN

TRADUIT DE L'AMÉRICAIN
PAR BENJAMIN LEGRAND

ROBERT LAFFONT

Titre original :

THE SCARLATTI INHERITANCE

Pour Mary :
Pour toutes ces raisons
qu'elle doit si bien connaître
« Par-dessus tout, il y eut Mary ».

LE NEW YORK TIMES, 21 mai 1926

UN NEW-YORKAIS DISPARAIT

New York, 21 mai – On apprend seulement aujourd'hui l'étonnante disparition d'un jeune héritier d'une des plus riches familles d'industriels américains, décoré pour sa bravoure lors de la bataille de l'Argonne. Il aurait quitté son hôtel particulier à Manhattan il y a déjà cinq semaines. M...

LE NEW YORK TIMES, 10 juillet 1937

UN CONSEILLER D'HITLER PERTURBE LA CONFÉRENCE D'I.G. FARBEN

Berlin, 10 juillet – Un membre non identifié du ministère de la Guerre du chancelier Hitler a stupéfié aujourd'hui les négociateurs d'I.G. Farben et des firmes américaines lors de leur conférence commerciale. Employant un langage étonnamment vindicatif et s'exprimant dans un anglais impeccable, cet homme a dénoncé leurs accords comme étant inacceptables. Puis cet observateur inconnu a quitté la salle avec ses subordonnés...

LE NEW YORK TIMES, 18 février 1948

UN OFFICIEL NAZI
SERAIT PASSÉ AUX ALLIÉS
EN 1944

Washington D.C., 18 février – Une histoire très peu connue de la Seconde Guerre mondiale vient d'être partiellement mise au jour aujourd'hui. On apprend en effet qu'un nazi de haut rang, utilisant le nom de code de « Saxon », est passé aux Alliés en octobre 1944. Un comité sénatorial a aussitôt...

LE NEW YORK TIMES, 26 mai 1951

DES DOCUMENTS SECRETS
DATANT DE LA GUERRE
RETROUVÉS EN SUISSE

Kreuzlingen, Suisse, 26 mai – Un paquet scellé contenant des cartes des défenses allemandes de Berlin vient d'être découvert enterré près d'une petite auberge de ce village, au bord du Rhin. C'est en rasant l'auberge pour construire un complexe hôtelier que ces documents ont été mis au jour. Aucun signe de l'identité de leur propriétaire, si ce n'est le mot « Saxon » imprimé sur une étiquette attachée au paquet...

Première partie

1

10 octobre 1944 – Washington D.C.

Le général de brigade se posa, raide, sur un banc d'église ancien, préférant la surface dure du bois au cuir moelleux des fauteuils. Il était neuf heures vingt du matin et il n'avait pas bien dormi. Guère plus d'une heure.

Au fur et à mesure que la pendule, chez lui, avait égrené les demi-heures, les marquant d'un unique tintement, il s'était surpris à désirer que le temps s'écoule plus vite. Puisque devait arriver cette heure fatidique, neuf heures trente, il voulait maintenant l'affronter.

Dans quelques minutes, il devait avoir une entrevue avec le secrétaire d'Etat, Cordell S. Hull.

Assis dans le grand bureau qui servait d'antichambre au ministre des Affaires étrangères, face à une grande porte noire cloutée de reflets cuivrés, il pianotait sur le dossier blanc qu'il avait sorti de son attaché-case. Il avait en effet extrait le dossier de son attaché-case afin de ne pas créer un bref silence gêné avant de pouvoir le tendre au secrétaire d'Etat. Il voulait pouvoir le lui donner sans l'ombre d'une hésitation, et avec assurance.

D'un autre point de vue, Hull pouvait très bien ne même pas demander à le lire. Il pouvait n'exiger qu'une explication verbale puis utiliser toute l'autorité conférée par sa charge pour réfuter les assertions de son interlocuteur. Si tel était le cas, le général ne pourrait que protester. Et sans véhémence, de surcroît, car l'information contenue dans ce dossier blanc ne constituait en rien une preuve. Il ne s'agissait que de données qui parviendraient, ou non, à renforcer les conjectures qu'il avait élaborées.

Le général regarda sa montre. Il était neuf heures vingt-quatre et il se demanda si la réputation de ponctualité de Cordell Hull serait vérifiée lors de ce rendez-vous. Lui-même était arrivé à son bureau à sept heures trente, approximativement une demi-heure avant l'heure habituelle, sauf en période de crise où il passait souvent la nuit à attendre les plus récents développements de situations critiques. Ces trois derniers jours n'étaient pas sans ressembler à ces périodes de crise mais d'une manière différente.

Le rapport qu'il avait fait au secrétaire d'Etat, d'où résultait son rendez-vous ce matin-là, pourrait se révéler une forme de test. On pouvait trouver des moyens de l'éloigner des centres d'influence, de le couper des zones de communication. On pouvait aussi le faire passer pour totalement incompétent. Mais il savait qu'il avait raison.

Il entrouvrit légèrement le dossier, assez pour lire, sur la première page dactylographiée, le titre :

« Canfield, Matthew, commandant de réserve, armée des Etats-Unis, Département des renseignements militaires. »

Canfield, Matthew... Matthew Canfield. Cet homme était la preuve.

Un *buzz* retentit à l'interphone sur le bureau de la réceptionniste, une femme entre deux âges.

« Général de brigade Ellis? »

Elle avait à peine levé le nez de son travail.

« Exact.

– Le secrétaire d'Etat va vous recevoir. »

Ellis regarda sa montre. Il était neuf heures trente-deux.

Il se leva, avança jusqu'à la massive porte noire et l'ouvrit.

« Vous voudrez bien m'excuser, général Ellis, mais j'ai pensé que la nature de votre rapport nécessitait la présence d'une tierce personne. Puis-je vous présenter le sous-secrétaire Brayduck? »

Le général eut du mal à masquer sa surprise. Il n'avait pas prévu cela. Il avait même spécifiquement demandé que l'audience ait lieu en tête-à-tête avec le secrétaire.

Le sous-secrétaire Brayduck se tenait à trois mètres à droite du bureau de Hull. C'était visiblement un de ces universitaires du Département d'Etat qui semblaient prévaloir à la Maison Blanche dans l'administration Roosevelt. Même ses vêtements – flanelle grise et veston croisé – étaient une réponse exagérée aux impeccables faux plis de l'uniforme du général.

« Je vous en prie, monsieur le Secrétaire... Monsieur Brayduck. »

Le général hocha la tête.

Cordell S. Hull s'assit derrière son vaste bureau. Ses traits familiers – sa peau très fine, quasi transparente, ses cheveux blancs presque invisibles, son pince-nez cerclé d'acier devant ses yeux bleu-vert –, tout cet ensemble paraissait plus vrai que nature car c'était une image de tous les jours. Il n'y avait pratiquement pas de première page de journal ni de bandes d'actualités sans photos de lui. Même sur les affiches électorales – « Voulez-vous changer d'attelage au milieu des flots ? » – se montrait son visage intelligent, rassurant, aux côtés de Roosevelt. Parfois d'une manière encore plus voyante qu'Harry Truman, cet inconnu.

Brayduck sortit une blague à tabac de sa poche et commença à bourrer sa pipe. Hull arrangeait divers papiers sur son bureau et finit par ouvrir très doucement un dossier identique à celui que tenait le général. Il y plongea les yeux. Ellis le reconnut. C'était le rapport qu'il avait remis, en main propre, au secrétaire d'Etat.

Brayduck alluma sa pipe, Ellis l'examina une fois de plus. Cette odeur de tabac appartenait à un de ces étranges mélanges que les gens de l'université trouvaient très originaux mais qui étaient, en fait, insupportables pour qui se trouvait dans la même pièce. Le général Ellis serait soulagé quand cette guerre s'achèverait. Roosevelt serait balayé, et avec lui ces prétendus intellectuels et leur tabac puant.

Le *Brain Trust*. Des Roses, tous des Demi-Rouges !

Mais la guerre d'abord.

Hull regarda le général.

« Inutile de vous dire, général, que votre rapport est très déroutant.

– C'est l'information que j'ai reçue qui était très déroutante, monsieur le Secrétaire.

– Ça ne fait aucun doute, aucun... La question qui vient à l'esprit est la suivante : vos conclusions sont-elles fondées ? Je veux dire sur quelque chose de solide ?

– Je le crois, monsieur.

– Combien d'autres personnes des services de renseignements sont-elles au courant, Ellis? interrompit Brayduck, et l'absence du mot « général » n'échappa pas à ce dernier.

– Je n'en ai parlé à personne. Je ne pensais d'ailleurs pas avoir à en parler à qui que ce soit d'autre que le secrétaire d'Etat ce matin, pour être tout à fait franc avec vous.

– M. Brayduck a toute ma confiance, général Ellis. Il est ici à ma demande... A mes ordres, si vous préférez.

– Je comprends. »

Cordell Hull se tassa contre le dossier de son fauteuil.

« Sans vouloir vous offenser, je me demande si vous comprenez... Vous envoyez un rapport secret, niveau de priorité maximal, dans ce bureau. Vous me le remettez en main propre, pour être précis, et en substance, ce que vous y dites est rien moins qu'incroyable.

– Une accusation irrationnelle que vous admettez ne pas même pouvoir prouver », intervint Brayduck en mâchouillant sa pipe.

Il s'approchait du bureau.

« C'est précisément pour cela que nous sommes ici. »

Hull avait requis la présence de Brayduck mais il n'avait pas l'intention de supporter ses interventions intempestives, et encore moins son insolence.

Brayduck, pourtant, ne se laissait pas démonter.

« Monsieur le Secrétaire, les services de renseignements de l'armée ont des failles comme le reste. Cela nous a coûté assez cher de le comprendre. La seule chose qui me préoccupe c'est d'empêcher une nouvelle erreur, une spéculation oiseuse qui pourrait très bien servir de munition aux opposants de notre administration. Il y a des élections dans moins d'un mois! »

Hull remua très légèrement la tête. Il ne regarda pas Brayduck, alors qu'il lui parlait.

« Vous n'avez pas à me rappeler de telles considérations pragmatiques... Néanmoins, puis-je *vous* rappeler que nous avons d'autres responsabilités... Autres que ces problèmes politiques. Suis-je assez clair?

– Bien sûr. »

Brayduck s'arrêta net.

Hull poursuivit.

« Si j'ai bien compris votre rapport, général Ellis, vous avancez qu'un membre influent du haut commandement allemand est un citoyen américain, opérant sous un faux nom – le nom bien connu de nos services – d'Heinrich Kroeger.

– Exactement, monsieur. Sauf que mon affirmation était nuancée et disait qu'il *pourrait* bien l'être.

– Vous impliquez aussi qu'Heinrich Kroeger est associé, ou relié, à un certain nombre de grandes compagnies de notre pays. Des industries sous contrat avec le gouvernement, notamment des industries militaires.

– Oui, monsieur le Secrétaire. Sauf, je le répète, que j'ai toujours parlé au conditionnel.

– Les temps des verbes ont tendance à devenir flous quand on en arrive à de telles accusations. »

Cordell Hull ôta ses lunettes cerclées d'acier et les posa à côté du dossier.

« Surtout en temps de guerre. »

Le sous-secrétaire Brayduck craqua une allumette et se mit à parler entre deux bouffées pour relancer sa pipe.

« Vous affirmez aussi très clairement que vous n'avez pas de preuve spécifique.

– J'ai ce qu'on pourrait appeler une preuve circonstancielle. D'une nature telle que mon devoir m'oblige à la soumettre à l'attention du secrétaire d'Etat. »

Le général prit une profonde aspiration avant de poursuivre. Il savait qu'une fois lancé il serait compromis.

« Je voudrais attirer votre attention sur certains faits frappants au sujet d'Heinrich Kroeger... Pour commencer, le dossier que nous avons sur lui est incomplet. Il n'a jamais reçu l'approbation du parti et pourtant, tandis que les autres vont et viennent, il est toujours en place, au centre. Selon toute évidence il a beaucoup d'influence sur Hitler.

– Nous le savons. »

Hull n'aimait pas que l'on revienne sur des informations archiconnues pour étayer une affirmation.

« Son nom lui-même, monsieur le Secrétaire, Heinrich est aussi commun que William ou John ici; quant à Kroeger c'est aussi répandu que Smith ou Jones.

– Oh! allons, général. (La pipe de Brayduck fumait comme une usine.) De tels arguments rendraient suspects le tiers de nos généraux. »

Ellis se tourna vers Brayduck et lui exprima son plus militaire dédain.

« Je pense que ce fait a son importance, monsieur le Sous-Secrétaire. »

Hull commençait à se demander si ç'avait été une bonne idée de convoquer Brayduck.

« Inutile d'engager des hostilités, messieurs.

– Je suis désolé que vous le preniez comme cela, monsieur le Secrétaire. »

Brayduck, une fois de plus, n'acceptait pas le blâme.

« Je crois que mon rôle, ici, ce matin, est celui de l'avocat du diable. Aucun de nous, et surtout pas vous, monsieur le Secrétaire, n'a de temps à perdre... »

Hull fit pivoter son fauteuil tournant pour fixer le sous-secrétaire.

« Allons-y, alors. S'il vous plaît, continuez, général.

– Merci, monsieur le Secrétaire. Il y a un mois, un message relayé par Lisbonne nous est parvenu, affirmant que Kroeger voulait entrer en contact avec nous. On commença à arranger des circuits et nous nous attendions à ce qu'on suive la démarche habituelle... Mais Kroeger rejeta les règles en bloc, refusa tout contact avec des unités anglaises ou françaises, insista pour obtenir une liaison directe avec Washington.

– Puis-je? demanda Brayduck d'un ton courtois. Je ne pense pas qu'il y ait là rien d'anormal. Après tout, nous sommes le principal interlocuteur.

– Là où cela devenait anormal, monsieur Brayduck, c'est quand Kroeger n'acceptait d'entrer en relation avec personne, sauf un certain major Canfield... Le major Canfield qui est, ou était, simplement un très bon officier de renseignements en service à Washington. »

Brayduck s'immobilisa, la pipe en l'air, et regarda le général de brigade. Cordell Hull se pencha sur son bureau, les coudes sur ses dossiers.

« Il n'est fait aucune mention de ceci dans votre rapport.

– Je le sais pertinemment, monsieur. Je l'ai volontairement omis pour le cas où le rapport serait lu par quelqu'un d'autre que vous.

– Acceptez mes excuses, général », dit Brayduck d'un air sincère.

Cette victoire fit sourire Ellis.

Hull se rencogna dans son fauteuil.

« Un membre de haut rang du commandement nazi insiste pour communiquer avec un obscur major des renseignements de l'armée. C'est pour le moins inhabituel!

– Inhabituel, mais déjà vu... Nous connaissons tous des citoyens allemands. Nous en avons déduit que le major Canfield a rencontré Kroeger avant la guerre. En Allemagne. »

Brayduck avança vers le général.

« Pourtant vous nous dites que Kroeger pourrait ne pas être allemand. Donc, entre le message de Kroeger parvenu à Lisbonne et votre rapport au secrétaire d'Etat, quelque chose vous a fait changer d'avis. Qu'est-ce que c'était? Canfield?

– Le major Canfield est un officier de renseignements compétent, parfois brillant. Un homme d'expérience. Pourtant, depuis que la liaison a été établie entre Kroeger et lui, il a montré les signes d'une grande tension émotionnelle. Il est devenu très nerveux et ne fonctionne plus exactement comme devrait le faire un officier qui a son passé et son expérience... Il m'a aussi demandé, monsieur le Secrétaire, de déposer une requête des plus étranges devant le Président des Etats-Unis.

– Laquelle?

– Il demande qu'une fiche classée top secret des archives du département d'Etat lui soit remise, avec les sceaux intacts, avant qu'il entre en contact avec Heinrich Kroeger. »

Brayduck ôta sa pipe d'entre ses lèvres, prêt à faire une objection.

« Une minute, monsieur Brayduck. »

Hull songeait que Brayduck, malgré son esprit brillant, n'avait aucune idée de ce que signifiait, pour la carrière d'un officier comme Ellis, d'être là devant eux deux et d'oser émettre une affirmation. Car cette affirmation n'était qu'une demande à peine déguisée adressée à la Maison Blanche et au Département d'Etat d'envisager sérieusement d'accepter la requête de Canfield. Beaucoup d'officiers auraient refusé cette proposition illégale plutôt que de se retrouver placés dans une telle position. Ils étaient comme ça, dans l'armée.

« Est-ce que je me trompe si j'en déduis que vous recommandez qu'on remette cette fiche au major Canfield ?

— Ce jugement vous appartient. Je ne fais qu'attirer votre attention sur Heinrich Kroeger, le levier de presque toutes les décisions importantes prises par la hiérarchie nazie depuis son apparition.

— La défection d'Heinrich Kroeger pourrait-elle raccourcir la guerre ?

— Je n'en sais rien. C'est cette possibilité qui m'a amené jusqu'à votre bureau.

— Quelle est cette fiche que le major Canfield exige ? demanda Brayduck d'un ton ennuyé.

— Je n'en connais que le numéro et le classement établi par la section archives du Département d'Etat.

— Quels sont-ils ? »

Une fois de plus, Cordell Hull se pencha en avant.

Ellis hésitait. Etablir les termes de la fiche sans donner à Hull les informations concernant Canfield équivalait à se mettre dans un embarras aussi personnel que professionnel. Il aurait pu le faire si Brayduck n'avait pas été présent. Satanés universitaires ! Ellis s'était toujours senti mal à l'aise avec

20

ces beaux parleurs. Bon sang! pensa-t-il, je vais être direct avec Hull.

« Avant de vous répondre, puis-je saisir l'occasion d'ajouter quelques informations que je juge très importantes... Pas seulement importantes, monsieur, mais intrinsèques à la fiche elle-même.

– Faites donc. »

Hull ne savait pas réellement s'il était irrité ou fasciné.

« Le dernier message d'Heinrich Kroeger au major Canfield exige une rencontre préalable avec quelqu'un identifié comme... Avril Rouge. Cette rencontre doit avoir lieu à Berne, en Suisse, avant toute négociation entre Kroeger et Canfield.

– Qui est Avril Rouge, général? Si j'en crois le ton de votre voix vous avez une idée de son identité. »

Le sous-secrétaire Brayduck n'en perdait pas une miette, et le général Ellis s'en rendait compte avec douleur.

« Nous... Je pense que je le sais. »

Ellis ouvrit le dossier qu'il tenait depuis son arrivée et fit passer la première page sur le dessus de la chemise.

« Avec la permission de monsieur le Secrétaire, j'ai extrait ce qui va suivre du fichier concernant le major Canfield.

– Allez-y, général.

– Matthew Canfield, entré au service du gouvernement, Département intérieur, en mars 1917. Sa carrière. Un an à l'université d'Oklahoma, un an, puis un an et demi de cours du soir supplémentaires à Washington D.C. Employé par le ministère de l'Intérieur comme agent comptable au Département des fraudes. Promu agent mobile en 1919. Rattaché au Groupe Vingt, qui, comme vous le savez... »

Cordell Hull l'interrompit doucement.

« Une petite équipe très bien entraînée chargée des conflits d'intérêts, des détournements de fonds, etc., pendant la Première Guerre mondiale. Très efficace... Jusqu'à ce que, comme tant d'autres équipes, elle se sente trop imbue d'elle-même. Démantelée en vingt-neuf ou trente, je crois.

– En 1932, monsieur le Secrétaire. »

Le général Ellis était ravi d'avoir les faits en main. Il fit passer une deuxième page sur la couverture de son dossier et poursuivit sa lecture.

« Canfield resta à l'Intérieur dix ans, passant quatre échelons de salaire. Performances supérieures. Excellents états de service. En mai 1927, il démissionna pour entrer comme employé dans les Industries Scarlatti. »

Quand il mentionna le nom Scarlatti, Hull et Brayduck réagirent ensemble. On aurait dit que ce mot piquait comme une guêpe.

« Quelle compagnie des Industries Scarlatti?

– Les Bureaux exécutifs, cinq cent vingt-cinq, Cinquième Avenue, New York. »

Cordell Hull jouait avec le fin lacet de son pince-nez.

« Une belle promotion pour notre monsieur Canfield. Des cours du soir de Washington jusqu'aux bureaux de la direction de Scarlatti. »

Il baissa les yeux, après un regard échangé avec le général.

« Scarlatti est-elle une des grandes compagnies que vous avez mentionnées dans votre rapport? » demanda Brayduck, impatient.

Avant que le général ait pu répondre, Cordell Hull se leva de son fauteuil. Hull était grand et imposant. Bien plus gros que les deux autres.

« Général Ellis, je vous ordonne de ne plus répondre à aucune question pour l'instant! »

C'était comme si Brayduck avait été giflé. Il regarda Hull, étonné et dérouté par l'ordre du secrétaire au général. Hull soutint son regard et parla doucement.

« Toutes mes excuses, monsieur Brayduck. Je ne peux pas vous le garantir mais j'espère avoir une explication à vous fournir plus tard dans la journée. Pour le moment, pourriez-vous avoir l'amabilité de nous laisser seuls?

– Bien sûr. »

Brayduck savait que cet homme, bon et honnête, devait avoir ses raisons.

« Aucune explication ne sera nécessaire, monsieur.

– Néanmoins vous en méritez une.

– Merci, monsieur le Secrétaire. Vous pouvez avoir toute ma confiance en ce qui concerne cet entretien. »

Les yeux de Hull suivirent Brayduck jusqu'à ce que la porte se referme. Puis il se tourna à nouveau vers le général de brigade, très calme, mais qui ne comprenait pas.

« Le sous-secrétaire Brayduck est un homme extrêmement attaché au service public. Le fait que je le fasse sortir ne doit pas être considéré comme lié, de près ou de loin, à son caractère ni à son travail.

– Bien, monsieur. »

Doucement et quelque peu douloureusement, Hull se remit dans son fauteuil.

« Je lui ai demandé de partir parce que je crois que je sais vaguement de quoi vous allez parler. Si je ne me suis pas trompé, il vaut mieux que nous soyons seuls. »

Le général de brigade était très troublé. Il pensait impossible que Hull puisse savoir.

« N'ayez pas peur, général, je ne sais pas lire dans les pensées... J'étais à la Chambre des représentants à l'époque dont vous parliez. Les mots que vous avez employés évoquent un souvenir. Le souvenir presque oublié d'un très chaud après-midi de la Chambre... Mais peut-être suis-je dans l'erreur. S'il vous plaît, continuez. A l'entrée de notre major Canfield dans les Entreprises Scarlatti... Un bond plutôt inattendu, je pense que vous êtes d'accord ?

– Il y a pourtant une explication logique. Canfield a épousé la veuve d'Ulster Stewart Scarlett six mois après la mort de Scarlett à Zurich, en 1926. Scarlett était le plus jeune des deux fils survivants de Giovanni et Elizabeth Scarlatti, fondateurs des Entreprises Scarlatti. »

Cordell Hull ferma brièvement les yeux.

« Continuez.

– Ulster Scarlett et sa femme Janet Saxon Scarlett avaient un fils, Andrew Roland, adopté, par conséquent, par Matthew Canfield après son mariage avec la veuve de Scarlett. Adopté, mais jamais séparé des propriétés Scarlatti... Canfield continua à travailler pour Scarlatti jusqu'en août 1940, où il retourna au service du gouvernement et fut affecté aux services des renseignements de l'armée de terre. »

Le général Ellis marqua une pause et regarda Cordell Hull par-dessus ses notes. Il se demandait si son interlocuteur commençait à comprendre mais le visage du secrétaire d'Etat ne trahissait rien.

« Vous parliez de la fiche que Canfield réclame aux archives. Quelle est-elle ?

– C'était mon prochain point, monsieur le Secrétaire. (Ellis prit une autre page.) Cette fiche n'est qu'un numéro pour nous, mais ledit numéro nous renseigne sur sa date d'enregistrement... 1926, le quatrième trimestre 1926 pour être précis.

– Et quelles sont ses coordonnées de classement?

– Maximum. La note ne peut être extraite qu'en cas d'ordre personnel du Président pour des raisons de sécurité nationale.

– Je présume qu'un des signataires – témoin de son enregistrement – était un homme alors employé au Département de l'Intérieur nommé Matthew Canfield... »

Le général était visiblement un peu agacé mais il continuait à tenir son dossier blanc très fermement entre le pouce et l'index.

« C'est exact.

– Et maintenant il veut récupérer cette fiche, sinon il refuse d'entrer en contact avec Kroeger...

– Oui, monsieur.

– J'imagine que vous avez attiré son attention sur l'aspect illégal de sa position?

– Je l'ai personnellement menacé de la cour martiale... Sa seule réponse a été que ce serait notre décision, notre choix de refuser.

– Et ainsi il n'y aurait pas de contact avec Kroeger?

– Oui, monsieur... Mon opinion est que le major Canfield préférerait passer sa vie entière dans une prison militaire plutôt que de modifier sa position d'un iota. »

Cordell Hull se leva de son fauteuil et fit face au général.

« Auriez-vous l'amabilité de condenser?

– Je pense qu'Avril Rouge fait référence au garçon, Andrew Roland. Je pense qu'il s'agit du fils de Kroeger. Les initiales sont les mêmes. Le garçon est né en avril 1926. Je crois qu'Heinrich Kroeger est Ulster Scarlett.

– Il est mort à Zurich. »

Hull fixait le général avec énormément d'attention.

« Les circonstances de sa mort sont suspectes. Il n'y a dans ce dossier qu'un certificat de décès délivré par un obscur tribunal dans un village situé à cinquante kilomètres de Zurich et une déposition écrite de témoins dont on n'a plus jamais entendu parler et que personne ne connaissait. »

Hull regarda froidement le général dans les yeux.

« Vous vous rendez compte de ce que vous dites? Scarlatti est un trust géant.

– Je sais, monsieur. J'irai même jusqu'à dire que le major Canfield connaît la véritable identité de Kroeger et qu'il a l'intention de détruire la fiche.

– Vous croyez qu'il s'agit d'une conspiration? Une conspiration pour enterrer définitivement l'identité réelle de Kroeger?

– Je l'ignore... Je ne suis pas très fort quand il s'agit de mettre en mots les intentions ou les motifs de quelqu'un d'autre. Mais les réactions du major Canfield paraissent si personnelles que j'incline à penser qu'il s'agit d'une affaire très privée. »

Hull sourit.

« Je pense que vous vous débrouillez très bien avec les mots... Pourtant, vous croyez vraiment que la vérité se trouve dans cette fiche? Et si oui, pourquoi Canfield attirerait-il notre attention dessus? Il doit quand même se dire que si nous pouvons la lui obtenir, nous pourrions aussi bien l'obtenir pour nous-mêmes. Nous aurions pu ignorer éternellement son existence, s'il s'était tu.

– Comme je vous le disais, Canfield est un

homme d'expérience. Je suis certain qu'il agit en anticipant que nous serons bientôt au courant de son contenu.

– Comment?

– Par Kroeger... Et Canfield a posé la condition que les sceaux de cette fiche soient intacts. C'est un expert, monsieur. Il saura si on les a tripatouillés. »

Cordell Hull fit le tour de son bureau, dépassa le général, les poings serrés derrière son dos. Sa démarche était raide, sa santé déclinait visiblement. Brayduck avait raison, songeait le secrétaire d'Etat. Si même l'ombre d'une relation pouvait être établie entre les grands industriels américains et le haut commandement allemand, fût-elle minime ou très ancienne, cela pourrait déchirer le pays en deux. Surtout en période électorale.

« Selon vous, si nous lui donnions cette fiche, le major Canfield amènerait-il... Avril Rouge... à son rendez-vous avec Kroeger?

– Je crois qu'il le ferait.

– Pourquoi? C'est une chose assez cruelle à faire subir à un garçon de dix-huit ans. »

Le général hésita.

« Je ne suis pas certain qu'il ait le choix. Rien ne peut empêcher Kroeger de passer d'autres accords. »

Hull cessa de faire les cent pas et regarda le général. Il avait fait son choix.

« Je demanderai au Président de signer un ordre pour cette fiche. Néanmoins, et franchement, je pose cette condition à sa signature, vos suppositions devront rester entre vous et moi.

– Nous deux seulement?

– Je serai obligé de faire un résumé au président Roosevelt, sur l'essentiel de notre conversation, mais je ne vais pas l'accabler d'hypothèses qui pourraient se révéler infondées. Votre théorie pourrait bien n'être qu'une série de coïncidences facilement expliquées.

– Je comprends.

– Mais si vous avez raison, Heinrich Kroeger pourrait très bien déclencher un effondrement interne à Berlin. L'Allemagne livre un combat à mort... Comme vous l'avez dit, il a eu cette incroyable force d'inertie, survivant à tous les groupes. Il fait partie du corps d'élite qui entoure Hitler. La révolte de la garde prétorienne contre César. Si vous vous trompez, enfin, nous devrons nous souvenir de deux personnes qui vont partir pour Berne. Et que Dieu ait pitié de nos âmes! »

Le général Ellis remit les pages dans son dossier blanc, ramassa l'attaché-case à ses pieds et se dirigea vers la grande porte noire. Alors qu'il la fermait derrière lui, il vit que Hull le regardait. Il sentit un point douloureux, désagréable, au fond de son estomac.

Pourtant Hull ne pensait plus au général. Il se souvenait de ce chaud après-midi, jadis, à la Chambre des représentants. Les membres du Congrès, les uns après les autres, s'étaient levés et avaient lu des éloges destinés à un brave jeune Américain qu'on croyait mort. Chacun des deux partis s'attendait à ce que lui, honorable représentant du grand Etat du Tennessee, y aille de son éloge. Les têtes ne cessaient de se tourner vers lui.

Cordell Hull était le seul membre de la Chambre qui s'adressait à la célèbre Elizabeth Scarlatti en l'appelant par son prénom car elle était une légende vivante. La mère de ce brave jeune homme glorifié par le Congrès des Etats-Unis, pour la postérité.

Car, malgré leurs divergences politiques, Hull et

sa femme avaient été les amis d'Elizabeth Scarlatti pendant des années.

Et pourtant, cet après-midi-là, Hull était resté silencieux.

Il avait connu Ulster Stewart Scarlett et il l'avait toujours méprisé.

2

La limousine brune dont les portes étaient marquées de l'insigne de l'armée des Etats-Unis tourna dans la 32e Rue et entra dans Gramercy Square.

Sur le siège arrière, Matthew Canfield se pencha en avant, prit l'attaché-case sur ses genoux et le plaça à ses pieds. Il tira sur la manche droite de son manteau pour masquer l'épaisse chaîne argentée qui était attachée autour de son poignet et qui passait en boucle autour de la poignée de métal de son attaché-case.

Il savait que le contenu de cette petite valise, ou plus spécifiquement, la possession de ce contenu, signifiait que tout était fini pour lui. Quand tout serait achevé, et s'il était encore vivant, ils le crucifieraient d'une manière radicale, tant civile que militaire.

La voiture de l'armée tourna deux fois à gauche et s'arrêta à l'entrée des appartements Gramercy Arms. Un portier en uniforme ouvrit la porte arrière et Canfield sortit.

« Je veux que vous soyez de retour dans une demi-heure, dit-il à son chauffeur. Pas plus tard. »

Le sergent à la mine pâle, visiblement au courant des habitudes de son supérieur, répliqua :

« Je serais de retour dans vingt minutes, monsieur. »

Le major hocha la tête, fit demi-tour et entra dans l'immeuble. En se laissant emporter par l'ascenseur, le major se rendit compte qu'il était extrêmement fatigué. Chaque numéro d'étage semblait rester allumé beaucoup plus longtemps qu'il n'aurait dû. Les espaces entre chaque étage paraissaient interminables. Et pourtant il n'était pas pressé. Réellement pas pressé.

Dix-huit ans. La fin du mensonge mais pas la fin de la peur. Cette fin-là ne viendrait qu'avec la mort de Kroeger. Et il ne resterait que de la culpabilité. Mais il parviendrait à vivre avec cette culpabilité, car ce remords serait sien. Il n'atteindrait ni le garçon, ni Janet.

Et ce serait sa mort aussi. Pas celle de Janet. Ni celle d'Andrew. Si la mort appelait quelqu'un, ce serait lui. Il ferait le nécessaire pour qu'il en soit ainsi.

Il ne quitterait ni Berne, ni la Suisse, jusqu'à ce que Kroeger soit mort.

Kroeger ou lui.

Et pourquoi pas eux deux?

En sortant de l'ascenseur il prit à gauche et, traversant une étroite entrée, il parvint à une porte. Il l'ouvrit et entra dans un vaste living-room confortable, meublé en style provincial italien. Deux immenses baies vitrées ouvraient sur le parc et différentes portes menaient aux chambres, à la salle à manger, à l'office et à la bibliothèque. Canfield s'arrêta un instant et pensa inévitablement que tout ceci également datait de dix-huit ans.

La porte de la bibliothèque s'ouvrit et un jeune homme en sortit. Il salua Canfield sans enthousiasme.

« Hello, papa. »

Canfield regarda le garçon et il lui fallut une sérieuse dose de force pour ne pas courir vers lui et le serrer dans ses bras. Son fils.

Et pourtant ce n'était pas son fils.

Il savait que s'il risquait un geste de cette sorte, il serait rejeté. Le garçon était circonspect maintenant, et même s'il essayait de ne pas le laisser voir, effrayé.

« Hello, dit le major. Donne-moi un coup de main, veux-tu? »

Le jeune homme s'avança et grommela :

« Sûr... »

A eux deux, ils défirent le premier cadenas sur la chaîne et le jeune homme tint l'attaché-case bien droit pour que Canfield puisse manipuler la seconde serrure à chiffres qui était attachée sur le plat de son poignet. Le verrou joua et ils posèrent la valise. Canfield ôta son chapeau, son manteau et la veste de son uniforme, les jetant sur un fauteuil.

Le garçon tenait la valise immobile devant le major. Il était extraordinairement beau. Il avait des yeux bleus brillants sous des sourcils très sombres, un nez droit mais légèrement retroussé et des cheveux noirs coiffés en arrière coupés net. Sa peau était tannée comme par un bronzage perpétuel. Il mesurait un mètre quatre-vingts et portait un pantalon de flanelle grise, une chemise bleue et une veste de tweed.

« Comment ça va? » demanda Canfield.

Le jeune homme mit un certain temps à répondre.

« Eh bien, pour mes douze ans, maman et toi m'aviez acheté un bateau à voiles. J'aimais mieux. »

Le major lui rendit son sourire.

« Oui, effectivement, c'était sûrement mieux.

– C'est ça? demanda le garçon en tapotant la valise du doigt après l'avoir placée sur la table.

– Il y a tout.

– Je suppose que je devrais me sentir privilégié.

– Il a fallu un ordre personnel du Président pour la sortir du département d'Etat.

– Vraiment?

– N'aie pas peur. Je pense qu'il ignore ce qu'il y a dedans.

– Comment ça se fait?

– Un accord a été passé. Ils ont compris.

– Je n'y crois pas.

– Je pense que tu y croiras quand tu auras lu. Pas plus de dix personnes en tout ont dû voir cela au complet et la plupart d'entre eux sont morts. Quand nous avons achevé la rédaction de cette fiche, son dernier quart, nous avons procédé par segments... en 1938. C'est dans le dossier séparé avec les sceaux devant. Les pages ne sont pas dans l'ordre et doivent être décryptées. Le code est sur la première page. »

Le major défit sa cravate et commença à déboutonner sa chemise.

« Tout ceci était réellement nécessaire?

– Nous pensions que cela l'était. Si je me souviens bien, on utilisait des équipes rotatives de dactylos. »

Le major se dirigea vers la porte d'une des chambres.

« Je te suggère de tout remettre dans l'ordre avant de lire le dernier dossier. »

Il pénétra dans sa chambre, ôta sa chemise à la hâte et délaça ses souliers. Le jeune homme l'avait suivi et se tenait dans l'encadrement de la porte.

« Quand partons-nous? demanda-t-il.

– Jeudi.

– Comment?

– Bomber Ferry Command, la base de l'Air Force de Matthews. De là, Terre-Neuve, l'Islande, le Groenland et l'Irlande dans un bombardier. D'Irlande, sur un avion neutre, droit jusqu'à Lisbonne.

– Lisbonne?

– L'ambassade de Suisse prend le relais à partir de là. Ils nous emmènent à Berne... Nous serons complètement protégés. »

Canfield, qui avait enlevé son pantalon, en choisit un autre en flanelle grise dans le placard et l'enfila.

« Qu'est-ce qu'on va dire à maman? » demanda le jeune homme.

Canfield se rendit dans la salle de bain sans répondre. Il emplit le lavabo d'eau chaude et se la passa sur le visage.

Le garçon le suivait du regard, mais il ne bougeait ni ne rompait le silence. Il sentait que cet homme plus âgé était beaucoup plus remué qu'il ne voulait le montrer.

« Passe-moi une chemise propre dans le deuxième tiroir, là, s'il te plaît. Pose-la sur le lit.

– D'accord. »

Dans la pile, le hasard désigna une chemise de popeline au col large.

Canfield se rasait.

« Nous sommes aujourd'hui lundi, donc nous avons trois jours. Je vais finir de tout régler et tu auras le temps d'avaler la fiche. Tu auras des questions à poser et inutile de te dire qu'il faudra me les poser à moi. Non pas à quelqu'un d'autre qui pourrait te répondre. Mais de toute façon, au cas où tu as un problème et envie de me passer un coup de fil, ne le fais pas.

– Compris.

– A propos, ne te sens pas obligé d'utiliser ta mémoire. La seule chose importante est que tu comprennes bien. »

Etait-il honnête avec le garçon? Etait-il bien nécessaire de lui faire ressentir le poids de la vérité officielle? Canfield s'était convaincu de cette nécessité, car peu importaient les années, peu importait l'affection qui les liait, Andrew était un Scarlett. Dans quelques années il hériterait d'une des plus grosses fortunes du monde. De tels individus doivent pouvoir assumer les responsabilités quand elles leur tombent dessus, pas quand cela leur convient.

Vraiment?

Canfield n'était-il pas plutôt en train de choisir le chemin le plus facile pour lui? Que les mots viennent de quelqu'un d'autre... Oh! mon Dieu. Que quelqu'un d'autre parle!

Essuyant son visage avec une serviette, le major s'arrosa d'eau de Cologne et mit sa chemise.

« Si tu veux le savoir, tu as raté la moitié de ta barbe.

– Aucune importance. »

Il choisit une cravate et décrocha un blazer bleu foncé.

« Quand je serai parti, tu commenceras à lire. Si tu sors pour dîner, mets l'attaché-case dans le petit cabinet à droite de la bibliothèque. Ferme-le. Voilà la clef. »

Il ôta une petite clef de son porte-clefs.

Les deux hommes sortirent de la chambre et Canfield se dirigea vers l'entrée.

« Tu ne m'as pas entendu ou bien tu ne veux pas me répondre, mais que dit-on à maman?

– Je t'ai entendu. »

Canfield se retourna vers le jeune homme.

« Janet n'est pas censée savoir quoi que ce soit.

– Et pourquoi pas? Suppose qu'il arrive quelque chose? »

Canfield était visiblement énervé.

« Mon opinion est qu'elle ne doit rien savoir.

– Je ne suis pas d'accord. Je suis plutôt important pour toi maintenant... Je n'ai pas choisi de l'être, papa.

– Et tu penses que cela te donne le droit de donner des ordres?

– Je crois que j'ai le droit d'être entendu... Ecoute, je sais que tu es agacé, mais c'est ma mère!

– Et c'est ma femme. N'oublie pas cet aspect-là, veux-tu, Andy? »

Le major fit quelques pas vers le jeune homme, mais Andrew Scarlett se détourna et avança jusqu'à la table où, près d'une lampe, reposait l'attaché-case.

« Tu ne m'as jamais montré comment l'ouvrir.

– Il n'est pas fermé. Je l'ai ouvert dans la voiture. Ça s'ouvre comme n'importe quelle valise. »

Le jeune Scarlett manœuvra les boutons et les clapets s'ouvrirent.

« Je ne te croyais pas la nuit dernière, tu sais, dit-il calmement tout en soulevant le rabat de l'attaché-case.

– Cela ne me surprend pas.

– Non. Pas quand tu parlais de lui. J'ai cru à cette partie parce qu'elle répondait à beaucoup de questions à ton sujet. »

Il se retourna et fixa le major.

« En fait, pas des questions vraiment, puisque j'ai

toujours pensé savoir pourquoi tu te comportais de cette façon. Je pensais que tu détestais les Scarlett... Pas moi. Les Scarlett. Oncle Chancellor, tante Allison, tous les enfants. Toi et maman vous vous moquiez tout le temps d'eux. Moi aussi... Je me souviens combien ça te faisait mal de me dire pourquoi mon nom de famille ne pouvait pas être le même que le tien. Tu te rappelles?

– Avec douleur, sourit gentiment Canfield.

– Mais ces deux dernières années... Tu as changé. Tu es devenu plus vicieux à leur sujet. Tu détestais que quelqu'un mentionne même les Compagnies Scarlatti. Tu te défilais chaque fois que les avocats de l'entreprise prenaient des rendez-vous pour parler avec maman et toi. Elle, ça l'énervait et elle disait que tu n'étais pas raisonnable... Seulement elle se trompait. Je le comprends maintenant... Alors, tu vois, je suis prêt à croire tout ce qu'il peut y avoir là-dedans, dit-il en fermant la petite valise.

– Ça va être dur pour toi.

– C'est déjà dur maintenant et je me remets à peine du premier choc. »

Il esquissa un sourire.

« De toute manière, il faudra que j'apprenne à vivre avec, je pense... Je ne l'ai jamais connu. Il n'a jamais rien été pour moi. Je n'ai jamais vraiment prêté attention aux histoires de l'oncle Chancellor. Tu vois, je ne tenais pas à savoir. Rien. Tu sais pourquoi?

– Non, je l'ignore, répliqua le major en regardant le jeune homme avec une attention extrême.

– Parce que je n'ai jamais voulu appartenir à quiconque, sauf à toi... et à Janet. »

Oh! mon Dieu, Dieu du Ciel, pensa Canfield.

« Il faut que j'y aille, dit-il en partant une fois de plus vers la porte.

– Pas encore. On n'a rien mis au point.

– Il n'y a rien à mettre au point.

– Tu n'as pas entendu ce que je ne croyais pas hier soir. »

Canfield s'arrêta, la main sur la poignée de la porte.

« Quoi?

– Que maman... ignore tout à son sujet. »

Canfield ôta sa main de la poignée et se planta près de la porte. Quand il se mit à parler, sa voix était basse et complètement contrôlée.

« J'espérais pouvoir éviter ça, jusqu'à plus tard. Jusqu'à ce que tu aies lu la fiche.

– Il faut que ce soit maintenant, sinon je ne veux pas de ce dossier. Si on doit lui cacher quelque chose, je veux savoir pourquoi avant d'aller plus loin. »

Le major revint vers le centre de la pièce.

« Qu'est-ce que tu veux que je te dise? Que ça la tuerait de savoir?

– Ça la tuerait?

– Probablement pas. Mais je n'ai pas le courage d'essayer.

– Depuis combien de temps le sais-tu, toi? »

Canfield s'approcha de la fenêtre. Le parc était vide d'enfants, portes closes.

« Le 12 juin 1936, je l'ai positivement identifié. J'ai modifié la fiche un an et demi plus tard, le 2 janvier 1938.

– Mon Dieu...

– Oui... Mon Dieu!

– Et tu ne lui as jamais dit?

– Non.

– Pourquoi, papa?

– Je pourrais te donner vingt ou trente raisons valables, dit Canfield tout en continuant à regarder

Gramercy Park. Mais trois raisons ont toujours prédominé dans mon esprit : 1° Il lui en avait assez fait voir. Il était son enfer personnel. 2° Une fois ta grand-mère morte, aucune autre personne ne pouvait l'identifier. 3° Ta mère... Je lui avais donné ma parole... que je l'avais tué.

– Toi! »

Le major quitta la fenêtre.

« Oui, moi... J'avais cru l'avoir fait... Suffisamment pour obliger vingt-deux témoins à signer des déclarations comme quoi il était mort. J'ai acheté les consciences d'un petit tribunal à côté de Zurich pour avoir un certificat de décès. Tout ceci, complètement légalement... Et ce matin de juin 1936, quand j'ai découvert la vérité, nous étions dans notre maison sur la baie et je prenais le café dans le patio. Ta mère et toi vous siphonniez un petit dériveur et vous m'appeliez pour que je le mette à l'eau. Tu n'arrêtais pas d'arroser ta mère avec le tuyau d'eau et elle riait, et elle criait en courant autour du bateau pour t'échapper. Elle avait l'air tellement heureux... Je ne lui ai rien dit. Je n'en suis pas fier, mais voilà, c'est comme ça. »

Le jeune homme s'assit sur la chaise près de la table. Il commença à parler plusieurs fois, mais à chaque tentative les mots retombaient, comme vides de sens.

Canfield lui demanda doucement :

« Es-tu certain de vouloir m'appartenir? »

Le garçon le regardait d'en bas.

« Tu as dû beaucoup l'aimer.

– Je l'aime toujours.

– Alors je... je veux rester à toi. »

L'ombre des sous-entendus contenus dans la voix du jeune homme firent presque craquer Canfield.

Mais il s'était promis de ne pas craquer, quoi qu'il arrive. Il restait trop à faire, trop à traverser.

« Je te remercie pour cela », dit-il en se retournant vers la fenêtre.

Les lumières des rues s'étaient allumées, contrairement à de nombreux pays où elles ne s'allumaient pas. Ici, on aurait dit qu'elles voulaient rappeler aux gens que la guerre pouvait arriver jusqu'à eux, mais qu'elle n'y était pas encore que, par conséquent, ils pouvaient se détendre.

« Papa?

– Oui?

– Pourquoi as-tu modifié la fiche? »

Il y eut un long silence avant que Canfield ne réponde.

« Je le devais... ça sonne bizarre maintenant ce « je le devais ». Il m'a fallu dix-huit mois pour prendre cette décision. Mais quand je l'eus prise, il m'a fallu cinq minutes pour être convaincu que c'était la seule chose possible. »

Il s'arrêta un moment, se demandant s'il était nécessaire de le dire au garçon. En même temps, il n'y avait aucune raison de ne pas lui dire.

« Le jour de l'an mille neuf cent trente-huit, ta mère m'avait acheté une Packard Roaster douze cylindres. Une merveilleuse automobile. Je l'ai prise pour l'essayer sur la route de Southampton... Je ne sais ce qui s'est passé exactement, je pense que la direction s'est bloquée. Je n'en sais rien, mais j'ai eu un accident. La voiture a fait deux tonneaux avant que je sois éjecté. Elle était fichue mais j'étais okay. A part quelques égratignures, tout allait bien. Mais il m'est venu à l'esprit que j'aurais pu y rester.

– Je me souviens de ça. Tu avais appelé de chez quelqu'un et maman et moi on était venus te chercher. T'étais dans un sale état.

– C'est ça. Eh bien, c'est à cet instant que j'ai changé d'avis et décidé d'aller à Washington et de modifier cette fiche.

– Je ne comprends pas. »

Canfield s'assit sur un fauteuil près de la fenêtre.

« Si quelque chose m'arrivait, m'était arrivé, Scarlett... Kroeger y aurait été de son histoire d'épouvante s'il avait voulu. Janet était vulnérable parce qu'elle ne savait rien. Alors il fallait que la vérité soit écrite quelque part... Mais dite d'une telle manière que cela ne laisserait à aucun gouvernement d'autre alternative que l'élimination de Kroeger... Elimination immédiate. Pour ne parler que des Etats-Unis. Kroeger s'est joué d'un tas d'hommes éminents. Certains de ces distingués gentlemen sont aux commandes aujourd'hui. D'autres fabriquent des avions, des tanks, des bateaux. En identifiant Kroeger comme étant Scarlett, nous avançons sur un terrain entièrement nouveau, un champ de questions nouvelles. Des questions que notre gouvernement ne veut pas qu'on pose maintenant. Ni peut-être jamais. »

Il déboutonnait lentement son pardessus de tweed mais n'avait aucune intention de l'enlever.

« Les avocats des Scarlatti possèdent une lettre qui doit être remise au plus influent membre de gouvernement quel qu'il soit, au cas où je mourrais ou disparaîtrais. Ces avocats sont très forts pour ce genre de choses... Je savais que la guerre arrivait. Tout le monde le savait. C'était en 1938... La lettre, donc, dirige son destinataire à cette fiche et à la vérité. »

Canfield prit une profonde inspiration et contempla le plafond.

« Comme tu le verras, j'ai souligné deux types

d'action selon si nous étions en guerre ou pas, avec variations. Ta mère ne devait l'apprendre qu'en dernière extrémité.

– Pourquoi quelqu'un t'aurait-il cru après ce que tu avais fait? »

Andrew Scarlett était rapide. Canfield aimait ça.

« Il existe des moments où des pays..., même des pays en guerre, peuvent avoir les mêmes objectifs. Des lignes de communications sont toujours ouvertes pour de telles situations... Heinrich Kroeger est un de ces cas. Il représente un trop grand embarras pour les deux camps... La fiche l'établit clairement.

– Ça paraît assez cynique.

– Ça l'est... J'indiquai que, quarante-huit heures, après ma mort, on entre en contact avec le Troisième Reich et qu'on dise à son haut commandement que nos services de renseignements soupçonnaient depuis longtemps Heinrich Kroeger d'être un citoyen américain. »

Andrew Scarlett se pencha en avant, presque en équilibre sur le bord de sa chaise. Canfield poursuivit sans avoir l'air de se rendre compte de l'intérêt croissant du garçon.

« Kroeger entre fréquemment en contact secret avec un certain nombre d'Américains. Ces soupçons se trouvent donc confirmés. Pourtant, suite à ... (Canfield s'arrêta, chercha la formulation exacte)... la mort d'un certain Matthew Canfield, ancien associé de l'homme connu sous le nom d'Heinrich Kroeger... notre gouvernement a en sa possession... des documents qui établissent sans aucune équivoque qu'Heinrich Kroeger est... un fou criminel. Nous n'en voulons pas. Ni en tant qu'ancien citoyen, ni comme transfuge. »

Le jeune homme se leva d'un bond, fixant son beau-père.

« Est-ce vrai?

– Cela aurait suffi, en tout cas. Cette association de faits garantissait son exécution immédiate. Comme traître et aussi comme dément.

– Ce n'est pas ce que je demandais.

– Toutes les informations sont dans le dossier.

– Je veux le savoir. Maintenant. Est-ce vrai? Est-il... Etait-il dément? Ou bien est-ce un truc? »

Canfield quitta le fauteuil près de la fenêtre. Sa réponse dépassa à peine le stade du chuchotement.

« C'est pour cela que je voulais attendre. Tu cherches une réponse simple et elle n'existe pas.

– Je veux savoir si mon... père était un dément.

– Tu veux dire si nous avons des preuves réelles, fondées sur des analyses médicales approfondies qu'il était déséquilibré?... Non. Nous n'avons rien de tel. D'un autre côté, il y avait dix hommes à Zurich, des hommes puissants – six sont encore en vie – qui avaient toutes les raisons du monde de vouloir que Kroeger soit considéré comme un fou. Ils le connaissaient et c'était leur seule issue. Etant ce qu'ils étaient, ils se sont assurés un dossier parfait. Le Kroeger dont il est fait mention dans la fiche originelle est catalogué par eux dix comme un dément. Un maniaque schizophrène. C'est un effort collectif qui ne laisse place à aucun doute. Ils n'avaient pas le choix... Mais si tu me demandes à moi... Kroeger était le type le plus sain mentalement qu'on puisse imaginer. Et le plus cruel. Tu liras ça aussi.

– Pourquoi ne l'appelles-tu pas par son vrai nom? »

Soudain, comme si la tension en était arrivée à un

stade où il ne pouvait plus la supporter, Canfield se retourna d'un coup.

Andrew regardait cet homme entre deux âges, bouleversé, énervé, perturbé. Il l'avait toujours aimé parce que c'était un homme digne d'être aimé. Un homme positif, sur qui on pouvait compter, capable, drôle et – quel était le mot que son beau-père employait? – vulnérable.

« Tu ne faisais pas que protéger maman, n'est-ce pas? Tu me protégeais moi aussi. C'est pour ça que tu as fait tout ceci... Si jamais il réapparaissait, je serais devenu un monstre pour le restant de mes jours.

– Pas seulement toi. Il y aurait eu beaucoup de monstres. Je comptais là-dessus.

– Ça n'aurait pas été la même chose pour eux, dit le jeune Scarlett en se tournant vers l'attaché-case.

– Je te l'accorde. Pas tout à fait la même chose. »

Il suivit le garçon et se tint derrière lui.

« J'aurais donné tout ce que j'ai pour ne pas avoir à te le dire, je pense que tu le sais. Je n'avais pas le choix. En faisant de toi une partie des conditions finales, Kroeger ne m'a pas laissé d'autre choix que de te dire la vérité. Je ne pouvais pas déguiser tout ça... Il croit qu'une fois au courant de la vérité tu seras terrifié et que je ferai tout sauf te tuer – et même peut-être te tuer – pour t'empêcher de céder à la panique. Dans cette fiche il y a des informations qui pourraient détruire ta mère, ou m'envoyer en prison pour le restant de mes jours. Oh! Kroeger a pensé à tout. Mais il a commis une erreur de jugement. Il ne te connaissait pas.

– Faut-il vraiment que je le voie? Que je lui parle?

– Je serai dans la pièce avec toi. C'est là que l'accord se fera. »

Andrew Scarlett s'étonna.

« Tu vas passer un accord avec lui? »

C'était un état de fait très déplaisant.

« Nous devons savoir ce qu'il a à offrir. Une fois satisfait de me voir exécuter ma part de l'échange, en t'amenant *toi*, nous saurons ce qu'il propose.

– Alors je n'ai pas à lire ça, n'est-ce pas? »

Ce n'était pas une question.

« Tout ce que je dois faire, c'est être là... D'accord, j'y serai!

– Tu vas le lire parce que je te l'ordonne!

– Très bien, papa, je vais le lire.

– Merci... Désolé d'avoir dû te parler ainsi. »

Il reboutonna son manteau.

« Sûr... Je le méritais... A propos, suppose que maman décide de m'appeler à l'école? Elle le fait, tu sais.

– Il y a une ligne branchée sur ton téléphone, comme ce matin. Un intercepteur pour être précis. Ça marche très bien. Tu as un nouvel ami nommé Tom Ahrens.

– Qui est-ce?

– Un lieutenant des renseignements en poste à Boston. Il a ton emploi du temps et il répondra au téléphone. Il sait ce qu'il doit dire. Tu es parti pour un long week-end.

– Bon sang, tu as tout prévu!

– Comme souvent... (Canfield avait atteint la porte.) Il se peut que je ne revienne pas ce soir.

– Où vas-tu?

– J'ai du travail à finir. Je préférerais que tu ne sortes pas, mais si tu sors, n'oublie pas d'enfermer tout ça. »

Il ouvrit la porte.

« Je n'irai nulle part.

– Très bien, Andy... Et tu as une sacrée responsabilité devant toi. J'espère qu'on t'a élevé de manière que tu puisses y faire face. Personnellement, je crois que tu le peux. »

Canfield sortit et referma la porte derrière lui.

Le jeune homme savait que son père n'avait pas tout dit. Ses mots cachaient ce qu'il aurait dû dire. Le garçon fixait la porte fermée et soudain il sut ce qui manquait.

Matthew Canfield ne reviendrait pas.

Qu'avait-il dit? Qu'en dernière extrémité il faudrait dire la vérité à Janet. Et il n'y avait personne d'autre qui pourrait la lui dire.

Andrew Scarlett regarda l'attaché-case sur la table.

Le fils et le beau-père allaient à Berne, mais seul le fils reviendrait.

Matthew Canfield allait vers sa mort.

Canfield ferma la porte de l'appartement et s'appuya contre le mur du hall. Il était moite et les coups dans sa poitrine étaient si forts qu'il avait la sensation qu'on pouvait les entendre depuis son appartement.

Il regarda sa montre. Cela lui avait pris moins d'une heure et il avait remarquablement réussi à garder son calme. Maintenant il voulait aller le plus loin possible. Il savait que, selon tous les modèles de courage ou de morale ou de responsabilités, il aurait dû rester avec le garçon. Mais on ne pouvait pas exiger ça de lui, pas maintenant. Une seule chose à la fois, sinon il allait devenir fou. On efface une ligne et on passe à la suivante.

Quelle était l'étape suivante?

Demain.

Le courrier pour Lisbonne avec les précautions détaillées. Une erreur et tout pouvait exploser. Le courrier ne partait pas avant sept heures du matin.

Il pouvait passer la soirée et la plus grande partie de la journée avec Janet. La raison lui dictait qu'il le fallait. Si Andy craquait, la première chose qu'il ferait serait d'appeler sa mère. Et parce que Matthew ne pouvait pas rester avec lui, il devait se trouver avec elle.

Au diable son bureau! Au diable l'armée! Au diable le gouvernement des Etats-Unis!

Etant donné son départ imminent, il était sous surveillance volontaire vingt-quatre heures sur vingt-quatre. Qu'ils aillent tous se faire voir!

Ils attendaient de lui qu'il ne soit jamais à plus de dix minutes d'un téléscripteur.

Eh bien, il allait désobéir.

Il passerait le plus de temps possible auprès de Janet. Elle était en train de fermer leur maison d'Oyster Bay pour l'hiver. Ils seraient seuls, peut-être pour la dernière fois.

Dix-huit ans et la charade arrivait à son dénouement.

Heureusement, vu son état d'anxiété, l'ascenseur arriva très vite. Maintenant il était pressé, pressé de voir Janet.

Le sergent lui ouvrit la porte et le salua. Dans des circonstances ordinaires, le major lui aurait rappelé en riant qu'il était en civil. Au lieu de cela, il lui rendit son salut et sauta dans la voiture.

« Au bureau, major Canfield?

– Non, sergent. A Oyster Bay. »

3

Histoire d'une réussite américaine

Le 24 août 1892, la bonne société de Chicago et d'Evanston dans l'Illinois fut secouée jusque dans ses fondations qui n'étaient pas aussi fermes qu'on peut le penser. En effet, ce jour-là, Elizabeth Royce Wyckham, vingt-sept ans, fille de l'industriel Albert O. Wyckham, épousait un pauvre immigrant sicilien nommé Giovanni Merighi Scarlatti.

Elizabeth Wyckham était une grande fille très aristocrate, perpétuel sujet d'inquiétude pour ses parents. Au grand dam d'Albert O. Wyckham et de sa femme, Elizabeth, qui vieillissait, elle avait rejeté toutes les opportunités fantastiques qu'une fille pouvait souhaiter à Chicago. Sa réponse avait été :

« C'est l'or des fous, papa! »

Alors ils l'avaient emmenée faire le tour du vieux continent, dépensant de grandes sommes avec de grands espoirs. Après quatre mois de prospection en France, en Angleterre et en Allemagne, sa réponse avait été :

« C'est l'or des idiots, papa. Je préfère une brochette d'amants! »

Son père l'avait giflée d'une manière retentissante.

Après quoi Elizabeth lui avait donné un coup de pied dans la cheville.

Elle aperçut pour la première fois son futur mari lors d'un de ces pique-niques organisés sans les cadres supérieurs de la firme de son père et qui réunissaient les employés méritants et leurs familles. On le lui présenta comme un serf devait être présenté à la fille d'un baron médiéval.

C'était un homme massif avec des mains énormes et douces pourtant, des traits typiquement italiens. Son anglais était presque inintelligible, mais au lieu d'accompagner ses phrases bredouillantes d'une humilité gauche, il irradiait une incroyable confiance en soi et ne s'excusait pas. Elizabeth l'aima immédiatement. Le jeune Scarlatti n'était qu'un ouvrier et il n'avait pas de famille, mais il avait impressionné les cadres de Wyckham par ses connaissances en mécanique et leur avait soumis le projet d'une machine qui réduirait le coût de production des rouleaux de pâte à papier d'au moins seize pour cent. On l'avait invité au pique-nique.

Immédiatement, les histoires que racontait son père à son sujet excitèrent la curiosité d'Elizabeth. Ce « graisseux » avait un don pour le bricolage absolument incroyable.

En deux semaines, il avait remarqué que l'addition de simples leviers sur certaines machines éliminait la présence de deux ouvriers à la tâche. Comme il y avait huit machines de ce type, la Compagnie Wyckham fut en mesure de se débarrasser de seize hommes qui, selon toute évidence, ne servaient à rien. Plus tard, Wyckham eut l'idée de génie d'engager un Italien de la seconde génération, sorti de la Petite Italie de Chicago, pour accompagner Giovanni Scarlatti partout où il voudrait dans les usines et lui servir tout bonnement d'interprète. Le vieux Wickham faisait remarquer, quand on lui parlait des huit dollars de salaire de l'interprète, que les améliorations que Giovanni apporterait les justifiaient. Il avait intérêt. Wickham le payait quatorze dollars par semaine.

La curiosité d'Elizabeth fut réellement éveillée pour la première fois quelques semaines après le pique-nique. Son père, avec une satisfaction méchante, annonça le soir à table que son gros nigaud d'Italien avait demandé la permission de travailler le dimanche! Et sans salaire supplémentaire, rendez-vous compte! Simplement parce qu'il n'avait rien d'autre à faire. Naturellement, Wyckham avait tout arrangé avec son gardien, car c'était son devoir de chrétien de trouver des occupations à un tel homme et de l'éloigner du vin et de la bière dont les Italiens étaient si friands.

Le deuxième dimanche, Elizabeth trouva un prétexte pour quitter leur élégante maison d'Evanston et se rendre à Chicago, puis à l'usine. Là, elle trouva Giovanni, pas du tout dans un des ateliers, mais dans un des bureaux directoriaux. Il était en train de recopier laborieusement des articles d'un dossier clairement étiqueté : CONFIDENTIEL. Le tiroir d'un placard d'acier sur le mur gauche du bureau était entrouvert. Un long fil de fer tordu pendait encore après la serrure. Le tiroir avait visiblement été forcé par des mains expertes.

A cet instant, immobile dans l'entrée, regardant Giovanni, Elizabeth avait souri. Ce grand nigaud d'Italien aux cheveux si noirs était beaucoup moins simplet que son père ne l'imaginait. Et, de plus, il était très attirant.

Giovanni sursauta. En face d'elle, son attitude

changea du tout au tout. Il y avait du défi dans sa voix.

« *Okay, Mis 'Lisbet!* Allez le dire à votre papa! Je ne travaillerai plus ici! »

Alors Elizabeth dit ses premiers mots d'amour à Giovanni.

« Donnez-moi une chaise, monsieur Scarlatti. Je vais vous aider... Ça ira beaucoup plus vite comme ça. »

Ce qui était absolument vrai.

Les semaines suivantes furent consacrées à l'éducation de Giovanni dans les domaines de la légalité et des structures des entreprises dans l'organisation industrielle américaine. Les faits seulement. Sans théorie. Car Giovanni portait en lui sa propre philosophie. Cette terre pleine de possibilités était réservée à ceux qui seraient un petit peu plus rapides que les autres opportunistes. C'était une époque de croissance économique intense, et Giovanni comprenait qu'à moins que ses machines ne lui permettent de posséder une part de cette croissance, sa position resterait celle d'un serviteur pour ses maîtres, plutôt que le maître de serviteurs. Il était ambitieux.

Il se mit au travail avec l'aide d'Elizabeth. Il conçut ce que le vieux Wyckham et ses cadres prirent pour une presse à extrusion révolutionnaire qui pouvait produire du carton à une vitesse phénoménale et à un coût de trente pour cent de moins que l'ancien procédé. Wyckham, ravi, lui accorda une augmentation de dix dollars.

Pendant qu'ils attendaient le montage et la mise en place des nouvelles machines, Elizabeth réussit à convaincre son père d'inviter Giovanni à dîner. D'abord, Albert Wyckham crut que sa fille plaisantait. Et c'était une assez mauvaise plaisanterie.

Wyckham s'était souvent moqué de l'Italien, mais il le respectait. Il ne voulait pas voir cet empoté génial embarrassé dans un dîner mondain. Pourtant, quand Elizabeth lui dit que sa gêne était la dernière chose à laquelle elle pensait, qu'elle avait rencontré Giovanni plusieurs fois depuis le pique-nique – le trouvant très amusant –, son père consentit à un petit dîner familial avec de soudains mauvais pressentiments.

Trois jours après le dîner, les nouvelles machines de Wyckham étaient en place et fonctionnaient à plein rendement. Ce matin-là, Giovanni Scarlatti ne vint pas travailler. Aucun des cadres de l'entreprise ne comprenait. Cela aurait dû être le jour le plus important de sa vie.

C'était bien le jour le plus important de sa vie!

Car, à la place de Giovanni, une lettre parvint dans le bureau d'Albert Wyckham, tapée par sa propre fille. La lettre décrivait une autre machine à carton ondulé qui rendait les nouvelles installations de Wyckham complètement caduques.

Giovanni posait franchement ses conditions. Ou bien Wyckham lui donnait une large part des actions de la compagnie, plus des options pour l'achat de parts indexées sur leur valeur actuelle, ou bien il allait porter les plans de sa nouvelle machine à carton ondulé chez le principal concurrent de Wyckham. La personne possédant cette seconde machine enterrerait les autres. Pour Giovanni Scarlatti, cela n'avait pas grande importance, mais, tout de même, il préférait que tout ceci restât dans la famille, et donc il demandait à Albert Wyckham la main de sa fille. Une fois de plus, la réponse de Wyckham n'avait pas grande importance parce que, quelle que soit sa position, Elizabeth et lui seraient mariés d'ici la fin du mois.

A partir de cet instant, l'ascension de Scarlatti fut aussi rapide que discrète. Ce que le public en sait indique que pendant plusieurs années il continua à concevoir de nouvelles, de meilleures machines pour nombre de compagnies produisant du papier un peu partout dans le Middle West. Il procédait toujours de la même manière : des royalties minimes et des parts en bourse, avec des options pour acheter des parts supplémentaires aux cours antérieurs à l'installation de ses nouvelles machines. Toutes les inventions étaient également sujettes à un réajustement des royalties après cinq ans d'exploitation. C'étaient des conditions tout à fait raisonnables, discutées en toute bonne foi. Une convention légale, tout à fait de circonstance, étant donné le taux très bas des royalties.

A cette époque, le père d'Elizabeth, épuisé par les tensions dues aux affaires et par le mariage de sa fille avec ce « métèque », se retira avec plaisir. Giovanni et sa femme reçurent en récompense la majorité détenue par le vieil homme dans la Compagnie Wyckham.

C'était tout ce dont Giovanni avait besoin. Les mathématiques sont une science pure, et jamais ceci ne fut plus apparent qu'à cette époque. Possédant déjà des parts représentatives dans onze firmes de papier d'Illinois, d'Ohio et à l'ouest de la Pennsylvanie, et possédant aussi des brevets sur trente-sept différentes chaînes d'assemblage, Giovanni convoqua une conférence des représentants des firmes en question. Dans ce qui apparut comme un massacre des mal informés, Giovanni suggéra une opération d'ordre général, consistant en la formation d'une seule organisation mère, dont sa femme et lui-même seraient les principaux actionnaires.

Bien sûr, on s'occuperait généreusement de tout le monde et la nouvelle et unique société allait croître, au-delà de leurs espérances les plus folles, grâce à son génie inventif.

S'ils n'étaient pas d'accord, ils n'avaient qu'à enlever ses machines de leurs ateliers. Il n'était qu'un pauvre émigrant qu'on avait visiblement escroqué lors des négociations préliminaires. Les royalties qu'on lui payait pour ses inventions étaient ridicules par rapport aux profits. Dans certains cas, la valeur des actions avait grimpé d'une manière astronomique et, selon les termes de ses contrats, les firmes devaient lui vendre ses options à l'ancien cours de bourse. Quand on regardait attentivement, Giovanni Scarlatti était l'actionnaire majoritaire d'un grand nombre de compagnies de papeterie solidement établies.

On entendit des hurlements dans les salles de conseil d'administration des trois Etats concernés. Des réactions impétueuses, des levées de boucliers furent vite tempérées par des avocats plus sages. Il valait mieux surnager qu'être détruit. Scarlatti pouvait perdre ses procès, mais il pouvait tout aussi bien les gagner. Dans ce cas, ses exigences pourraient être excessives, et si on les rejetait, le coût des réinstallations, des réassortiments et les pertes plongeraient beaucoup de firmes dans une situation financière désastreuse. De plus Scarlatti était un génie dont ils pouvaient tous profiter.

Ainsi fut créé le gigantesque Empire Scarlatti.

Cet empire était semblable à son maître : rampant, énergique, insatiable. Et au fur et à mesure que la curiosité de Giovanni se diversifiait, ses compagnies faisaient de même. Du papier, il sauta à l'industrie d'emballage. De l'emballage, il n'y avait qu'un pas vers le routage et le fret. A chaque nouvel achat, une idée nouvelle jaillissait.

En 1904, après douze ans de mariage, Elizabeth W. Scarlatti décida qu'il était plus prudent pour elle et son mari de déménager vers l'Est. Bien que la fortune de son mari ne craigne rien et grandisse tous les jours, sa popularité n'avait rien d'enviable. Parmi les puissances financières de Chicago, Giovanni était la preuve en chair et en os de la doctrine de cet isolationniste de Monroe. Les Irlandais étaient désagréables, mais lui était intolérable.

Le père et la mère d'Elizabeth moururent. Leurs quelques amis disparurent avec eux. Le consensus dans les familles de ces amis de toujours fut très bien décrit par Franklyn Fowler, anciennement propriétaire des Papeteries Fowler :

« Ce rital peut toujours tenir l'hypothèque sur l'immeuble du club, que je sois damné s'il en est jamais membre! »

Cette attitude générale n'avait aucun effet sur Giovanni qui n'avait ni le temps ni le penchant pour ce genre de phénomènes. Ni sur Elizabeth puisqu'elle était devenue la partenaire de Giovanni bien au-delà de la simple chambre à coucher. Elle était son censeur, son écho, l'interprète constant des manœuvres obscures. Pourtant, son opinion différait de celle de son mari, quant à leur bannissement de la bonne société. Pas pour elle, mais pour leurs enfants.

Elizabeth et Giovanni avaient eu trois enfants. Roland Wyckham, neuf ans, Chancellor Drew, huit ans, et Ulster Stewart, sept ans. Et bien qu'ils ne soient que des garçons, Elizabeth voyait bien les effets de cet ostracisme sur eux. Ils étaient inscrits à l'école pour garçons d'Evanston, mais en dehors des activités scolaires, ils ne voyaient jamais d'enfants.

On ne les invitait à aucun anniversaire, mais on leur en parlait toujours le lendemain. Les invitations qu'ils pouvaient lancer à leurs camarades provoquaient régulièrement une réponse calme mais froide des gouvernantes. Et peut-être était-ce là le plus dur. Une chansonnette répétitive accueillait les trois garçons tous les matins à l'école :

Scarlatti, spaghetti! Scarlatti, spaghetti!

Elizabeth décida qu'ils avaient tous besoin d'un nouveau départ. Même Giovanni et elle. Elle savait qu'ils pouvaient se le permettre, même si cela signifiait retourner en Italie et acheter Rome.

Sans aller jusqu'à Rome, Elizabeth fit un voyage à New York et découvrit quelque chose de très inattendu.

New York était une ville très provinciale. Ses intérêts étaient ceux d'une île, et parmi les hommes d'affaires, la réputation de Giovanni Merighi Scarlatti avait pris un ton différent. Ils n'étaient pas certains de son identité, tout ce qu'ils savaient c'était qu'il était un inventeur italien qui avait acheté beaucoup de firmes américaines du Middle West.

Inventeur *italien*. Compagnies *américaines*.

Elizabeth découvrit aussi que les petits malins de Wall Street croyaient que l'argent de Scarlatti lui venait d'une compagnie maritime italienne. Après tout, il avait épousé la fille d'une des plus grandes familles de Chicago.

Ce serait New York.

Elizabeth prit ses dispositions pour une suite familiale temporaire au Delmonico, et une fois installée, elle sut qu'elle avait pris la bonne décision. Les enfants étaient surexcités à l'idée d'une nouvelle école, de nouveaux amis et en un mois, Giovanni avait déjà racheté la majorité des parts de deux moulins à papier sur l'Hudson dont il préparait activement la remise sur pied.

Les Scarlatti restèrent au Delmonico deux ans. Ce n'était pas vraiment nécessaire, car leur maison aurait pu être terminée bien plus tôt si Giovanni avait pu s'en occuper plus attentivement. Néanmoins, à force de discussions interminables avec les architectes et les entrepreneurs, il se découvrit une autre passion : la terre.

Un soir, alors qu'Elizabeth et Giovanni soupaient tardivement dans leur suite, Giovanni dit soudain :

« Tire-moi un chèque de deux cent dix mille dollars. Mets-le à l'ordre de l'Immobilière d'East Island.

— Tu veux dire l'agence immobilière?

— C'est ça. Passe-moi les biscuits. »

Elle les lui passa.

« C'est beaucoup d'argent...

— On n'a pas beaucoup d'argent?

— Eh bien si, mais deux cent dix mille dollars... C'est pour une nouvelle usine?

— Donne-moi simplement le chèque, Elizabeth. J'ai une surprise pour toi. »

Elle le regardait d'un air dubitatif.

« Tu sais que je te fais confiance, mais j'insiste...

— Très bien, très bien, sourit Giovanni. Ce ne sera pas une surprise. Je vais te le dire... Je vais être *barone*!

— Quoi?

— Un *barone*, un *conte*. Tu seras ma *contessa*!

— Je ne comprends pas...

— En Italie, le type qui a trois champs et deux cochons est déjà pratiquement un *barone*. Beaucoup d'hommes souhaitent l'être. J'ai parlé à des gens d'East Island. Ils vont me vendre quelques champs à Long Island.

– Giovanni, ils ne valent rien! C'est le bout de nulle part!

– Femme, utilise ta tête! Il n'y a déjà plus de place à New York pour mettre les chevaux. Demain, tu me donneras ce chèque. Ne discute pas, s'il te plaît. Juste un p'tit sourire et sois la femme d'un *barone*. »

Elizabeth Scarlatti sourit.

*Don Giovanni Merighi et Elizabeth Wyckham
Scarlatti de Ferrare
Château de Ferrare, Italie – Hôtel Delmonico,
New York*

Bien qu'Elizabeth ne prenne pas leurs cartes au sérieux – c'était même devenu un sujet de plaisanterie entre Giovanni et elle – elles servaient à quelque chose quand personne ne cherchait à vérifier. Elles donnaient une identité à la richesse des Scarlatti. Et quoique personne ne les appelle jamais *conte* ou *contessa*, beaucoup nageaient dans le doute.

Après tout, c'était possible...

Un autre résultat spécifique – bien que le titre n'apparaisse pas sur les cartes – fut que pour le restant de sa longue existence, Elizabeth fut appelée Madame.

Madame Elizabeth Scarlatti.

Et Giovanni ne put plus jamais attraper l'assiette de soupe de sa femme pour la finir.

Deux ans après l'achat du terrain de Long Island, le 14 juillet 1908, Giovanni Scarlatti s'éteignit. Il avait brûlé trop vite. Pendant des semaines, Elizabeth chercha à comprendre, en plein brouillard. Elle n'avait personne vers qui se tourner. Giovanni et elle avaient été amants, amis, partenaires et chacun la conscience de l'autre. La pensée de devoir vivre l'un sans l'autre avait été la seule vraie peur de leur existence.

Et il n'était plus là. Elizabeth savait pourtant qu'ils n'avaient pas bâti un empire pour le voir disparaître avec l'un d'eux.

Son premier ordre de femme d'affaires fut pour consolider l'entreprise en concentrant les Industries Scarlatti au moyen d'un seul poste de commandement.

Les patrons, présidents et cadres, et leurs familles déménagèrent, contraints et forcés, jusqu'à New York. On prépara des contrats soumis à l'approbation d'Elizabeth et qui définissaient clairement les niveaux de décision et les zones de responsabilités spécifiques. Un réseau privé de communications télégraphiques fut installé entre les bureaux de New York et chaque complexe, usine et bureau annexe. Elizabeth était un excellent général et son armée une organisation forte et bien entraînée. Elle avait l'époque pour elle et ses analyses rapides des personnalités réglaient le reste.

Elle possédait un magnifique hôtel particulier, une résidence à Newport, une autre en bord de mer dans un endroit nouveau appelé Oyster Bay, et chaque semaine elle dirigeait des séries de conférences épuisantes avec les patrons des compagnies de feu son mari.

Une de ses actions les plus importantes fut de

décider d'aider ses enfants à s'identifier totalement à la démocratie protestante. Son raisonnement était simple. Leur nom, Scarlatti, ne cadrait pas, il jurait même dans les cercles où ses enfants commençaient d'évoluer, et évolueraient pour le reste de leur vie. Elle fit changer leur nom en Scarlett. Le *i* italien tomba légalement.

Bien sûr, en ce qui la concernait, et par profond respect pour Don Giovanni et la tradition de Ferrare, elle restait :

Elizabeth
Scarlatti de Ferrare

Il n'y avait pas d'adresse car il était très difficile de savoir dans laquelle de ses résidences elle était à un moment quelconque.

Elizabeth dut malheureusement reconnaître qu'aucun de ses deux fils aînés n'avait le don d'imagination de Giovanni, ni ses propres facultés d'analyse des êtres humains. Quant au plus jeune, Ulster Stewart, il était difficile de savoir, étant donné qu'il se posait déjà en tant que problème.

Dans sa prime enfance, il avait tendance à être très batailleur, un trait de caractère qu'Elizabeth décrivait comme dû au fait qu'il était le plus jeune et le plus gâté. Mais quand il eut quinze ans, il changea du tout au tout. Il n'en faisait plus seulement à sa tête, il exigeait. Il était le seul des trois frères à se servir de sa richesse avec cruauté, avec brutalité même, et cela inquiétait Elizabeth. Le premier signe apparut lors de son treizième anniversaire. Quelques jours avant l'événement, un professeur envoya un mot.

Chère Madame Scarlatti,
Les invitations d'Ulster pour son anniversaire tour-
nent au problème. Ce cher garçon n'arrive pas à
décider qui sont ses meilleurs amis – il en a tant – et,
de ce fait, il a lancé un certain nombre d'invitations
puis les a reprises en faveur d'autres garçons. Je suis
certain que l'Ecole Parkleigh dérogera à la limite des
vingt-cinq invités dans le cas d'Ulster Stewart.

Ce soir-là, Elizabeth posa la question à son fils.
« Oui, j'ai repris quelques invitations. J'ai changé
d'avis.
– Pourquoi? C'est très discourtois.
– Pourquoi pas? Je ne voulais plus qu'ils viennent.
– Alors pourquoi leur avoir adressé des invitations au départ?
– Pour qu'ils puissent courir chez eux et annoncer à leurs parents qu'ils étaient invités, s'esclaffa le
garçon. Après, il a fallu qu'ils retournent dire qu'ils
ne l'étaient pas.
– C'est horrible!
– Je ne pense pas. Ils ne veulent pas venir à ma
fête, ils veulent venir chez toi! »

Etudiant en première année à Princeton, Ulster
Stewart Scarlett montra des tendances marquées à
l'hostilité envers ses frères, ses camarades, ses pro-
fesseurs, et, le pire pour Elizabeth, ses domestiques.
On le tolérait parce qu'il était le fils d'Elizabeth
Scarlatti et c'était tout. Ulster était un être mons-
trueusement gâté et Elizabeth savait qu'elle devait
faire quelque chose. En juin 1916, elle lui ordonna
de venir passer le week-end à la maison et lui
déclara qu'il devait prendre un travail.

« Pas question!

— Oh! si. Tu ne me désobéiras *pas*! »

Et il obéit. Il passa l'été au moulin à papier sur l'Hudson pendant que ses deux frères profitaient des douceurs de la maison d'Oyster Bay.

A la fin de l'été, Elizabeth demanda comment il s'en était tiré.

« Vous voulez savoir la vérité, madame Scarlatti? demanda le jeune directeur à Elizabeth, dans son bureau, un samedi matin.

— Bien évidemment!

— Ça va sûrement me coûter mon poste.

— J'en doute.

— Très bien, madame. Votre fils a démarré à la manutention des rames. C'est un travail dur, mais il est costaud... Je l'en ai sorti, parce qu'il avait battu deux gars.

— Seigneur! Pourquoi ne m'a-t-on rien dit?

— J'ignorais les circonstances exactes. Je pensais que les types l'avaient peut-être charrié un peu.

— Qu'avez-vous découvert?

— Que la faute était de son côté... Je l'ai mis aux presses en haut et c'était pire. Il menaçait les autres, il leur disait qu'il les ferait virer, il leur faisait faire son travail. Il n'oubliait jamais de leur faire sentir qui il est.

— Vous auriez dû me le dire.

— Je n'en savais rien jusqu'à la semaine dernière... Trois hommes ont démissionné. On a dû payer le dentiste à l'un d'eux. Votre fils l'avait frappé avec une cravache.

— Ce sont des choses terrifiantes à entendre... Vous plairait-il de me donner une opinion personnelle? S'il vous plaît, soyez franc. Cela ne vous nuira en rien.

— Votre fils est grand. C'est un dur... Mais je ne

vois pas ce qu'il est d'autre. J'ai comme l'idée qu'il veut commencer directement en haut et c'est peut-être ce qu'il devrait faire. C'est votre fils, son père a bâti le moulin.

– Cela ne lui donne pas un tel droit. Son père n'a pas commencé par en haut!

– Alors vous devriez le lui expliquer. Il ne nous sert pas à grand-chose.

– Ce que vous dites c'est que mon fils a un droit de par sa naissance, du caractère, une certaine force animale... mais aucun talent apparent. Est-ce bien ça?

– Si ça me coûte mon boulot, j'en trouverai un autre. Ma réponse est oui. Je n'aime pas votre fils, je ne l'aime pas du tout. »

Elizabeth étudiait l'homme avec attention.

« Je ne suis pas certaine de l'aimer non plus. Vous serez augmenté à partir de la semaine prochaine. »

Elizabeth renvoya Ulster Stewart à Princeton cet automne-là et, le jour de son départ, elle le confronta au rapport de cet été.

« Ce sale petit fils de pute d'Irlandais voulait ma peau! je le savais! cracha Ulster.

– Ce sale petit fils de pute d'Irlandais est un excellent manager.

– Il a menti! Il ment!

– C'est la vérité! Il a empêché un certain nombre d'ouvriers de porter plainte contre toi. Tu devrais lui en être reconnaissant.

– Qu'ils aillent se faire foutre! Tous! Tas de morves rampantes!

– Ton langage est insupportable! Qui es-tu pour parler comme ça? Qu'as-tu fait, qu'as-tu créé?

– Je n'ai pas à le faire!

– Pourquoi? Parce que tu es ce que tu es? Et

qu'est-ce que tu es? Quelles capacités extraordinaires possèdes-tu? J'aimerais le savoir?

– C'est ce que tu cherches, hein? C'est ça? Qu'est-ce que tu sais faire petit bonhomme? Qu'est-ce que tu sais faire pour faire du fric?

– C'est une des mesures du succès.

– C'est ta seule mesure!

– Et tu la rejettes?

– Tu parles, oui!

– Fais-toi donc missionnaire.

– Non, merci!

– Alors, n'attire pas les calomnies par-dessus le marché. Il faut certaines capacités pour survivre ici. Ton père le savait.

– Il savait comment manœuvrer. Tu crois que je n'ai rien entendu? Il savait manipuler, comme toi!

– C'était un génie! Il s'est fait lui-même! Toi, qu'as-tu fait? Qu'as-tu fait d'autre que vivre grâce à ce qu'il t'a apporté? Et tu ne peux même pas faire ça bien!

– Merde! »

Elizabeth s'arrêta soudain, contemplant son fils.

« J'ai compris, ça y est! Mon Dieu, c'est ça, n'est-ce pas?... Tu meurs de peur! Tu es plein d'arrogance mais tu n'as rien – absolument rien – qui t'autorise à être arrogant! ce doit être très douloureux. »

Son fils partit en courant. Elizabeth resta long-temps assise, méditant sur l'échange qui venait d'avoir lieu. Elle était réellement effrayée. Ulster était dangereux. Partout autour de lui il voyait les fruits de la réussite sans posséder le talent ou les capacités pour apporter sa contribution person-nelle. Il fallait le surveiller. Elle pensa à ses trois fils : le timide et malléable Roland Wyckham, le studieux et précis Chancellor Drew et l'arrogant Ulster Stewart.

Le 6 avril 1917, la réponse vint d'elle-même. Les Etats-Unis entraient dans la guerre mondiale.

Le premier à partir fut Roland Wyckham. Il quitta sa dernière année à Princeton et partit pour la France en qualité de lieutenant Scarlett, A.E.F., Artillerie. Il fut tué le premier jour où il monta au front.

Les deux fils restants firent immédiatement des plans pour venger la mort de leur frère. Pour Chancellor Drew, la vengeance avait un sens. Pour Ulster Stewart, c'était une échappatoire. Elizabeth songeait que Giovanni et elle n'avaient pas bâti un empire pour que la guerre s'achève. Un enfant au moins devait rester en vie.

Mue par un froid calcul, elle commanda à Chancellor Drew de rester un civil. Ulster Stewart pouvait partir à la guerre.

Ulster Stewart prit le bateau, n'eut pas de mésaventures à Cherbourg et donna le meilleur de lui-même au front, spécialement dans l'Argonne. Les derniers jours de la guerre, il fut décoré pour acte héroïque en présence de l'ennemi.

4

2 novembre 1918

L'offensive de l'Argonne en était à sa troisième phase, ou phase de poursuite, bataille couverte de succès pour briser la ligne Hindenburg entre Sedan et Mézières. La première armée américaine était déployée de Regnéville à La Harasée, dans la forêt d'Argonne, sur une distance de quelque trente-cinq kilomètres. Si la principale ligne de ravitaillement allemande dans ce secteur était brisée, le général Ludendorff n'aurait d'autre solution que de demander l'armistice.

Le 2 novembre, le troisième corps d'armée, sous le commandement du général Robert Lee Bullard, s'enfonça dans les rangs allemands démoralisés sur leur flanc droit et s'empara, non seulement du terrain, mais aussi de huit mille prisonniers. Quoi que puissent toujours en dire d'autres chefs de division, cette percée par la troisième armée annonçait les accords qui allaient enclencher l'armistice une semaine plus tard.

Et pour beaucoup dans la compagnie B, quatorzième bataillon, vingt-septième division, troisième corps, l'exploit du sous-lieutenant Ulster Scarlett fut un superbe exemple de l'héroïsme qui prévalait durant ces jours d'horreur.

Cela commença tôt le matin. La compagnie de Scarlett avait atteint un champ en face d'une petite forêt de conifères. Cette forêt miniature était pleine d'Allemands qui essayaient désespérément de se regrouper à couvert pour exécuter une retraite en ordre vers leurs arrières. Les Américains avaient creusé trois rangées de tranchées peu profondes pour minimiser leur exposition au feu.

Le sous-lieutenant Scarlett en avait fait creuser une pour lui, juste un peu plus profonde que les autres.

Le capitaine de la compagnie de Scarlett n'aimait pas son sous-lieutenant, parce qu'il était très habile pour donner des ordres mais peu enclin à les exécuter lui-même. De plus, le capitaine le soupçonnait d'être assez peu enthousiaste à l'idée d'avoir quitté une division de réserve pour rejoindre la zone des combats. Il lui en voulait également parce que son lieutenant, pendant tout son séjour à l'arrière (la majorité du temps qu'ils avaient passé en France), était très recherché par nombre d'officiers supérieurs, tous heureux de se faire prendre en photo à côté de lui. Le capitaine avait comme l'impression que son lieutenant passait un excellent séjour.

Ce matin de novembre donc, il était ravi d'envoyer son lieutenant en patrouille.

« Scarlett. Prenez quatre hommes et allez éclairer un peu cette position.

– Vous êtes fou, dit Scarlett laconiquement. Quelle position ? Ils déguerpissent de toute la région.

– Vous avez entendu ce que j'ai dit ?

– Je me fous complètement de ce que vous avez dit. Je ne vois pas l'intérêt d'aller patrouiller. »

Plusieurs soldats, assis dans la tranchée, regardaient leurs deux officiers.

« Qu'est-ce qu'il y a, lieutenant? Il n'y a pas de photographes par ici? Pas de colonels membres du Country-Club pour vous taper sur l'épaule? Prenez quatre hommes et allez-y.

– Allez vous faire voir, *capitaine*!

– Vous désobéissez à vos supérieurs face à l'ennemi? »

Ulster Stewart fixa cet homme plus petit que lui avec mépris.

« Je ne désobéis pas. Ce n'est que de l'insubordination. Je vous insulte, si vous comprenez mieux le terme... je vous insulte parce que vous êtes stupide. »

Le capitaine lança sa main vers son Holster, mais Scarlett lui serra très vite le poignet dans son poing solide.

« On n'abat pas les gens pour insubordination, *capitaine*. Ce n'est pas dans le règlement... J'ai une meilleure idée. Pourquoi gaspiller quatre hommes de plus... »

Il se tourna vers les soldats qui les observaient.

« A moins que quatre d'entre vous ne soient candidats aux balles Schnautzer, j'irai seul. »

Le capitaine était sidéré. Il ne répliqua rien.

Les hommes étaient aussi surpris que reconnaissants. Scarlett lâcha le poignet du capitaine.

« Je serai de retour dans une demi-heure. Sinon, je vous suggère d'attendre des renforts. On est plutôt en avant des autres. »

Scarlett vérifia le chargeur de son revolver et rampa très vite vers le flanc droit, disparut dans les herbes hautes du champ.

Les hommes murmuraient. Ils avaient mal jugé ce morveux de lieutenant avec tous ses riches copains. Le capitaine jurait intérieurement et espérait franchement que son lieutenant ne reviendrait jamais.

C'était précisément l'idée qu'Ulster Scarlett avait derrière la tête.

Son plan était simple. Il avait repéré, à environ deux cents mètres sur la droite, un amas de gros rochers entourés d'arbres au feuillage automnal. C'était un de ces endroits accidentés que les fermiers ne peuvent pas araser et que les champs cultivés entourent. Un espace trop petit pour un groupe d'hommes mais assez vaste pour cacher un ou deux individus. Il irait jusque-là.

En rampant dans le champ, il tomba nez à nez avec des fantassins morts. Les cadavres eurent un étrange effet sur lui. Il se retrouva en train de leur arracher des objets personnels : montres, bagues, rubans. Il les arrachait et les jetait immédiatement après. Il ne savait pas trop pour quoi il le faisait. Il se sentait comme le maître d'un royaume mythique et ils étaient ses sujets.

Au bout de dix minutes il n'était plus si sûr de la direction de son refuge. Il leva la tête une fraction de seconde pour s'orienter, vit le sommet de quelques petits arbres et il sut qu'il allait bien vers son sanctuaire. Il se dépêcha, coudes et genoux raclant la terre molle.

Soudain, il parvint au pied de quelques grands pins. Il n'était pas dans son refuge de rochers mais juste au bord du petit bois que sa compagnie projetait d'attaquer. Ses histoires avec les ennemis morts lui avaient fait voir ce qu'il désirait voir. Les petits arbres aperçus au loin étaient en réalité les grands pins au-dessus de lui.

Il allait ramper dans l'autre sens à travers le

champ lorsqu'il vit, à cinq mètres sur sa gauche, une mitrailleuse que tenait un soldat allemand, le dos calé contre un tronc. Il sortit son revolver et resta immobile. Ou l'Allemand ne l'avait pas vu, ou il était mort. Le canon de la mitrailleuse était pointé droit sur lui.

Puis l'Allemand se mit à bouger. Juste un léger mouvement du bras droit. Il essayait d'atteindre la détente, mais il avait trop mal pour y parvenir.

Scarlett se rua en avant et tomba sur le soldat blessé, essayant de faire le moins de bruit possible. Il ne pouvait pas laisser l'Allemand tirer ou crier pour donner l'alarme.

Maladroitement, il dégagea l'homme de derrière sa mitrailleuse, et le cloua au sol. Ne voulant pas tirer pour ne pas attirer l'attention, il commença à l'étrangler, de ses doigts et de ses pouces autour de sa gorge; l'Allemand essayait de parler.

« *Amerikaner! Amerikaner! Ich ergebe mich!* »

Il levait désespérément ses paumes.

Scarlett relâcha partiellement son étreinte.

« Quoi? Qu'est-ce que tu veux? »

Il laissa l'Allemand se relever autant qu'il le pouvait. On avait laissé cet homme mourir avec son arme pour retenir l'assaut des Américains pendant que le reste de sa compagnie battait en retraite.

Il poussa la mitrailleuse hors d'atteinte du blessé et, regardant tantôt en avant, tantôt en arrière, il rampa sur quelques mètres dans le bois. Il n'y avait que des traces d'évacuation. Des masques à gaz abandonnés, des besaces vides, même des bandes de munitions. Tout ce qui était trop encombrant pour fuir aisément.

Ils étaient tous partis.

Il se leva et retourna près du soldat allemand. Les

choses apparaissaient très clairement dans la tête d'Ulster Scarlett.

« *Amerikaner! Es scheint fast zu Ende zu sein! Erlaube mir nach Hause zu gehen!*[1] »

Le lieutenant Scarlett venait de prendre une décision. La situation était parfaite! Plus que parfaite – elle était extraordinaire!

Il faudrait une heure, peut-être plus, au reste du quatorzième bataillon pour atteindre cette zone. Le capitaine Jenkins de la compagnie B était si impatient de devenir un héros qu'il les avait menés à un train d'enfer. Avancez! Avancez! Avancez!

Mais Scarlett venait de trouver *sa* sortie! Il allait peut-être même sauter un rang et être promu capitaine. Pourquoi pas? Il allait être un héros.

Seulement, il ne serait plus là.

Scarlett sortit son revolver. L'Allemand se mit à crier. Il lui logea une balle dans le front. Puis il bondit sur la mitrailleuse et commença à tirer.

D'abord en arrière, puis à droite, puis à gauche.

Le bruit cassant, éclatant, résonna dans tout le bois. Les balles frappaient les arbres avec un son définitif, terrible. Ce son était tout-puissant.

Puis Scarlett pointa l'arme dans la direction de ses propres hommes. Il appuya sur la détente et tint l'arme bien droite, balaya les tranchées d'un flanc à l'autre. Les faire tous crever de trouille! Peut-être en tuer quelques-uns!

Qui s'en souciait?

Il était une puissance de mort.

Et il en jouissait.

Il en avait le droit.

Il rit.

Il lâcha la détente et se releva.

_____

1. Américain! Ça semble presque fini! Laisse-moi rentrer!

Il pouvait voir les élévations de terre à quelques centaines de mètres à l'ouest. Bientôt il serait à des kilomètres d'ici, sorti de tout ça!

Soudain, il eut la sensation d'être observé! Quelqu'un le regardait! Il sortit une fois de plus son revolver et se jeta à terre.

Crac!

Une brindille, une branche, une pierre qui crisse!

Il rampa sur ses genoux, lentement, dans la forêt.

Rien.

Il laissa son imagination prendre le pas sur sa raison. Le bruit qu'il avait entendu provenait d'une branche arrachée par le tir de mitrailleuse. Il venait d'entendre cette branche tomber sur le sol.

Rien.

Scarlett battit en retraite, en proie au doute, jusqu'aux abords du bois. Il ramassa le casque de l'Allemand mort et commença à rentrer vers les positions de la compagnie B.

Ce qu'Ulster ne savait pas, c'est qu'il *était* effectivement observé. Quelqu'un l'avait vu. Et n'en croyait pas ses yeux.

Un officier allemand, le front couvert de sang coagulant lentement, se tenait debout derrière l'Américain, caché par le tronc d'un gros sapin. Il avait failli tuer ce lieutenant yankee – dès que son ennemi avait pris la mitrailleuse – quand il l'avait vu tourner soudain son feu vers ses propres hommes. Ses propres troupes.

Invraisemblable!

Il avait l'Américain dans la ligne de mire de son Lüger, mais il n'avait pas voulu tuer cet homme.

Pas encore.

Parce que cet officier allemand, dernier survivant

de sa compagnie – laissé pour mort – savait exactement ce que faisait cet Américain.

C'était l'exemple classique d'un comportement dans des conditions exceptionnelles.

Une position d'infanterie, un officier en éclaireur qui transformait sa découverte en un avantage contre ses propres troupes!

Il pourrait quitter la zone des combats avec une médaille en plus!

L'officier allemand allait suivre cet Américain.

Le lieutenant Scarlett était à mi-chemin de la compagnie B quand il entendit le bruit derrière lui. Il s'aplatit contre le sol et tourna lentement sur lui-même. Il tenta d'y voir à travers le rideau d'herbes épaisses.

Rien.

Ou bien y avait-il quelque chose?

Il y avait bien un cadavre à moins de six mètres, face contre terre. Mais le champ était jonché de cadavres.

Scarlett ne se souvenait pas de celui-ci. Il se rappelait seulement le visage. Il n'avait vu que les visages. Pourquoi aurait-il dû se souvenir justement de ce cadavre-ci?

Il devait y en avoir des douzaines comme ça. Il n'y avait pas vraiment fait attention.

Encore une fois, il laissait son imagination prendre le dessus! L'aube venait à peine de se lever... Toutes sortes de petits animaux allaient sortir des fourrés, des arbres.

Peut-être.

Rien ne bougeait.

Il se releva et courut jusqu'à la tranchée boueuse de la compagnie B.

« Scarlett, mon Dieu, c'est vous! dit le capitaine qui était allongé dans la première tranchée. Vous avez de la chance qu'on n'ait pas tiré. On a perdu Fernald et Otis quand les Allemands ont tiré! On ne pouvait pas répliquer parce que vous étiez là-bas! »

Ulster se souvint de Fernald et Otis.

Pas une grosse perte, comparée à son propre salut.

Il jeta sur le sol le casque allemand qu'il avait pris au mitrailleur.

« Ecoutez-moi, maintenant. J'ai nettoyé un nid de mitrailleuses, mais il en reste deux autres. Ils attendent qu'on sorte. Je sais où ils sont et je peux les avoir. Mais restez planqués! A plat ventre! Tirez vers la gauche dix minutes après mon départ!

— Où allez-vous? demanda le capitaine consterné.

— Là où je sers à quelque chose! Donnez-moi dix minutes et commencez à tirer. Tirez pendant deux ou trois minutes, mais pour l'amour du Ciel tirez vers la *gauche*! Ne me tuez pas. J'ai besoin de cette diversion. »

Il se tut d'un coup et, avant que le capitaine ait pu dire un mot, il rentra dans le champ.

Une fois dans l'herbe haute, Scarlett sauta d'un cadavre allemand à l'autre, ramassant les casques qu'il arrachait à ces visages sans vie. Quand il en eut cinq, il s'aplatit sur le sol et attendit que le tir commence.

Le capitaine fit son travail. On se serait cru de retour à Château-Thierry. Au bout de quatre minutes, le feu cessa.

Scarlett se releva et retourna vers la tranchée. Quand il apparut avec les casques à la main, les soldats éclatèrent de joie, félicitations spontanées. Même le capitaine, dont le ressentiment disparaissait comme augmentait son admiration toute neuve, se joignit à ses hommes.

« Par tous les dieux de l'enfer, Scarlett! C'est une des actions les plus braves que j'aie vues de toute la guerre!

— Pas si vite, murmura Scarlett avec une humilité très peu visible auparavant. On est tranquille devant et sur la gauche, mais il reste deux Saucisses vers la droite. Je vais les déloger!

— Inutile! Laissez-les filer. Vous en avez assez fait. »

Le capitaine Jenkins avait révisé son opinion sur Ulster Scarlett. Le jeune lieutenant venait de faire ses preuves.

« Je vous en prie, monsieur, je n'ai pas terminé.

— Que voulez-vous dire?

— Mon frère... On l'appelait Rolly. Ces porcs l'ont eu il y a huit mois. Laissez-moi y aller et vous dégagez le terrain. »

Ulster Scarlett disparut à nouveau dans le champ.

Il savait exactement où il allait.

Quelques minutes plus tard, le lieutenant américain s'allongeait près d'un gros rocher dans sa petite île de pierres et d'arbres. Il attendait que la compagnie B lance son assaut contre la forêt de pins. Il s'appuya contre la pierre et regarda le ciel.

Cela commença.

Les hommes criaient pour se donner du courage, dans l'éventualité où ils tomberaient sur les ennemis en fuite. On entendait des coups de feu sporadiques. Quelques doigts nerveux sur les détentes. Quand la compagnie atteignit la forêt, une volée de coups de fusils éclata.

Ils tirent sur les morts, songea Ulster Scarlett.

Il était en sécurité maintenant.

Pour lui, la guerre était finie.

« Reste où tu es, *Amerikaner*! »

La voix était d'une épaisseur toute germanique.

« Ne bouge pas! »

Scarlett allait prendre son revolver, mais la voix était sans équivoque. Toucher son arme signifierait la mort.

« Vous parlez l'anglais! » C'est tout ce que le lieutenant Scarlett trouva à dire.

« Assez bien, oui. Ne bougez pas! Je vise votre crâne... L'emplacement exact où vous avez mis votre balle dans le caporal Kroeger. »

Ulster Scarlett se figea sur place.

Il y avait bien eu *quelqu'un*! Il *avait* bien entendu!... Le cadavre dans le champ!

Mais pourquoi l'Allemand ne l'avait-il pas tué?

« J'ai fait ce que j'avais à faire. » Une fois de plus c'étaient les seuls mots qu'avait trouvés Ulster Scarlett.

« J'en suis certain. Comme je suis sûr que votre seule alternative était de tirer sur vos propres troupes... Vous avez... une étrange conception de votre appel sous les drapeaux, non? »

Scarlett commençait à comprendre.

« Cette guerre est... terminée.

— J'ai un diplôme de stratégie militaire de l'école d'état-major impériale de Berlin. Je suis au fait de notre défaite imminente... Ludendorff n'aura pas le choix quand la ligne de Mézières sera enfoncée.

— Alors pourquoi me tuer? »

L'officier allemand apparut, sorti de derrière un énorme rocher, et fit face à Ulster Scarlett, son pistolet pointé sur la tête de l'Américain. Scarlett découvrit un homme à peine plus âgé que lui, un jeune homme aux épaules larges – comme lui.

Grand – comme lui – avec un air confiant dans des yeux qui étaient bleu brillant comme les siens.

« On peut s'en sortir, bon Dieu! On peut s'en tirer! Pourquoi diable devrait-on s'entre-tuer, se sacrifier mutuellement? Ou même tuer l'autre?... Je peux vous aider, vous le savez!

– Le pouvez-vous vraiment? »

Scarlett regarda son vainqueur. Il savait qu'il ne pouvait pas plaider, qu'il ne pouvait montrer aucune faiblesse. Il devait rester calme, logique...

« Ecoutez-moi... Si vous êtes pris, on va vous mettre dans un camp avec des milliers de vos compatriotes. Si on ne vous abat pas. Si j'étais vous, je ne compterais pas trop sur les prétendus privilèges réservés aux officiers. Ça prendra des semaines, des mois, une année peut-être, avant que l'on s'occupe de vous! Avant qu'on vous laisse partir.

– Et vous pouvez modifier tout ça.

– Bien sûr que je le peux, bon sang!

– Mais pourquoi le feriez-vous?

– Parce que je veux m'en sortir!... Et vous aussi!... Sinon vous m'auriez tué déjà... On a besoin l'un de l'autre.

– Que proposez-vous? demanda l'Allemand.

– Vous êtes mon prisonnier...

– Vous me prenez pour un fou?

– Gardez votre arme! Enlevez les balles de mon revolver... Si nous croisons quelqu'un, je vous emmène vers l'arrière pour vous interroger... Au quartier général. Jusqu'à ce qu'on vous trouve des habits différents... Si on arrive jusqu'à Paris, je vous donnerai de l'argent.

– Comment? »

Ulster Scarlett eut un petit sourire, le sourire de la richesse...

« C'est mon affaire... Quel choix avez-vous?...

Tuez-moi et vous finirez prisonnier ou mort, de toute façon. Et vous perdez du temps...

– Debout! Posez vos mains sur le rocher! »

Scarlett obéit, se laissa faire, tandis que l'Allemand lui prenait son revolver et en ôtait les balles.

« Demi-tour!

– Dans moins d'une heure d'autres viendront. Nous étions une compagnie avancée, mais pas très loin du gros de la troupe. »

L'Allemand indiqua à Scarlett la direction à suivre d'un mouvement de son arme.

« Il y a plusieurs fermes à un kilomètre et demi vers le sud-ouest. En avant! *March Schnell!* »

De sa main gauche, il jeta à l'Américain son revolver vide.

Les deux hommes se mirent à courir à travers champs.

Au nord, l'artillerie entamait son barrage matinal. Le soleil avait percé à travers les nuages et la brume était brillante et jaune maintenant.

A plus d'un kilomètre se trouvait un amas de maisons. Une grange et plusieurs petits bâtiments. Il fallait traverser une large route de terre pour atteindre un pâturage, enclos de fil de fer. De la fumée émergeait de la plus grande des deux maisons. Quelqu'un avait allumé un feu et cela signifiait nourriture, chaleur, des vivres.

« Entrons dans cette cabane, dit Ulster.

– *Nein!* Vos troupes arrivent bientôt.

– Bon Dieu, il faut qu'on vous trouve d'autres vêtements. Ça ne vous paraît pas évident? »

L'Allemand releva le percuteur de son Lüger en position de tir.

« Vous êtes contradictoire. Je pensais que vous proposiez de m'emmener vers l'arrière – loin à l'arrière – pour m'interroger... Il serait plus simple de vous tuer maintenant, en fait.

– C'était jusqu'à ce qu'on vous trouve des vêtements! Si je trimbale un officier boche, rien ne peut empêcher un de mes supérieurs d'avoir la même idée que moi! Un major ou un colonel qui voudrait se tirer d'ici... C'est déjà arrivé. Tout ce qu'ils ont à faire c'est m'ordonner de vous remettre entre leurs mains, et ça y est!... Si vous portez des vêtements civils, je pourrai vous faire passer plus facilement. Il règne une telle pagaille! »

Lentement l'Allemand remit le percuteur en place, mais il visait encore le lieutenant.

« Vous voulez vraiment vous sortir de cette guerre, hein? »

Dans la vieille maison, un vieillard, à moitié sourd, paniqué par ce couple étrange. Sans se donner beaucoup de mal pour jouer la comédie, son revolver vide braqué sur lui, l'Américain ordonna au vieil homme de mettre des vivres dans un sac et de trouver des vêtements – n'importe lesquels – pour son prisonnier.

Comme Scarlett s'exprimait assez mal en français, il se tourna vers l'Allemand.

« Pourquoi ne lui diriez-vous pas que nous sommes deux Allemands? Qu'on est coincés et qu'on essaie de passer à travers les lignes. Tous les Français savent que les Alliés enfoncent partout les lignes allemandes. »

L'officier sourit.

« C'est déjà fait. Cela ajoutera à la confusion... Cela vous amusera d'apprendre que ce Français dit qu'il l'avait deviné. Vous savez pourquoi il dit ça?

– Pourquoi?

– Il dit qu'on a tous les deux cette sale odeur de Boche collée à la peau. »

Le vieil homme, qui s'était rapproché de la porte, se jeta soudain à l'extérieur et commença à courir maladroitement vers le champ.

« Bon dieu! Arrêtez-le! Bordel, arrêtez-le! » cria Scarlett.

L'officier allemand avait déjà levé son pistolet.

« Pas de panique. Il vient juste de nous obliger à prendre une décision désagréable. »

Il tira deux coups.

Le vieil homme tomba et les deux jeunes ennemis se regardèrent.

« Comment vous appellerai-je? demanda Scarlett.

– Mon propre nom fera l'affaire. Strasser... Gregor Strasser. »

Les deux officiers n'eurent aucun mal à se frayer un chemin à travers les lignes alliées. La poussée américaine, partie de Regnéville, avançait à la vitesse de l'éclair, une ruée en forme de colonne mais totalement déconnectée de l'état-major. Du moins était-ce l'impression d'Ulster Scarlett et de Gregor Strasser.

A Reims, les deux hommes tombèrent sur les restes de la dix-septième armée française, épuisés, affamés, hébétés.

Ils n'eurent aucun problème. Les Français haussaient les épaules après avoir posé des questions sans intérêt.

Ils avancèrent vers l'ouest, vers Villers-Cotterêts, les routes pour Epernay et Meaux étant encombrées de convois de ravitaillement et de troupes de relève.

Que ces salopards se prennent les balles qui leur étaient destinées, pensait Scarlett.

Les deux hommes atteignirent les abords de

Villers-Cotterêts la nuit. Ils quittèrent la route pour se cacher dans un bosquet.

« Nous allons nous reposer ici quelques heures, dit Strasser, mais n'essayez pas de vous enfuir. Je ne dormirai pas.

– Vous êtes dingue, mon vieux! J'ai autant besoin de vous que vous de moi!... Un officier américain, seul, à quarante kilomètres de sa compagnie, qui se trouve justement être au front! Servez-vous de votre cervelle!

– Vous êtes très convaincant, mais je ne suis pas comme nos généraux impériaux mentalement affaiblis. Je n'écoute pas ce genre d'argument persuasif mais vide. Je surveille mes flancs.

– Comme vous voudrez. Il reste bien cent kilomètres de Villers-Cotterêts à Paris et nous ne savons pas sur quoi nous allons tomber. Nous aurons besoin de sommeil... Nous ferions mieux de prendre chacun un tour de garde.

– *Jawohl*! dit Strasser en éclatant de rire. Vous parlez comme les banquiers juifs de Berlin. Si vous faites ceci, nous ferons cela! Pourquoi *discuter*? Non merci, *Amerikaner*, je ne dormirai pas.

– Très bien. (Scarlett haussa les épaules.) Je commence à comprendre pourquoi vous avez perdu la guerre, dit-il, puis il se tourna sur le côté. Vous vous obstinez à être obstinés. »

Pendant quelques minutes les deux hommes se turent. Enfin, Gregor Strasser répondit à l'Américain d'une voix calme.

« Nous n'avons pas perdu cette guerre. Nous avons été trahis.

– Bien sûr! Les balles étaient à blanc et votre artillerie tirait vers l'arrière! Je vais dormir. »

L'officier allemand poursuivait, comme pour lui-même, de la même voix calme.

« Beaucoup de balles étaient dans des cartouches vides, beaucoup d'armes fonctionnaient mal... Trahison... »

Sur la route, plusieurs camions avançaient en brimbalant, suivis de chevaux tirant des chariots de munitions vides. Les phares des camions dansaient de haut en bas. Les chevaux hennissaient, quelques soldats les injuriaient.

Encore d'autres pauvres connards, pensait Scarlett en les observant depuis leur cachette.

« Hé! Strasser, qu'est-ce qu'on fait maintenant?

– *Was ist?* »

Strasser s'était assoupi un instant. Il était furieux après lui-même.

« Vous avez parlé?

– Je voulais juste vous faire remarquer que j'aurais pu vous sauter dessus... Je vous demandais ce qu'on fait maintenant? Je veux dire, en ce qui vous concerne. Pour moi ce sera un défilé et une médaille. Mais pour vous?

– Pas de défilé et pas de fête... Des larmes. Des récriminations, beaucoup d'ébriété triste... La plupart seront désespérés... Beaucoup seront tués aussi. Vous pouvez en être certain.

– Qui? Qui va être tué?

– Les traîtres parmi nous. On les cherchera et on les détruira sans pitié.

– Vous êtes fou! Je disais que vous l'étiez tout à l'heure, mais maintenant j'en suis certain!

– Qu'est-ce que vous voudriez nous voir faire? Vous n'avez pas encore été infectés. Mais vous le serez!... Les bolcheviques! Ils sont à nos frontières et ils s'infiltrent. Ils mangent dans nos gamelles! Ils pourrissent tout à l'intérieur de nous!... Et les juifs! Les juifs de Berlin font fortune avec cette guerre!

Ces sales profiteurs juifs! Ces sémites criminels nous vendent aux enchères aujourd'hui, demain ce sera votre tour!... Juifs, bolcheviques, tout ce peuple puant! Nous sommes leurs victimes et nous n'en savons rien! Nous nous battons entre nous alors que nous devrions les combattre ensemble! »

Ulster Scarlett cracha. Le fils de Scarlatti ne s'intéressait pas aux problèmes des hommes ordinaires. Les gens ordinaires ne le concernaient pas.

Et pourtant il était troublé.

Strasser n'était pas un homme ordinaire. Cet arrogant officier allemand haïssait l'homme ordinaire autant que lui.

« Et qu'est-ce que vous ferez quand vous aurez enterré tous ces gens? Vous jouerez au roi de la montagne?

– De beaucoup de montagnes... Beaucoup, beaucoup de montagnes. »

Scarlett roula un peu plus loin, mais il ne ferma pas les yeux.

Beaucoup de montagnes...

Ulster Scarlett n'avait jamais pensé à une telle chose... Scarlatti faisait des millions et des millions, mais Scarlatti ne régnait pas. Spécialement les fils de Scarlatti. Ils ne régneraient jamais. Elizabeth avait été très claire à ce sujet.

« Strasser?

– Ouais?

– Qui sont ces hommes? Ceux à qui vous faites allusion?

– Des hommes décidés, puissants. Je ne peux prononcer leurs noms. Ils sont destinés à renaître de cette défaite et à unifier l'élite de l'Europe. »

Scarlett contemplait le ciel. Des étoiles apparais-

saient à travers des nuages gris et bas. Gris, noir,
tachés de blanc miroitant.

« Strasser?

– Quoi?

– Où irez-vous? Après tout ceci, je veux dire?

– A Heidenheim. Ma famille vit là-bas.

– Où est-ce?

– A mi-chemin entre Munich et Stuttgart, répondit l'officier allemand en fixant cet étrange déserteur américain dont émanait une force incroyable.
Déserteur, assassin et aidant son ennemi.

– Nous serons à Paris demain soir. Je vous donnerai de l'argent. A Argenteuil, il y a un homme qui
garde de l'argent pour moi.

– *Danke.* »

Ulster Scarlett se retourna, le visage contre le sol.
La terre sentait le propre.

« Juste Strasser, Heidenheim. C'est tout?

– C'est tout.

– Donnez-moi un nom, Strasser.

– Comment ça donnez-moi un nom?

– Un nom pour que vous sachiez que c'est moi
quand j'entrerai en contact avec vous. »

Strasser réfléchit un moment.

« Très bien, *Amerikaner.* Choisissons un nom que
vous pourrez difficilement oublier : Kroeger.

– Qui?

– Kroeger. Caporal Heinrich Kroeger, celui à qui
vous avez collé une balle dans la tête dans la forêt
d'Argonne. »

Le 10 novembre à trois heures de l'après-midi,
l'ordre de cessez-le-feu fut annoncé.

Ulster Stewart acheta une moto et partit comme

une flèche vers La Harasée et au-delà, jusqu'à la compagnie B, quatorzième bataillon.

Il arriva dans la zone où la majorité du bataillon bivouaquait et commença à chercher sa compagnie. C'était difficile. Il régnait une pagaille indescriptible. Le camp entier était plein d'hommes ivres, les yeux flous, ou cuvant dans les coins. L'ordre du jour, ce matin-là, était l'hystérie alcoolique de masse.

Sauf pour la compagnie B.

Elle assistait à un service religieux, en commémoration de la disparition d'un camarade.

Le lieutenant Ulster Stewart Scarlett, A.E.F.

Scarlett regardait.

Le capitaine Jenkins acheva de lire le magnifique psaume pour les morts d'une voix émue, puis il appela les hommes à prier.

« Notre Père qui êtes aux cieux... »

Quelques hommes pleuraient sans honte.

Il aurait été dommage de gâcher un tel spectacle, pensait Scarlett.

Sa citation à l'ordre du mérite disait entre autres :

... après avoir détruit, seul, trois nids de mitrailleuses allemandes, il s'attaqua à un quatrième emplacement, le détruisant également au mépris de tout danger, sauvant par là même de nombreuses vies alliées. Il n'est pas revenu et est présumé mort. Pourtant, jusqu'à ce que les combats cessent, le sous-lieutenant Scarlett avait doté la compagnie B d'un cri inspiré pour le combat. « Pour le vieux Rolly! » jetait la terreur dans les esprits ennemis. Grâce à l'infinie

miséricorde de Notre Seigneur Dieu, le sous-lieutenant Scarlett rejoignit sa patrouille le jour qui suivit l'arrêt des hostilités. Epuisé et faible, il entra dans la gloire. Sur ordre du président des Etats-Unis, nous lui décernons aujourd'hui...

5

DE retour à New York, Ulster Stewart Scarlett découvrit qu'être un héros lui permettait de faire exactement ce qu'il voulait. Sans qu'il eût tellement été sujet à des restrictions, avant, et loin de là, mais maintenant même de petites obligations, comme la ponctualité et l'acceptation normale de la routine des conventions sociales ne le concernaient plus. Il avait fait face à l'épreuve suprême de l'homme – sa rencontre avec la mort. En vérité, ils étaient des milliers dans son cas mais très peu étaient officiellement désignés comme des héros, et aucun n'était un Scarlett. Elizabeth, sidérée au point de ne plus trouver de mots, lui prodiguait tout ce que l'argent et le pouvoir rendaient possible. Même Chancellor Drew se référait à son petit frère comme au chef de famille.

Et c'est ainsi qu'Ulster Stewart Scarlett réalisa son ascension sociale dans les années 20.

Des pinacles de la haute société jusqu'aux propriétaires de *speakeasy*, Ulster Stewart était toujours le bienvenu. Il n'apportait ni beaucoup d'intelligence ni beaucoup de compréhension, mais pourtant sa contribution avait quelque chose de spécial. C'était un homme en sympathie avec son environnement. Ses exigences envers la vie étaient certainement déraisonnables, mais toute cette époque était déraisonnable. La recherche du plaisir, en évitant la douleur, et les joies de l'existence sans ambition étaient tout ce qu'il semblait vouloir.

Ce qu'il semblait.

Mais pas ce qu'Heinrich Kroeger avait en tête.

Ils correspondaient deux fois par an. Strasser adressait ses lettres à une boîte postale au centre de Manhattan.

Avril 1920

Mon cher Kroeger,

C'est officiel. Nous avons donné un nom et une vie nouvelle au défunt Parti ouvrier. Nous sommes le Parti ouvrier allemand national-socialiste – et, s'il vous plaît mon cher Kroeger, ne prenez pas ces mots trop au sérieux. C'est un début magnifique. Nous attirons des centaines de gens. Il faut dire que les restrictions imposées par le traité de Versailles font des ravages. Elles réduisent l'Allemagne en miettes. Mais c'est bon, c'est très bon pour nous. Le peuple est en colère. Les gens n'invectivent pas seulement les vainqueurs mais aussi ceux qui nous ont trahis de l'intérieur.

Juin 1921

Cher Strasser,

Vous avez Versailles, nous avons l'acte Volstead! Et c'est bon pour nous aussi... Chacun se taille sa part du gâteau et je ne suis pas le dernier. Je travaille pour nous! Tout le monde désire une faveur, un paiement, une livraison! Il s'agit de connaître les bonnes personnes. Dans quelque temps je serai *la bonne personne*. Je ne suis pas intéressé par l'argent. Au diable l'argent! Laissons ça aux youpins et aux métèques! J'acquiers autre chose! Quelque chose de bien plus important...

Janvier 1922

Mon cher Kroeger,

Tout est si lent, si douloureusement lent, alors que cela pourrait être différent. La crise est incroyable et elle empire. Des brouettes de devises virtuellement sans valeur. Adolf Hitler assume littéralement la position de secrétaire du Parti à la place de Ludendorff. Vous vous souvenez que je parlais de gens que je ne pouvais pas nommer? Ludendorff était l'un d'entre eux. Je n'ai pas confiance en Hitler. Il a quelque chose de mesquin, quelque chose d'opportuniste.

Octobre 1922

Cher Strasser,

J'ai passé un excellent été, l'automne sera meilleur et l'hiver génial! Cette prohibition était faite pour moi! C'est de la folie! Avec un peu d'argent devant vous c'est parti!... Et quel business! Mon organisation grandit. La machine fonctionne comme vous l'aimeriez – parfaitement.

Juillet 1923

Mon cher Kroeger,

Je suis inquiet. J'ai déménagé vers le Nord et vous pouvez me joindre à l'adresse ci-dessous. Hitler est fou. L'invasion de la Ruhr par Poincaré lui donnait une chance d'unifier politiquement toute la Bavière. Les gens sont prêts. Mais ils veulent de l'ordre, pas le chaos. Au lieu de cela, Hitler déclame et délire et se sert de ce vieil idiot de Ludendorff pour se donner de l'importance. Il va faire quelque chose d'insensé, je le pressens. Je me demande s'il y a place pour nous deux dans le Parti. Le nord de l'Allemagne s'active. Un certain major Bruchrucker a formé la Reichswehr noire, une force armée importante qui pourrait sympathiser avec notre cause. Je dois rencontrer Buchrucker bientôt. Nous verrons.

Septembre 1923

Cher Strasser,

Depuis octobre dernier, l'année a été meilleure que je pouvais même l'imaginer! C'est drôle, mais on peut trouver dans son propre passé quelque chose qu'on hait, et s'apercevoir que c'est la meilleure arme dont on dispose. C'est ce qui m'arrive. Je mène deux vies de front et aucun de mes deux moi ne rencontre l'autre! C'est une manipulation brillante, si je puis ainsi me féliciter! Je crois que vous seriez ravi de n'avoir pas tué votre ami Kroeger en France.

Décembre 1923

Mon cher Kroeger,

Je pars immédiatement pour le Sud! Munich a été un désastre. Je les avais prévenus de ne pas tenter un putsch par la force. Notre victoire devait être politique, mais ils ne m'écoutaient pas. Hitler va passer un bon moment en prison, malgré tous nos « amis ». Dieu sait ce qu'il va advenir du pauvre vieux Ludendorff. La Reichswehr de Buchrucker a été détruite par von Seeckt. Pourquoi? Nous voulons tous la même chose. La dépression atteint l'extrême limite avant la catastrophe. Ce sont toujours ceux qui ne le devraient pas qui se battent entre eux. Les juifs et les communistes doivent bien rire, sans nul doute. C'est un pays de fous.

Avril 1924

Cher Strasser,

Je viens d'avoir mon premier contact avec ce que j'appellerais une difficulté réelle. Mais j'ai repris le contrôle maintenant. Vous vous souvenez, Strasser? le contrôle... Le problème est simple : trop de gens sont après le même but. Tout le monde veut entrer dans le gros fromage! Il y en aurait pour tout le monde mais personne ne veut le croire. C'est tout à fait comme vous le décrivez : les gens qui ne devraient pas se battre s'entre-tuent. Pourtant, j'ai réussi à accomplir en partie ce que je voulais. Bientôt j'aurai une liste de milliers de noms! Des milliers, Strasser! Nous pourrons faire tout ce que nous voudrons!

Janvier 1925

Mon cher Kroeger,

Ceci sera ma dernière lettre. Je vous écris de Zurich. Depuis que Herr Hitler a été relâché, il a repris une fois de plus la direction du Parti et j'avoue que les dissensions entre nous sont grandes. Peut-être pourra-t-on les oublier. J'ai, moi aussi, mes supporters. Au fait, nous sommes tous sous la plus stricte surveillance. L'assemblée de Weimar a peur de nous, ce qui est normal. Je suis convaincu que mon courrier, mon téléphone, tous mes gestes sont surveillés. Plus aucune chance. Mais l'heure approche. Un plan héroïque est en gestation et j'ai pris la liberté de suggérer qu'Heinrich Kroeger y participe. C'est un chef-d'œuvre, ce plan. Vous devrez contacter le marquis Jacques-Louis Bertholde, de Bertholde et fils, Londres. Vers la mi-avril. Le seul nom qu'il connaît, comme moi, c'est Heinrich Kroeger.

A Washington, un homme grisonnant de soixante-trois ans était assis à son bureau et regardait K Street par la fenêtre. Il s'appelait Benjamin Reynolds et, dans deux ans, il prendrait sa retraite. Pourtant, en attendant ce moment, il était responsable d'un bureau à l'air innocent, rattaché au ministère de l'Intérieur. Ce bureau était baptisé : Etudes sur le terrain et comptabilité. Mais, pour moins de cinq cents personnes, ce bureau était plus connu sous le nom de Groupe Vingt.

Ce service avait reçu ce diminutif dès son origine : un groupe de vingt agents sur le terrain, envoyés par l'Intérieur pour fouiller dans les conflits d'intérêt grandissant entre les politiciens qui allouaient des fonds fédéraux et les électeurs qui les recevaient.

Avec l'entrée en guerre des Etats-Unis et l'expansion industrielle nécessaire pour soutenir l'effort de guerre, le Groupe Vingt devint une unité surchargée de travail. La répartition des contrats d'armement et de fournitures à des compagnies à travers tout le pays exigeait une surveillance perpétuelle bien au-delà des capacités du groupe limité d'agents. Pourtant, plutôt que d'étendre ce service discret, il fut décidé de ne l'utiliser que dans les cas les plus embarrassants ou les plus délicats. Il y en avait suffisamment et les agents étaient des spécialistes.

Après la guerre, on parla de démanteler le Groupe Vingt, mais à chaque fois qu'on en arrivait là surgissait un nouveau problème qui requérait ses talents. En général, c'étaient des problèmes mettant en cause des fonctionnaires très haut placés qui tapaient un peu trop fort dans la tirelire publique.

Mais, dans des cas isolés, le Groupe Vingt avait à assumer des tâches que les autres départements enterraient pour plein de raisons.

Par exemple, le département du Trésor montrait quelque répugnance à poursuivre un nuage appelé Scarlatti.

« Pourquoi, Glover? demandait l'homme grisonnant. La question est pourquoi? Etant donné qu'il existe un certain nombre de preuves irréfutables, pourquoi?

– Pourquoi enfreint-on une loi? »

L'homme, de dix ans son cadet, répondit à Reynolds par une autre question.

« Pour le profit. Et Dieu sait qu'il y a du profit à faire avec la prohibition.

– Non, bordel de Dieu, non! »

Reynolds bondit de son fauteuil et écrasa sa pipe sur l'écritoire de son bureau.

« Vous vous trompez! Ce Scarlatti a plus d'argent que nos deux cerveaux ensemble ne peuvent l'imaginer. Ce serait comme dire que Rockefeller va ouvrir un bouge à Philadelphie... Ça n'a aucun sens... Vous voulez boire un verre? »

Il était plus de cinq heures du soir et l'équipe du Groupe Vingt avait terminé sa journée. Il ne restait que Glover et Ben Reynolds.

« Vous me sidérez, Ben, dit Glover avec une grimace.

– Alors allez vous faire voir. Je boirai seul.

– Faites ça et je vous balance... Il est bon?

– Il vient droit du bateau du vieux Blighty, enfin c'est ce qu'ils disent. »

Reynolds sortit d'un tiroir de son bureau une flasque recouverte de cuir tressé et deux verres qu'il remplit.

« Si on élimine l'idée de profit, qu'est-ce qu'il nous reste, Ben?

– J'en sais fichtrement rien, répliqua Reynolds en buvant une gorgée.

– Qu'allez-vous faire? Personne ne veut rien faire, non?

– Oui, monsieur! C'est-à-dire non, monsieur! Personne ne veut toucher à ça, dit Reynolds non sans ironie. Oh! bien sûr, ils vont poursuivre M. Smith et M. Jones, ou coller en taule n'importe quel pauvre minable d'East Orange, New Jersey, parce qu'il a un alambic dans sa cave. Mais pas celui-là!

– Je vous ai perdu, Ben.

– Ce sont les industries Scarlatti! Ce sont les beaux messieurs, là-haut, sur la colline! Souvenez-vous, le Trésor aussi a besoin d'argent. On en arrive vite là.

– Qu'est-ce que vous voulez faire, Ben?

– Je veux savoir pourquoi la trompe du mammouth fouille dans les graines pour oiseaux.

– Comment?

– Avec Canfield. Il serait plutôt du côté des oiseaux, le pauvre fils de garce!

– C'est un type bien, Ben », dit Glover qui n'appréciait pas l'expression de Reynolds.

Il aimait Matthew Canfield. Il le trouvait rapide, talentueux. Mis à part l'argent qui lui faisait défaut pour poursuivre ses études, c'était un jeune homme qui avait un avenir. Trop bon pour rester au service du gouvernement. Bien meilleur qu'eux deux... Ou en tout cas meilleur que Glover qui se foutait de tout maintenant. Il existait peu de gens meilleurs que Reynolds.

Benjamin Reynolds regarda son subordonné. Il semblait lire dans ses pensées.

« Oui, c'est un type bien. Allez l'appeler. Son emploi du temps doit être quelque part.

– Je l'ai sur mon bureau.

– Alors qu'il soit parmi nous demain soir au plus tard. »

6

MATTHEW CANFIELD, agent polyvalent, était allongé sur la couchette de son Pullman et fumait son avant-dernier cigarillo. Il n'y avait pas de ces fins cigares sur la ligne New York-Chicago et il aspirait chaque bouffée en en tirant le maximum.

A l'aube, il atteindrait New York, changerait et serait à Washington en avance sur l'horaire. Cela ferait meilleure impression sur Reynolds que d'arriver le soir. Cela montrerait que lui, Canfield, était capable de clore un cas rapidement, sans rien laisser en rade. Bien sûr, en ce qui concernait l'affaire présente, ce n'était pas difficile. Il en avait déjà terminé plusieurs jours auparavant, mais il était resté à Chicago, hôte du sénateur qu'on l'avait envoyé questionner à propos de salaires versés à des employés qui n'existaient pas.

Il se demandait pourquoi on le rappelait à Washington. Il s'était toujours demandé pourquoi on le rappelait. Peut-être parce qu'il croyait chaque fois que ce n'était pas pour lui assigner un autre travail mais parce que Washington l'avait dans le collimateur. Que le Groupe Vingt le soupçonnait...

Ils l'attendraient un jour, avec des preuves.

Mais c'était peu probable. Pas cette fois. Matthew

Canfield était un professionnel – à son niveau qui était assez bas, admettait-il intérieurement – mais un professionnel quand même. Et il ne regrettait absolument rien. Il avait droit à n'importe quel petit pot-de-vin qu'il pouvait déterrer.

Pourquoi pas? Il ne prenait jamais beaucoup. Sa mère et lui *méritaient* quelque chose. C'était une cour fédérale à Tulsa, Oklahoma, qui avait mis les scellés sur le magasin de son père. Un juge fédéral qui avait rendu son verdict : banqueroute involontaire. Le gouvernement fédéral n'avait rien voulu entendre sinon que son père n'avait plus la possibilité de rembourser ses dettes.

Un homme pouvait trimer pendant un quart de siècle, élever une famille, envoyer son fils à l'université – tant de rêves accomplis et soudain balayés par le claquement d'un maillet sur une petite plaque de marbre dans un tribunal.

Canfield n'avait aucun regret.

« Vous avez une nouvelle mission à vous farcir, Canfield. Procédure simple, sans difficulté.

– Très bien, monsieur Reynolds. Toujours prêt.

– Oui, je sais que vous l'êtes... Vous commencez dans trois jours sur le dock trente-sept à New York City. Les douanes. Je vais vous renseigner le mieux possible. »

Mais, bien évidemment, Benjamin Reynolds ne le « renseigna » pas aussi profondément qu'il aurait pu le faire. Il voulait que Canfield remplisse les espaces blancs lui-même, espaces que Reynolds laissait volontairement. Le *padrone* Scarlatti opérait sur les quais Ouest – numéros médians –, ça, ils le savaient. Et c'était à peu près tout. Il fallait que quelqu'un le voie. Que quelqu'un l'identifie. Sans être prévenu.

C'était primordial.

Et si quelqu'un était capable de remplir cette mission, c'était bien un type comme Matthew Canfield qui semblait graviter à l'aise dans le monde souterrain des pots-de-vin, des intimidations, de la corruption.

Et cela se produisit, la nuit du 3 janvier 1925.

Matthew Canfield, inspecteur des douanes, vérifia les listes du cargo *Genoa-Stella* et fit signe au contremaître improvisé qu'il pouvait commencer à décharger une de ces caisses de laine en provenance de Côme.

C'est à cet instant que cela se produisit.

D'abord une discussion, puis une bagarre à coups de crochet. L'équipage du *Genoa-Stella* ne pouvait tolérer la moindre modification des procédures de déchargement. Leurs ordres leur venaient de quelqu'un d'autre. Certainement pas des agents des douanes américaines.

Deux caisses dégringolèrent des grues et, sous l'emballage de paille, l'odeur prenante de l'alcool pur envahit le quai.

Tout le monde se figea sur place. Puis plusieurs hommes foncèrent vers des cabines téléphoniques et une centaine de types bâtis comme des gorilles entourèrent les caisses, prêts à éventrer les intrus avec leurs crochets.

La première discussion était oubliée. La bagarre aussi. La contrebande était le moyen d'existence de ces hommes et ils mourraient pour le défendre.

Canfield, qui avait escaladé les escaliers jusqu'à la cabine vitrée au-dessus du quai, contemplait la foule en colère. Un match d'insultes et de cris entre les dockers et les marins du *Genoa-Stella*. Pendant un quart d'heure, les deux groupes accompagnèrent leurs cris de toute une panoplie de gestes obscènes. Mais personne ne sortait d'arme. Personne ne lança de crochet. Ils attendaient.

Canfield se rendit compte que personne dans le bureau des douanes ne faisait le moindre geste pour appeler les autorités.

« Pour l'amour de Dieu, que quelqu'un appelle la police! »

Les quatre hommes qui étaient avec lui dans la pièce restèrent muets.

« Vous m'avez entendu? Appelez la police! »

Toujours le silence, celui d'hommes effrayés qui portaient pourtant l'uniforme des douanes américaines.

Finalement, l'un d'eux se mit à parler. Il se tenait à côté de Matthew Canfield, regardant à travers la vitre l'armée de gangsters en bas.

« Personne n'appelle la police, mon petit gars. Pas si tu veux revenir sur les docks.

– Ou te réveiller simplement demain matin, ajouta un autre homme, qui s'assit calmement et se mit à lire un journal sur son minuscule bureau.

– Et pourquoi? Quelqu'un peut se faire tuer, là, en bas!

– Ils vont s'occuper de tout eux-mêmes, dit le plus vieux douanier. De quel port tu sors déjà?... Erié?... Vous devez avoir des règles différentes. C'est vrai, les lacs, c'est pas pareil qu'ici...

– Jamais entendu des conneries pareilles! »

Un autre homme s'approcha de Canfield.

« Ecoute, bonhomme, occupe-toi de tes affaires, d'accord?

– Mais qu'est-ce que ça veut dire, qu'est-ce que c'est que ce cirque?

– Viens ici, p'tit. »

Le troisième homme, dont le corps mince et la figure étroite semblaient perdus dans un uniforme trop grand, le prit par l'épaule et l'attira dans un coin. Les autres firent comme s'ils n'avaient rien remarqué mais leurs yeux les fixaient toujours. Ils étaient inquiets, angoissés même.

« Tu as une femme et des mômes? demanda le petit homme mince doucement.

– Non... Et alors?

– Nous on en a. Voilà... » Le petit homme mince mit la main dans sa poche et en sortit plusieurs billets.

« Tiens, voilà soixante dollars... Mais tiens-toi tranquille, hein?... De toute façon, ça servirait à rien d'appeler la police... Ils s'en prendraient à toi...

– Bon sang! Soixante dollars!

– Deux semaines de paie, petit! paie-toi du bon temps!

– D'accord, d'accord...

– Les voilà, Jesse, dit le vieux douanier.

– Regarde, p'tit... Enrichis ton éducation », dit l'homme qui venait d'acheter Canfield en le ramenant vers les vitres qui surplombaient les docks.

Près de l'entrée qui donnait sur la rue, Canfield aperçut deux grosses voitures, l'une derrière l'autre. Elles s'étaient arrêtées, la première à moitié garée dans le bâtiment. Plusieurs hommes en manteaux sombres en étaient sortis et marchaient vers la phalange de dockers entourant les caisses endommagées.

« Qu'est-ce qu'ils font?

– C'est les gorilles, petit, répondit le douanier nommé Jesse. Ils encadrent.

– Ils encadrent quoi?

– Ha! » L'homme assis devant son minuscule bureau éclata d'un rire guttural.

« Ils encadrent ce qui doit marcher droit – pas ce, mais ceux qui doivent marcher droit. »

Les hommes en manteaux sombres – cinq en tout – commencèrent à aller de groupe en groupe en parlant doucement. Joue contre joue, pensa Canfield. Avec quelques-uns ils plaisantaient, les poussant un peu avec humour et tapotant leurs épaisses épaules. Ils ressemblaient à des gardiens de zoo, apprivoisant leurs animaux. Deux des hommes montèrent par la passerelle jusqu'au navire. Celui qui paraissait le chef, et qui portait un feutre blanc, figure centrale maintenant sur le quai, jeta un coup d'œil vers les voitures puis vers la cabine vitrée des douanes. Il hocha la tête et commença à monter les escaliers. Jesse rompit le silence.

« Je m'en occupe. Fermez-la, tous. »

Il ouvrit la porte et attendit sur la plate-forme d'acier que l'homme au feutre blanc arrive à sa hauteur.

Canfield pouvait les voir discuter à travers la vitre. L'homme au feutre blanc était souriant, presque obséquieux. Mais il y avait une sale lueur dans son regard, quelque chose de dur. Puis il parut inquiet, en colère, et les deux interlocuteurs se tournèrent vers la cabine.

Ils regardaient Matthew Canfield.

Jesse ouvrit la porte.

« Hé, Cannon. Mitch Cannon, viens ici. »

Il était toujours plus facile de choisir un faux nom qui ait les mêmes initiales que le vrai. On ne pouvait jamais savoir qui vous enverrait un cadeau de Noël.

Canfield s'avança sur la plate-forme d'acier tandis

que l'homme au feutre blanc descendait l'escalier vers le ciment du quai.

« Tu descends et tu vas signer la déclaration de débarquement.

– T'es malade, mon vieux!

– J'ai dit tu descends et tu signes les papiers! Ils veulent savoir si tu marches dans le coup. (Jesse sourit.) Il y a toutes les huiles en bas... Tu vas te faire un autre petit paquet... Mais tu m'en fileras cinquante pour cent, compris?

– Ouais, répondit Canfield avec réticence. Compris. »

Il descendit jusqu'à l'homme qui l'attendait.

« T'es nouveau ici, hein?

– Ouais.

– T'es d'où?

– Du lac Erié. Il s'en passe des trucs sur le lac Erié...

– Tu étais dans quoi?

– Whisky canadien. Y'a rien d'autre... Pas dégueulasse, ce scotch canadien.

– On importe de la laine ici! De la laine de Côme!

– Ouais, bien sûr, mon gars. Sur le lac Erié c'est les peaux de castor et les objets d'artisanat! »

Canfield fixa le sous-fifre des quais.

« C'est bien emballé, hein?

– Ecoute, mec, personne n'a besoin d'un petit malin par ici.

– *Okay*... Comme je disais. De la laine de Côme...

– Viens voir les mandataires. Tu signeras pour les chargements. »

Canfield suivit l'énorme type jusqu'à la cabine de contrôle où un deuxième homme brandit un sous-main couvert de papier.

« Ecris bien et mets les bonnes dates et l'heure », ordonna l'homme dans la cabine.

Quand Canfield eut accompli sa tâche, l'homme au feutre blanc reprit la parole.

« *Okay*... Viens avec moi. »

Il emmena Canfield vers les voitures. L'agent pouvait voir les deux hommes qui parlaient à l'arrière du second véhicule. Il n'y avait qu'un chauffeur dans le premier.

« Attends ici. »

Canfield se demandait pourquoi on l'avait appelé tout seul. Est-ce que quelque chose était allé de travers à Washington ? Ils n'avaient pas eu assez de temps pour envisager tous les impondérables.

Un murmure lui parvint venu du quai. Les deux gorilles, qui étaient montés à bord du navire, escortaient un homme en uniforme sur la passerelle. Canfield se rendit compte qu'il s'agissait du capitaine du *Genoa-Stella*.

Maintenant, l'homme au feutre blanc était appuyé contre une des fenêtres de la deuxième voiture et parlait avec ses occupants. Ils n'avaient pas remarqué la rumeur venue du quai. Le gros type ouvrit la portière et un petit Italien sortit de la limousine. Il ne faisait guère plus d'un mètre soixante.

Ce petit homme fit signe à Canfield-Cannon de s'approcher. Il fouilla dans la poche intérieure de son manteau et en tira une liasse de billets. Il compta plusieurs billets. Il avait un accent italien très marqué.

« T'es nouveau ?

— Oui, monsieur.

— Lac Erié, c'est ça ?

— Oui, monsieur.

— Ton nom ?

— Cannon. »

L'Italien regarda l'homme au feutre blanc, qui opina du chef.

« *Non conosco*...

– Voilà... (Il tendait à Canfield deux billets de cinquante dollars.)... Sois un brave petit... On s'occupe des bons petits, pas vrai, Maggiore?... On s'occupe aussi de ceux qui ne sont pas de bons petits... *capisce*?

– Tu parles! Merci beau... »

Canfield n'alla pas plus loin. Les deux hommes qui escortaient le capitaine du *Genoa-Stella* venaient d'atteindre la première voiture. Ils le tenaient de force, le propulsant en avant contre sa volonté.

« *Lascia mi! Lascia mi! Maiali!* »

Le capitaine essayait de s'arracher aux serres des deux gorilles. Il secouait ses épaules dans tous les sens mais en vain.

Le petit Italien écarta Canfield d'un geste de la main quand les gorilles lui amenèrent le capitaine. Le prisonnier et ses gardiens se mirent à crier tous en même temps. L'Italien se taisait et regardait le capitaine.

Puis l'autre homme, celui qui était resté dans l'ombre du siège arrière de l'automobile, se pencha en avant, sortit sa tête par la fenêtre, à peine visible dans l'obscurité.

« Qu'est-ce qu'il y a? Pourquoi crient-ils tous, Vitone?

– Ce *commandante* n'aime pas notre façon de mener nos affaires, *Padrone*. Il dit qu'il ne nous laissera plus rien à décharger.

– Et pourquoi?

– *Si rifiuti!* hurla le capitaine qui comprenait ce qui se disait sans en saisir bien les mots.

– Il dit qu'il ne voit personne qu'il connaît. Il dit

qu'on n'a aucun droit sur son bateau! Il veut téléphoner.

– Tu parles qu'il veut téléphoner, dit doucement l'homme assis dans la voiture. Je sais exactement qui il veut appeler.

– Vous allez le laisser faire? demanda le petit Italien.

– Ne sois pas idiot, Vitone... Parle gentiment, souris. Salue le bateau de la main. Allez-y, tous, faites ce que je dis!... C'est un baril de poudre, bande d'imbéciles! Il faut qu'ils croient que tout va bien!

– Bien, *Padrone*! »

Ils se mirent tous à rire et à saluer le bateau de la main, sauf le capitaine qui essayait furieusement de dégager ses bras de l'emprise des gorilles. L'effet était assez comique et Canfield se surprit à sourire quand le visage de l'homme dans l'auto tomba en plein dans son champ de vision. L'agent vit un visage racé, très beau – frappant serait le mot. Malgré l'ombre portée d'un chapeau assez large, Canfield nota que les traits de ce visage étaient fins, aquilins. Mais ce furent les yeux qui le frappèrent le plus.

C'étaient des yeux bleu clair. Pourtant, les autres s'adressaient à lui en italien en l'appelant *Padrone*. Canfield en conclut qu'il devait y avoir des Italiens aux yeux bleu clair, même s'il n'en avait jamais rencontré auparavant. C'était inhabituel, mais possible.

« Qu'est-ce qu'on fait, *Padrone*? demanda le petit homme qui avait donné les cent dollars à Canfield.

– Eh bien voyons, mon cher... C'est un touriste, il visite nos rivages, non? Sois courtois, Vitone...

Emmène le capitaine et laisse-le... passer ses coups de téléphone. »

L'homme baissa la voix pour ajouter :

« Et tue-le! »

Le petit Italien hocha la tête en direction de l'entrée des docks. Les deux hommes qui tenaient le capitaine le poussèrent en avant, sortirent avec lui et disparurent dans l'obscurité.

« *Chiama le nostri amici...* » dit le gorille à droite du capitaine.

Mais le capitaine résista soudain. Une fois dehors, à la lumière diffuse de l'entrée, Canfield put voir qu'il secouait violemment ses gardiens d'un côté à l'autre jusqu'à ce qu'il parvienne à en déséquilibrer un. Le capitaine frappa alors l'autre des deux poings, hurlant en italien.

L'homme qui était tombé reprit son équilibre et sortit quelque chose de sa poche. Canfield ne pouvait pas bien voir de quoi il s'agissait.

Puis il vit ce que c'était. Un couteau.

L'homme plongea sa lame dans le dos du capitaine.

Matthew Canfield baissa la visière de sa casquette de douanier et commença à s'éloigner des voitures. Il marchait doucement, d'un air insouciant.

« Hé! Toi! Toi! Le douanier! »

C'était l'homme aux yeux bleus à l'arrière de la voiture.

« Toi! Lac Erié », cria le petit Italien.

Canfield se retourna.

« Je n'ai rien vu. Rien du tout! Rien! »

Il essayait de sourire mais aucun sourire ne sortait. L'homme aux yeux bleu clair le fixait. Canfield tenta de dissimuler son visage sous l'ombre de sa casquette. Le petit Italien fit un signe au chauffeur de la première voiture.

Celui-ci sortit et arriva derrière l'agent.

« *Porta lui fuori vicin' a l'acqua! Sensa fuccide!* Cordetto! » dit le petit homme.

Le chauffeur poussa Canfield vers l'entrée du quai.

« Hé, les mecs! j'ai rien vu! Qu'est-ce que vous me voulez?... Allez, bon sang, laissez-moi! »

Matthew Canfield n'avait pas réellement besoin d'une réponse. Il savait exactement ce qu'ils voulaient de lui. Son insignifiante existence.

L'homme derrière lui continuait à le pousser, à grands coups dans le dos. Tout autour du bâtiment. Vers un coin de quai désert.

Deux rats filèrent à plusieurs mètres devant Canfield et son exécuteur.

Un murmure grandissant venait des abords du cargo. L'Hudson clapotait contre les énormes pylônes des docks.

Canfield s'arrêta. Il ne savait pas pourquoi, mais il ne pouvait plus marcher, simplement plus marcher. La douleur qu'il sentait dans son estomac était celle de la peur.

« *A lesta chi!*... Avance, dit l'homme en lui collant le canon d'un revolver dans les côtes.

— Ecoutez-moi... (Les essais de Canfield pour durcir sa voix ne donnaient rien...) Je travaille pour le gouvernement! Si vous faites quoi que ce soit contre moi, ils vous auront! Vos amis ne vous protégeront plus quand le gouvernement sera après vous!

— Avance... »

Une sirène retentit, venue d'un navire au milieu du fleuve. Une autre répondit.

Puis ce fut un long sifflet extrêmement perçant. Il venait du *Genoa-Stella*. C'était un signal, un signal désespéré qui ne cessait pas. La note la plus haute de ce cri vrillait les tympans.

Ce son réussit à distraire l'attention de l'homme au revolver pendant une seconde.

Canfield se saisit du poignet de l'homme, le serra, le tordit de toutes ses forces. L'homme attrapa Canfield au visage et lui colla les doigts dans les yeux tout en le poussant vers le mur métallique du bâtiment. Canfield serra le poignet encore plus, puis, de son autre main, il saisit le manteau du type et tira vers lui, dans la direction où l'homme le poussait, s'écartant au dernier moment. La tête de son bourreau frappa la ferraille du mur.

Le revolver tomba de la main du Sicilien, Canfield écrasa son genou sur l'entrejambe du type.

L'Italien poussa un cri horrible. Canfield le balança à terre et l'homme roula sur le quai, jusqu'au fond, tordu de douleur. L'agent lui prit la tête à deux mains et la lui cogna sur le bois épais. Plusieurs fois. La peau éclata et du sang jaillit du crâne de l'homme.

En une minute c'était terminé.

L'exécuteur de Matthew Canfield était mort.

La sirène du *Genoa-Stella* continuait de hurler d'une manière terrifiante. Les cris venus du quai entamaient un crescendo.

Canfield songea que l'équipage du navire devait être en train de se révolter ouvertement. Ils avaient sûrement demandé des instructions à leur capitaine et, ne voyant rien venir, ils avaient deviné que ce dernier était mort – ou au moins prisonnier.

Plusieurs coups de feu s'ensuivirent. Puis le staccato d'une mitraillette – d'autres cris de terreur.

L'agent ne pouvait plus retourner sur le devant du bâtiment et, sans nul doute, quelqu'un allait venir voir ce que fabriquait son exécuteur.

Il fit rouler le corps du Sicilien par-dessus le quai et entendit l'eau clapoter en bas.

La sirène du *Genoa-Stella* s'arrêta. Les cris cessèrent peu à peu. Quelqu'un avait repris la situation en main. Au bout du quai, côté entrée, deux hommes apparurent. Ils appelaient.

« La Tona! Hé, La Tona! La Tona... »

Matthew Canfield sauta dans les eaux sales de l'Hudson et se mit à nager, du mieux qu'il put avec son lourd uniforme de douanier, vers le milieu du fleuve.

« Vous êtes vraiment un veinard! dit Benjamin Reynolds.

— Je sais, monsieur. Mais je suis content que ce soit fini.

— Nous ne sommes pas faits pour ce genre de travail, je m'en rends compte. Prenez une semaine de vacances, relaxez-vous.

— Merci, monsieur.

— Glover sera là dans quelques minutes. Il est encore un peu tôt. »

Ce n'était rien de le dire. Il était six heures et quart du matin. Canfield avait atteint Washington à quatre heures et avait eu peur de rentrer à son appartement. Il avait appelé Benjamin Reynolds chez lui et Reynolds lui avait dit de se rendre au bureau du Groupe Vingt et de l'y attendre.

La porte extérieure s'ouvrit et Reynolds appela.

« Glover, c'est vous?

— Oui, Ben. Bon Dieu! Il n'est même pas six heures et demie... J'ai passé une très mauvaise nuit. Mes petits-enfants sont chez moi... »

Sa voix était fatiguée, et quand il atteignit le

bureau de Reynolds il devint apparent que Glover était terriblement las...

« Hello! Canfield. Qu'est-ce qui vous arrive, bon sang? »

Matthew Canfield, agent sur le terrain, raconta toute son histoire.

Quand il eut fini, Reynolds s'adressa à Glover.

« J'ai appelé les douanes du lac Erié. On a retiré sa fiche personnelle. Nos hommes à New York ont nettoyé son appartement. Personne n'y avait touché. Y a-t-il autre chose que nous aurions négligé? »

Glover réfléchit un instant.

« Oui, probablement... Au cas où on se mettrait à chercher cette fiche du lac Erié – et ça va arriver – il faut répandre la rumeur sur les quais que Canfield... Cannon... était un faux nom, employé par un indic... Qu'il a été coincé à Los Angeles, ou San Diego, et abattu. Je m'en occuperai.

– Bien... Maintenant, Canfield, je vais vous montrer différentes photographies. Je ne ferai aucun commentaire... Voyez si vous pouvez les identifier. »

Benjamin Reynolds alla jusqu'à un classeur et l'ouvrit. Il en sortit un dossier et revint vers son bureau.

« Voilà... »

Il montra cinq photos : trois agrandissements de coupures de journaux et deux photos d'identité judiciaires.

Il fallut moins d'une seconde à Canfield.

« C'est lui! C'est celui que la petite frappe appelait *Padrone*!

– *Il Scarlatti Padrone*, dit doucement Glover.

– Vous en êtes absolument certain?

110

– Certain... Et s'il a les yeux bleus, c'est sans appel!

– Vous pourriez l'affirmer sous serment dans un tribunal?

– Bien évidemment.

– Allons, Ben! interrompit Glover qui savait qu'une telle action de la part de Matthew Canfield équivalait à signer son propre arrêt de mort.

– Je demande, c'est tout.

– Qui est-ce? dit Canfield.

– Oui. Qui est-ce?... Qui est-il?... Je ne suis pas sûr de devoir répondre, mais si vous l'appreniez d'une autre façon – et ce serait facile – cela pourrait être très dangereux. »

Reynolds retourna la photo. Un nom était écrit au crayon gras.

« Ulster Stewart Scarlett, né Scarlatti, lut Canfield à haute voix. Il a eu une médaille pendant la guerre, non? C'est un milliardaire.

– C'est exact, répondit Reynolds. Votre découverte doit rester secrète. Et je veux dire *totalement*! C'est compris?

– Oui.

– Vous croyez que quelqu'un pourrait vous reconnaître, je veux dire parmi ceux qui étaient sur les quais hier soir?

– J'en doute. La lumière était mauvaise, j'avais ma casquette baissée sur la figure, je parlais comme un de ces gorilles... Non, je ne crois pas.

– Bien. Vous avez fait un excellent travail. Allez vous reposer.

– Merci », dit l'agent en quittant la pièce.

Il ferma doucement la porte derrière lui.

Benjamin Reynolds regardait les photos sur son bureau. « Le Padrone Scarlatti, Glover... »

« Avisez le département du Trésor. Vous avez tout ce qu'il faut.

— Vous n'y pensez pas!... Nous n'avons rien, pas une preuve, à moins que vous ne vouliez expédier Canfield directement sous terre! Et même si on s'en servait... Qu'avons-nous ici? Scarlett ne signe jamais de chèques... Il a été vu « en compagnie de... »... on l'a entendu donner des ordres... A qui? Avec quels témoins? Un petit employé du gouvernement contre la parole d'un célèbre héros de la guerre? Le fils de Scarlatti?... Non, tout ce que nous avons, c'est une menace possible... Et c'est peut-être suffisant.

— Qui va exercer cette menace? »

Benjamin Reynolds se rencogna dans son fauteuil et appuya les extrémités de ses doigts les unes contre les autres.

« Je vais... Je vais parler à Elizabeth Scarlatti... Je veux savoir *pourquoi*. »

7

Ulster Stewart Scarlett sortit de son taxi au coin de la 5e Avenue et de la 54e Rue et parcourut à pied la courte distance qui le séparait de son hôtel particulier. Il gravit les marches de grès du perron en courant et entra. Il claqua la lourde porte derrière lui et resta un instant dans l'immense entrée, tapant des pieds pour en chasser le froid de février. Il jeta son manteau sur une chaise puis, franchissant des doubles portes à la française, il entra dans un spacieux living-room et alluma une lampe... Il n'était que quatre heures de l'après-midi mais il faisait déjà sombre.

Il s'approcha de la cheminée et nota avec satisfaction que les domestiques avaient empilé correctement les bûches et les fagots. Il alluma le feu et contempla les flammes qui sautaient après les coins de l'âtre. Il se tenait au manteau de la cheminée et laissait la chaleur éclatante traverser son corps. Ses yeux arrivaient juste à hauteur de sa citation, sa Silver Star encadrée d'or au milieu du mur. Il prit note mentalement de finir d'arranger cette « exposition » au-dessus de la cheminée. Les temps viendraient bientôt où cette médaille devrait être mise en évidence.

Un aide-mémoire pour tous ceux qui entraient dans cette maison.

Ce n'était là qu'une diversion momentanée. Ses pensées revinrent à la source de sa colère. De sa fureur.

Satané tête de crétin! Salopard! Crevure! Ordure!

Quatre marins du *Genoa-Stella* tués. Le corps du capitaine retrouvé dans une barque sous les quais.

Avec ça, ils auraient pu s'en sortir. Ils auraient pu survivre à la révolte de l'équipage. Les docks sont un endroit violent. Mais pas avec le cadavre de La Tona accroché à une entretoise à la surface de l'eau, à cinquante mètres du navire. Du cargo qui amenait la contrebande.

La Tona!

Qui l'avait tué? Pas ce petit avorton de douanier... Bon Dieu, non!... La Tona lui aurait mangé les couilles et les aurait crachées en riant! La Tona était un serpent. La pire sorte des brutes homicides.

Ça allait puer. Vraiment. Aucun pot-de-vin ne pourrait l'empêcher. Cinq meurtres sur le dock 37, en une seule nuit...

Et avec La Tona, les flics remonteraient jusqu'à Vitone. Le petit Don Vitone Genovese. Sale petit rat bâtard, pensa Scarlett.

Eh bien, il était l'heure de disparaître.

Il avait ce qu'il voulait. Plus que ce dont il avait besoin. Strasser serait stupéfait. Ils seraient tous stupéfaits.

Ulster Scarlett alluma une cigarette et s'approcha d'une petite porte à gauche de la cheminée. Il sortit une clef de sa poche, ouvrit et entra.

La pièce, comme la porte, était petite. Elle avait

dû servir d'office. Maintenant c'était un bureau miniature avec table, chaise et deux lourds classeurs d'acier. Chaque classeur portait une clef à chiffres circulaire.

Scarlett fit de la lumière et se pencha sur le premier classeur. Il fouilla directement dans les derniers dossiers, après avoir manipulé la combinaison et sortit un tiroir. A l'intérieur, il s'empara d'un cahier couvert de cuir, cahier extrêmement mince, qu'il posa sur son bureau. Avec des gestes toujours aussi calculés, il s'assit devant son bureau et ouvrit le carnet.

C'était là son chef-d'œuvre, le résultat de cinq années d'études méticuleuses.

C'était un cahier à spirale qu'il feuilletait, chaque page précieusement insérée dans les anneaux, sertie d'un petit cercle autocollant. Chaque page était clairement titrée... Après chaque nom on trouvait une brève description, quand c'était possible, et une courte biographie – position, finances, famille, futur – quand le candidat le méritait.

Les pages étaient titrées et séparées en villes et Etats. Des index, de différentes couleurs, menaient du début du carnet à la fin.

Un chef-d'œuvre!

La liste de chaque individu – important ou non – qui avait pu bénéficier un jour ou un autre des opérations de l'organisation Scarlatti. Cela allait de membres du Congrès profitant de pots-de-vin de ses subordonnés jusqu'aux présidents de conseils d'administration, « investissant » dans la contrebande, spéculations hautement illégales proposées, pas par Ulster Scarlett lui-même, mais par des hommes à lui. Tout ce qu'il avait avancé, c'était le capital. Le miel. Et les abeilles s'étaient toutes jetées dessus.

Politiciens, banquiers, avocats, médecins, architectes, écrivains, gangsters, employés de bureau, policiers, douaniers, pompiers, bookmakers... La liste des professions et des métiers était sans fin.

Le Volstead Act avait été l'épine dorsale de la corruption, mais il existait d'autres entreprises, tout aussi profitables.

Prostitution, avortement, pétrole, or, campagnes politiques, et parrainages, la bourse, les speakeasies, l'usure façon requin... Cette liste-là aussi était sans fin.

Tous ces petits bonshommes avides d'argent ne pouvaient jamais s'éloigner de leur cupidité. Elle était la preuve ultime de leurs théories!

La racaille bavant devant l'argent!

Chacun d'eux identifié. Et des documents sur chacun!

Rien n'était laissé au hasard.

Le cahier à spirale contenait quatre mille deux cent soixante-trois noms. Répartis dans quatre-vingt-une villes et vingt-quatre Etats... Douze sénateurs, quatre-vingt-onze membres du Congrès et trois hommes du cabinet Coolidge.

Un annuaire de la malfaisance.

Ulster Stewart décrocha le téléphone sur son bureau miniature et composa un numéro.

« Passez-moi Vitone... J'en ai rien à foutre de savoir qui appelle! Je n'aurais pas ce numéro s'il ne me l'avait pas donné! »

Scarlett écrasa sa cigarette. En attendant Genovese il griffonnait des lignes incohérentes sur une feuille blanche. Il sourit en s'apercevant que les lignes convergeaient – comme des couteaux – vers un point central... Non, pas comme des couteaux, plutôt comme des éclairs.

« Vitone? C'est moi... Je sais, je sais... On ne peut pas y faire grand-chose, hein?... Si on te questionne, tu sais quoi raconter. Tu étais à Westchester. Tu ne sais pas où diable était La Tona... Je suis " out ", compris?... Ne joue pas les malins, mec... J'ai une proposition à te faire... Tu vas aimer ça. Ça change tout pour toi, financièrement. Je veux dire... Tout est à toi! tout! Fais tous les arrangements que tu veux... Tu es le patron... Je suis " out ". Je me retire! »

Il y eut un silence à l'autre bout de la ligne. Ulster Stewart Scarlett dessina un sapin de Noël sur sa feuille couverte de traits.

« Pas d'embrouilles, pas de trucs... Tout est à toi! Je ne veux rien. Toute l'organisation t'appartient... Non je ne sais rien! Je me retire, c'est tout. Si ça ne t'intéresse pas, je peux m'adresser ailleurs. Dans le Bronx ou à Detroit par exemple. Je ne te demande pas un sou... Seulement une chose, une toute petite chose... Tu ne m'as jamais vu. Tu ne m'as jamais rencontré. Tu ne sais même pas que j'existe! Voilà mon prix. »

Don Vitone Genovese se mit à déblatérer en italien. Scarlett tenait l'écouteur à dix bons centimètres de son oreille. Les seuls mots qu'il entendait étaient un rabâchage de : *grazie, grazie, grazie*...

Il raccrocha et referma son cahier de cuir. Il resta assis un moment puis ouvrit le tiroir du haut au milieu de son bureau. Il en sortit la dernière lettre qu'il avait reçue de Gregor Strasser. Il la relut pour la vingtième fois. Ou bien était-ce la cent vingtième?

« Un plan fantastique... Un plan héroïque... Le marquis Jacques Louis Bertholde... Londres... Mi-avril... »

L'heure était enfin arrivée! Enfin...

Si c'était le cas, Heinrich Kroeger devait élaborer

son propre plan en ce qui concernait Ulster Scarlett.

Ce plan n'était pas aussi brave qu'il était « respectable ». Immensément, infailliblement respectable. Si propre, d'une telle respectabilité qu'Ulster Scarlett éclata de rire, seul, dans son bureau miniature.

L'héritier de Scarlatti, le charmant, ravissant diplômé ès quadrilles, le héros de l'Argonne, le célibataire le plus convoité de la haute société new-yorkaise, allait se marier.

8

« Vous supposez, monsieur Reynolds! »

Elizabeth Scarlatti était en ébullition. Sa véhémence était dirigée vers le vieil homme qui se
tenait, très calme, en face d'elle, ses yeux perçants
cachés derrière ses lunettes.

« Je ne supporte pas les gens présomptueux et je
ne cautionnerai pas des menteurs!

— Je suis désolé, sincèrement.

— Vous avez obtenu ce rendez-vous sous un faux
prétexte! Le sénateur Brownlee m'avait dit que
vous représentiez l'Agence foncière fédérale et que
votre rendez-vous concernerait les transactions
entre Scarlatti et le ministère de l'Intérieur.

— C'est exactement ce qu'il croit.

— Alors il est encore plus stupide que je le pensais. Et maintenant vous me menacez! Vous me
menacez avec des racontars de seconde main sur
mon fils! J'imagine que vous êtes prêt à répondre
de ceci devant un tribunal.

— Est-ce réellement ce que vous souhaitez?

— Vous pourriez m'y forcer!... J'ignore quelle est
votre responsabilité réelle, mais je connais beaucoup de monde à Washington et je n'ai jamais
entendu parler de vous. Je ne peux qu'en conclure

que si quelqu'un comme vous colporte de telles histoires, d'autres ont dû également les entendre. Oui, vous pourriez me forcer à intenter une action en justice. Je ne tolérerai pas de tels abus!

– Et supposons que ce soit vrai?

– Ce n'est pas vrai et vous le savez aussi bien que moi! Il n'y a aucune raison pour que mon fils soit impliqué dans de... telles activités. Il est déjà bien assez riche de par sa naissance! Mes deux fils ont des rentes qui leur rapportent à chacun des revenus annuels de... – soyons honnêtes – des revenus considérables.

– Alors nous devons éliminer le profit comme mobile, n'est-ce pas? dit Benjamin Reynolds en plissant ses sourcils.

– Nous n'éliminerons rien, parce qu'il n'y a rien! Si mon fils a un peu trop fait la bombe, on peut l'en critiquer, il n'y a pas de quoi en faire un criminel! Et si vous utilisez la tactique mesquine consistant à salir le nom des Scarlatti à cause de ses origines, vous êtes tout à fait méprisable et je vous ferai licencier! »

Benjamin Reynolds, qui était difficile à mettre en colère, commençait pourtant à atteindre un niveau d'irritation dangereux. Il devait sans cesse se remémorer que cette vieille dame défendait sa « maison » et qu'elle était plus difficile à approcher que dans d'autres circonstances.

« J'aimerais que vous ne me voyiez pas comme un ennemi. Je ne suis ni un ennemi, ni un bigot. Franchement je suis plus froissé par les implications du second adjectif.

– Vous présumez une fois de plus, interrompit Elizabeth Scarlatti. Je ne vous accorde pas la stature d'un ennemi. Je pense que vous êtes petit et que vous utilisez de basses calomnies pour arriver à vos propres fins.

– Ordonner l'exécution d'un homme, ce n'est pas une basse calomnie!

– Que dites-vous?

– C'est l'inculpation la plus lourde que nous envisageons... Mais il y a des circonstances, disons atténuantes, si cela peut vous réconforter. »

La vieille dame regarda Benjamin Reynolds de son air le plus dédaigneux. Il ignora ce regard.

« L'homme qui a été assassiné – celui dont votre fils a ordonné la mort – était lui-même un tueur connu... Le capitaine d'un cargo qui travaillait avec les pires éléments des docks. Il était responsable de nombreuses morts très peu naturelles. »

Elizabeth Scarlatti se leva.

« Je n'en tolérerai pas d'avantage, dit-elle calmement. Vous lancez les accusations les plus graves puis vous vous retranchez derrière des commentaires évasifs.

– Nous vivons une étrange époque, madame Scarlatti. Nous ne pouvons pas être partout. Et, à proprement parler, nous ne le voulons pas. Nous ne nous plaignons pas des guerres de gangs. Franchement, ils font souvent plus de travail que nous ne le pouvons.

– Et vous rangez mon fils dans cette... cette catégorie?

– Je ne l'ai rangé nulle part. Il l'a fait lui-même. »

Elizabeth Scarlatti quitta son bureau pour aller jusqu'à une fenêtre ouvrant sur la rue.

« Combien de gens à Washington sont au courant de ces racontars outrageants?

– De tout ce que je vous ai dit?

– Tout, ou un tant soit peu.

– Il y a eu quelques rumeurs au ministère des Finances. Rien de bien sérieux. Quant au reste, seuls sont au courant mon subordonné immédiat et l'homme qui a été le témoin de ce meurtre.

– Leurs noms?

– Oh! non.

– Je peux facilement les trouver.

– Cela ne vous servirait de rien.

– Je vois, dit Elizabeth en se retournant.

– Je me demande si vous voyez...

– Quoi que vous pensiez, je ne suis pas idiote. Je ne crois pas un mot de tout ceci, mais je ne veux pas que le nom des Scarlatti soit éclaboussé... Combien, monsieur Reynolds? »

Le directeur du Groupe Vingt rendit son regard à Elizabeth sans sourciller.

« Rien. Pas un centime, merci... J'irai plus loin. Vous me donnez envie de vous accuser de corruption de fonctionnaire.

– Stupide vieillard!

– Bordel, ça suffit comme ça... Tout ce que je veux, c'est la vérité, éclata Reynolds... Non, en fait, ce n'est pas tout ce que je veux. Je veux que cela s'arrête, avant que quelqu'un d'autre ne meure. C'est le moins qu'on puisse attendre d'un héros décoré. Surtout dans ces temps troublés... Et je veux également savoir pourquoi!

– Me lancer dans des spéculations, quelles qu'elles soient, serait déjà admettre le début de vos suppositions. Je refuse!

– Bon Dieu, vous êtes coriace!

– Plus que vous ne le pensez!

– Vous ne voulez donc pas comprendre?... Cela n'ira pas plus loin. Cela s'arrête ici. C'est-à-dire si vous parvenez à arrêter toute... activité future de votre fils. Nous pensons que vous le pouvez... Mais j'avais cru que vous auriez aimé savoir *pourquoi*. Puisque nous savons tous deux que votre fils est riche... Alors, pourquoi? »

Elizabeth se contenta de fixer Reynolds et celui-ci sut qu'elle ne répondrait pas. Il avait fait ce qu'il pouvait et dit ce qu'il avait à dire. Le reste dépendait d'elle.

« Bonne journée, madame Scarlatti... Je dois vous le dire, je continuerai à surveiller le *Padrone* Scarlatti.

– Le quoi?

– Demandez à votre fils. »

Reynolds sortit de la pièce, d'une démarche lourde. Les gens comme Elizabeth Scarlatti l'épuisaient. Probablement, songeait-il, parce qu'il ne croyait pas qu'ils valaient la peine qu'il se donnait. C'était le cas de tous les géants.

Elizabeth, toujours devant la fenêtre, regarda le vieil homme fermer la porte derrière lui. Elle attendit de le voir apparaître sur le perron et s'enfoncer vers l'ouest, vers la 5e Avenue.

Le vieil homme leva la tête et leurs yeux se rencontrèrent.

Aucun d'eux ne rendait les armes.

9

CHANCELLOR DREW SCARLETT faisait les cent pas sur l'épais tapis d'Orient de son bureau du 525, 5e Avenue. Il inspirait profondément, puis expirait par le ventre – avec précision – car le masseur de son club lui avait affirmé que c'était une excellente méthode pour se calmer.

Cela ne marchait pas.

Il changerait de masseur.

Il s'arrêta devant le mur lambrissé d'acajou entre les deux grandes baies surplombant la 5e Avenue. Sur ce mur étaient encadrés différents articles de journaux, tous à propos de la Fondation Scarwyck. Chaque article le mentionnait – souvent son nom apparaissait en gros caractères au-dessus de l'article.

A chaque fois qu'il était énervé, ce qui arrivait souvent, il regardait ces articles sous verre qui représentaient sa réussite. Cela avait toujours un effet calmant.

Chancellor Scarlett avait assumé le rôle de l'époux d'une femme assommante avec naturel. Le lit conjugal avait produit cinq enfants. A la grande surprise d'Elizabeth, il s'était aussi intéressé aux entreprises de la famille. Comme pour répondre à la conduite de son célèbre frère. Chancellor avait battu en retraite dans le monde sécurisant du businessman quasi inspiré. Et il avait effectivement des idées.

Parce que les revenus annuels des holdings Scarlatti excédaient largement les besoins d'une petite nation, Chancellor était parvenu à convaincre Elizabeth que l'attitude intelligente face aux impôts serait de créer une fondation philanthropique. Impressionnant sa mère grâce à des informations précises et irréfutables – dont la possibilité de poursuite à cause de la loi antitrust –, Chancellor avait obtenu son accord pour créer la Fondation Scarwyck. Il en était le président et sa mère la haute autorité. Chancellor n'avait peut-être jamais été un héros de la guerre, mais ses enfants pourraient reconnaître sa contribution à l'économie et à la culture.

La Fondation Scarwyck déversait de l'argent dans des monuments aux morts, la préservation des réserves indiennes, un *Dictionnaire des grands patriotes* destiné à tous les collèges, les clubs Roland-Scarlett, une chaîne de camps de jeunesse épiscopaux voués à la vie au grand air et aux grands principes chrétiens de leurs instigateurs démocrates – mais épiscopaliens. Et beaucoup d'autres œuvres. On ne pouvait ouvrir un journal sans tomber sur un nouveau projet lancé par Scarwyck.

De regarder ces articles remonta un peu le moral bien entamé de Chancellor, mais leur effet fut bref. Il pouvait entendre la sonnerie du téléphone de sa secrétaire, sonnerie étouffée par l'épaisse porte et qui lui rappela immédiatement le coup de fil de sa mère, folle de colère. Elle essayait de joindre Ulster depuis la veille.

Chancellor appuya sur son interphone.

« Essayez encore d'appeler chez mon frère, Miss Nesbit.

– Bien, monsieur. »

Il fallait qu'il trouve Ulster. Sa mère était dans tous ses états. Elle insistait pour le voir avant la fin de l'après-midi.

Chancellor s'assit dans son fauteuil et essaya à nouveau de respirer correctement. Le masseur lui avait dit que c'était excellent quand on était assis.

Il prit une profonde inspiration, poussant son estomac le plus en avant possible. Le bouton du milieu de sa veste craqua et tomba sur le tapis, après avoir rebondi sur le fauteuil entre ses jambes.

« Merde! »

Miss Nesbit l'appela sur l'interphone.

« Oui?

– La bonne, chez votre frère, dit qu'il est en route pour vous voir, monsieur Scarlett. » La voix de Miss Nesbit reflétait la satisfaction de la mission accomplie.

« Vous voulez dire qu'il était là, tout ce temps?

– Je n'en sais rien, monsieur. »

Elle était blessée.

Vingt terribles minutes plus tard, Ulster Stewart Scarlett arriva.

« Bon Dieu, mais où étais-tu? Mère essaie de te joindre depuis hier matin! On a appelé partout!

– J'étais à Oyster Bay. Personne n'a pensé à m'appeler là-bas?

– En février? Non... Ou peut-être l'a-t-elle fait, je n'en sais rien.

– Vous n'auriez pas pu me joindre de toute façon, j'étais dans un des pavillons.

– Qu'est-ce que tu fichais là-bas, je veux dire, en février!

– Je prenais racine, petit frère... Joli bureau, Chance... Je ne me souviens même plus de la dernière fois que j'y suis venu.

– C'était il y a environ trois ans.

– Qu'est-ce que c'est que tous ces gadgets? demanda Ulster en désignant le bureau.

– Equipement dernier modèle... Regarde... Ça c'est un calendrier électrique qui s'allume certains jours pour me rappeler mes rendez-vous. Ça c'est un interphone relié directement à dix-huit bureaux différents dans le building. Ça c'est une ligne privée pour...

– Assez... C'est impressionnant. Je n'ai pas beaucoup de temps. Je pensais que tu aimerais le savoir... Il se peut que je me marie.

– Quoi!... Ulster, mon Dieu! Toi? Marié? Tu vas te marier?

– On le dirait, à la demande générale.

– Avec qui, mon Dieu?

– Oh! j'ai procédé par élimination, mon vieux. Ne t'inquiète pas, elle sera acceptable. »

Chancellor regarda son frère assez froidement. Il était prêt à tout, y compris à entendre que son frère avait choisi une souillon quelconque des Ziegfeld Folies, ou, encore, un de ces écrivains femelles avec des vestes noires et des coiffures d'homme qui traînaient toujours dans les soirées d'Ulster.

« Acceptable pour qui?

– Eh bien voyons, je les ai presque toutes essayées...

– Ta vie sexuelle ne m'intéresse pas! Qui est-ce?

– Oh! mais ça devrait t'intéresser. La plupart des amies de ta femme – mariées ou non – ne sont vraiment pas de bonnes occasions.

– Dis-moi juste qui tu as l'intention d'honorer, si ça ne te fait rien.

– Que dirais-tu de Janet Saxon?

– Janet!... Janet Saxon! s'écria Chancellor, ravi.

– Je crois qu'elle fera l'affaire, murmura Ulster.

– Tu parles! Elle est merveilleuse! Mère sera si heureuse! Elle est fantastique!

– Elle fera l'affaire, répéta Ulster d'une voix étrangement calme.

– Ulster, tu ne peux pas savoir comme je suis content. Tu lui as fait ta demande, bien sûr. »

C'était une affirmation, pas une question.

« Pourquoi? Chance, comment peux-tu penser comme ça?... Je n'étais pas certain qu'elle passerait l'inspection.

– Je vois ce que tu veux dire. Bien sûr... Mais je suis certain que si. L'as-tu dit à mère? Est-ce pour cela qu'elle est en pleine hystérie?

– Je n'ai jamais vu mère hystérique. Ça doit valoir le déplacement.

– Tu devrais vraiment l'appeler tout de suite.

– Je le ferai. Laisse-moi une minute... J'ai quelque chose à te dire. De tout à fait personnel. »

Ulster Scarlett se laissa tomber dans un fauteuil face au bureau de son frère.

Chancellor, sachant que son frère se laissait rarement aller à des conversations personnelles, se rassit avec appréhension.

« Qu'y a-t-il?

– Je te faisais marcher, tout à l'heure, je veux dire à propos de toutes ces femmes.

– Je suis ravi de l'entendre!

– Oh! ne te méprends pas, je ne dis pas que ce n'était pas vrai, mais c'était une faute de goût d'en parler... Je voulais te voir en colère. Calme-toi. J'ai une bonne raison... Je crois que ça renforcera le point que je veux soulever.

– Quel point?

– C'est pour cela que j'étais parti à Oyster Bay...
Pour réfléchir... Tous ces jours un peu fous, sans
but, tout cela arrive à une fin, pas d'un seul coup,
mais en se dissolvant lentement. »

Chancellor regardait son frère avec la plus grande
attention.

« Je ne t'ai jamais entendu parler comme ça.

– On pense beaucoup, tout seul dans un pavillon
au bord de la mer, en février. Pas de téléphone,
personne sur le dos... Oh! je ne vais pas faire de
grandes promesses que je ne suis pas certain de
pouvoir tenir. Je n'ai pas à aller jusque-là. Mais je
veux essayer... Je pense que tu es la seule personne
vers qui je puisse me tourner. »

Chancellor Scarlett était touché.

« Qu'est-ce que je peux faire?

– J'aimerais avoir une sorte de poste. Pas précis
au début. Rien de régimenté. Juste pour voir si je
parviens à m'intéresser à quelque chose.

– Bien sûr! Je vais te trouver un job ici! Ce sera
très bien, nous travaillerons ensemble.

– Non. Pas ici. Ce serait encore un cadeau. Non.
Je veux faire ce que j'aurais dû faire il y a longtemps. Faire ce que tu as fait. Commencer à la
maison.

– A la maison? Quel genre de poste est-ce?

– Je parle au figuré. Je veux apprendre l'essentiel
sur nous. Sur la famille, les Scarlatti. Leurs intérêts,
les affaires, cette sorte de chose... C'est ce que tu as
fait et je t'ai toujours admiré pour ça.

– Vraiment? »

Chancellor était tout ce qu'il y a de plus
sérieux.

« Oui, vraiment... J'avais emmené un tas de
papiers avec moi à Oyster Bay. Des rapports et des
choses que j'avais ramassés au bureau de mère. On

travaille beaucoup avec une banque, n'est-ce pas? Comment diable s'appelle-t-elle déjà?

– Waterman Trust. Ils exécutent toutes les opérations financières Scarlatti. Ils le font depuis des années.

– Je pourrais peut-être commencer là-bas... Pas d'une manière formelle. Juste quelques heures par jour.

– Pas de problème! Je vais arranger ça cet après-midi.

– Autre chose. Pourrais-tu téléphoner à mère?... C'est une faveur que je te demande. Dis-lui que j'arrive. Inutile que je l'appelle. Tu peux mentionner notre conversation et lui parler de Janet aussi, si tu veux. »

Ulster Scarlett était debout face à son frère. Il y avait quelque chose de modestement héroïque chez lui, chez cet errant qui essayait de trouver ses racines.

Cela ne passait pas inaperçu pour Chancellor qui se leva de son fauteuil et lui tendit la main.

« Bienvenue à la maison, Ulster. C'est le début d'une vie nouvelle pour toi, et je pèse mes mots.

– Oui, je crois que tu as raison. Ce n'est pas énorme, mais c'est un début. »

Elizabeth frappa du plat de la main sur son bureau en se levant brusquement de son fauteuil.

« Tu es désolé? Désolé? Tu ne me trompes pas une seule seconde! Tu as peur, tu es mort de trouille et tu as toutes les raisons de l'être! Espèce d'idiot! Crétin! Qu'est-ce que tu croyais que tu faisais? Tu jouais aux gendarmes et aux voleurs? »

Ulster Scarlett agrippait le bras du divan sur

lequel il était assis et se répétait, encore et encore, *Heinrich Kroeger, Heinrich Kroeger.*

« J'exige une explication, Ulster!

– Je te l'ai dit. Je m'ennuyais. Je m'ennuyais réellement.

– Jusqu'où es-tu mouillé?

– Oh, mon Dieu! je ne suis pas mouillé le moins du monde. Tout ce que j'ai fait c'est avancer de l'argent pour une livraison. Une cargaison. C'est tout.

– A qui as-tu donné cet argent?

– A des types, des amis que j'avais rencontrés dans des clubs.

– Etaient-ce des criminels?

– Je n'en sais rien. Qui n'est pas un criminel, ces derniers temps? Ils l'étaient sûrement. Ce sont des criminels. C'est pourquoi je me suis retiré. J'en suis sorti!

– As-tu signé quoi que ce soit?

– Doux Jésus, non! Tu me prends pour un fou?

– Non. Je pense que tu es stupide. »

Heinrich Kroeger, Heinrich Kroeger. Ulster Scarlett se leva et alluma une cigarette. Il marcha jusqu'à la cheminée et jeta l'allumette dans le pétillement du feu.

« Je ne suis pas stupide, mère », répliqua le fils d'Elizabeth après ce lourd silence.

Elizabeth eut un geste agacé de la main comme pour chasser cette objection sans valeur.

« Tu n'as fait qu'avancer de l'argent? Tu n'as jamais été impliqué dans quoi que ce soit de violent?

– Non! Bien sûr que non!

– Alors qui était le capitaine de ce bateau? L'homme qu'on a tué?

– Je n'en sais rien! Ecoute, je te l'ai dit. J'admets

avoir été là-bas. Des types m'avaient dit que c'était très excitant de voir comment la marchandise entrait à New York. Mais c'est tout. Je le jure. Il y a eu de la bagarre. L'équipage a commencé. Je suis parti. Je me suis tiré de là le plus vite possible.

— Il n'y a rien de plus? C'est absolument tout?

— Oui. Qu'est-ce que tu veux que je fasse? Que je saigne des paumes et des pieds?

— Ça ne te ressemblerait pas. »

Elizabeth fit le tour de son bureau et s'approcha de son fils.

« Et ce mariage, Ulster? C'est aussi parce que tu t'ennuies?

— Je pensais que tu approuverais.

— Approuver? Je ne savais pas que mon approbation ou ma désapprobation te concernait.

— Si...

— J'approuve ton choix, mais je doute que ce soit pour les mêmes raisons que Chancellor. Elle semble adorable, du peu que j'ai pu en voir... Je ne suis pas certaine de t'approuver toi... L'aimes-tu? »

Ulster Scarlett regarda sa mère d'un air indifférent.

« Je pense qu'elle fera une bonne épouse.

— Puisque tu évites ma question, penses-tu faire un bon mari?

— Pourquoi, mère?... J'ai lu dans *Variety Fair* que j'étais le célibataire le plus convoité de New York.

— Les bons maris et les célibataires convoités s'excluent mutuellement en général... Pourquoi veux-tu te marier?

— J'estime qu'il est temps.

— J'accepterais une réponse pareille de ton frère. Pas de toi. »

Scarlett s'éloigna de sa mère et s'approcha des

fenêtres. C'était le moment. C'était le moment qu'il avait prévu, planifié, répété. Il devait le faire simplement, le dire simplement. Il allait le dire et un jour Elizabeth se rendrait compte combien elle s'était trompée.

Il n'était pas stupide. Il était brillant.

« J'ai essayé de l'expliquer à Chance. Je vais essayer encore avec toi. Je veux vraiment me marier. Je veux vraiment m'intéresser à quelque chose... Tu me demandes si j'aime cette femme. Je crois que oui. Je crois que je l'aimerai. Ce qui importe pour moi, maintenant, c'est de refaire surface. »

Il s'éloigna de la fenêtre et se tint face à sa mère.

« J'aimerais connaître ce que vous avez bâti pour nous. Je veux savoir ce qu'est la famille Scarlatti. Tout le monde a l'air au courant sauf moi. C'est un début, mère.

— Oui, un début. Mais je te préviens. Quand tu parles de Scarlatti ne te fais aucune illusion. Ton nom ne te garantit pas une voix au chapitre dans la direction. Tu devras d'abord prouver ta valeur avant d'être chargé d'une quelconque responsabilité. Ou d'une quelconque autorité. Et pour cette éventuelle décision, Scarlatti c'est moi.

— Oui. Tu as toujours été très claire là-dessus. »

Elizabeth refit le tour de son bureau et se rassit sur son fauteuil.

« Je n'ai jamais cru que rien n'évoluait. Tout change. Et il est possible que tu te révèles avoir du talent. Tu es le fils de Giovanni Scarlatti et peut-être ai-je été stupide de changer vos noms en Scarlett. Cela m'avait semblé une bonne idée à l'époque. Lui était un génie... Va travailler, Ulster, nous verrons ce qui arrivera. »

Ulster Stewart Scarlett descendit la 5e Avenue. Le soleil était vaguement tiède et il laissa son manteau ouvert. Plusieurs passants remarquèrent cet homme carré, ce visage frappant au-dessus d'un manteau ouvert en plein mois de février. Il était d'une beauté arrogante, le succès s'inscrivait sur son front. Certains hommes sont nés pour cela.

Ulster Scarlett, voyant les regards d'envie des petites gens qu'il croisait, songea qu'ils avaient raison.

Heinrich Kroeger était à l'heure au rendez-vous.

10

LORSQUE Horace Boutier, président de la Waterman Trust, reçut la requête de Chancellor demandant qu'on donnât des cours d'économie à son frère Ulster, Boutier sut immédiatement qui serait responsable.

Le troisième vice-président Jefferson Cartwright.

Cartwright avait déjà été appelé à travailler avec Ulster Scarlett pour une excellente raison. Il était, sans aucun doute, le seul dirigeant de Waterman Trust qui n'énervait pas constamment Ulster Scarlett. Dans une très large mesure, ceci était dû à l'approche « inorthodoxe » qu'avait Cartwright de son travail. Très peu banquier...

Car Jefferson Cartwright, un grand type un peu blond et qui commençait à se faire vieux, était un pur produit des terrains de sport de l'université de Virginie et avait appris très tôt dans sa carrière que les qualités qui l'avaient rendu célèbre sur les terrains de football – et sur le campus – allaient le servir dans la profession qu'il avait choisie. En bref, cela consistait à apprendre les informations si méticuleusement qu'on était toujours dans la bonne position au bon moment sur le terrain et à toujours pousser son avantage en utilisant le poids ou la masse des autres.

En dehors des terrains de jeu, il n'avait fait qu'étendre ces principes de base. Apprendre les formules, gâcher le moins de temps possible avec des complications au-delà de toute compréhension et, encore, impressionner tout le monde grâce à sa taille et à son aspect physique attirant.

Ces principes, une fois combinés avec le charme indolent du Sud, avaient garanti une sinécure à Jefferson Cartwright chez Waterman Trust. Il mettait même son nom sur le papier à en-tête de sa branche.

En effet, bien que les capacités de banquier de Jefferson Cartwright approchent à peine une utilisation experte du vocabulaire, son habileté à commettre l'adultère avec quelques-unes des femmes les plus riches de Manhattan, Long Island et du sud du Connecticut avait amené de nombreux comptes importants à Waterman. Mais les directeurs de la banque savaient que leur expert n'était une menace sérieuse pour aucun mariage relativement stable. Il était plutôt une sorte de divertissement temporaire, charmant, rapide et dérisoire pour celles qui s'ennuyaient à mourir.

La plupart des institutions bancaires possédaient au moins un Jefferson Cartwright parmi leurs cadres. Pourtant ce genre d'homme était souvent surveillé quand on en arrivait aux clubs ou aux dîners privés... On ne savait jamais...

C'était ce vague sens de l'ostracisme qui rendrait Cartwright acceptable aux yeux d'Ulster Scarlett. En partie parce qu'il savait pourquoi il existait et qu'il l'amusait, et en partie parce que Cartwright – mis à part quelques vagues remarques sur l'état de ses comptes – n'avait jamais essayé de lui dire que faire de son argent.

Les directeurs de la banque le savaient aussi. Il était bon que quelqu'un conseille Ulster Scarlett – ne serait-ce que pour impressionner Elizabeth – mais, comme on ne pourrait pas changer Ulster, pourquoi gâcher un homme important?

Lors de leur première session – le terme était de Cartwright –, le banquier découvrit qu'Ulster Scarlett ne connaissait pas la différence entre un débit et un crédit. On prépara donc un glossaire pour lui assurer une base de langage pour travailler. Ensuite on écrivit pour lui un lexique de phraséologie boursière et, très vite, il apprit à le maîtriser.

« Ainsi, si j'ai bien compris, monsieur Cartwright, j'ai deux sources de revenus distinctes placés sous forme de fonds composés de valeurs en portefeuille.

– Oui, vous avez un premier portefeuille composé de bons et d'obligations « à fenêtres » destiné à vos dépenses courantes, votre train de vie. Vous pouvez évidemment disposer de cet argent. D'ailleurs, ces dernières années vous l'avez fait si je ne m'abuse... »

Cartwright eut un sourire indulgent au souvenir de quelques retraits extravagants opérés par Ulster.

« Votre second portefeuille, composé, lui, de titres-actions de sociétés industrielles et commerciales, est destiné à bouger, à être réinvesti, et, éventuellement, à vous permettre quelques placements spéculatifs pour en réinvestir les bénéfices. Du moins, c'était le vœu de votre père. Mais il y a toujours des accommodements.

– Qu'entendez-vous par là?

– Imaginons, par exemple, que vos dépenses courantes excèdent les revenus du premier portefeuille, nous pourrions, avec votre accord, transférer une partie du capital du second au premier. Bien sûr, c'est à peine concevable.

– Bien sûr... »

Jefferson Cartwright éclata de rire et fit à son élève débutant un clin d'œil exagéré.

« Je vous ai eu, hein?

– Quoi?

– C'est arrivé une fois. Vous ne vous souvenez pas? Le dirigeable?... Le dirigeable que vous avez acheté il y a quelques années?

– Oh! oui. Vous étiez fou de rage!

– En tant que banquier, je suis responsable des Industries Scarlatti. Après tout, je suis votre conseiller financier. Je suis tenu pour responsable... Nous avions couvert cet achat grâce au second portefeuille. Mais c'était contre toutes les règles. Parfaitement inadmissible. On peut difficilement appeler un dirigeable un investissement.

– Excusez-moi encore.

– N'oubliez pas, monsieur Scarlett. Le souhait de votre père était que les intérêts des valeurs ouvertes soient réinvestis.

– Comment peut-on s'apercevoir qu'ils le sont?

– Ce sont les ordres que vous signez chaque semestre.

– Les cent et quelques paperasses qu'il faut que je signe?

– Oui. Nous convertissons les billets et investissons le capital.

– Dans quoi?

– Vous avez le détail dans les relevés de votre portefeuille que nous vous envoyons. Nous choisissons nous-mêmes où investir puisque, avec votre emploi du temps si chargé, vous n'avez jamais répondu à nos lettres en temps utile.

– Je n'y ai jamais rien compris.

– Eh bien, maintenant nous allons pouvoir vous expliquer, hein?

– Supposons que je ne signe pas les bordereaux?

– Eh bien... Dans ce cas improbable, les valeurs resteraient dans les chambres fortes jusqu'à la fin de l'année.

– Où cela?

– Dans les coffres. Les chambres fortes Scarlatti.

– Je vois.

– Les transferts sont attachés aux valeurs quand nous les sortons des coffres.

– Alors pas de transfert, pas de titres. Pas de capital, pas d'argent.

– Exactement. On ne peut pas les monnayer. Les bordereaux ne sont que ce que leur nom implique. Vous nous transférez votre pouvoir qui nous donne le droit de réinvestir les capitaux.

– Supposons, pour le plaisir de l'imagination, que vous n'existiez pas. Qu'il n'y ait pas de Waterman Trust. Comment pourrait-on transformer ces valeurs en argent?

– Grâce à une signature, encore une fois. En les mettant au porteur. C'est clairement expliqué sur chaque document.

– Je vois.

– Un jour, quand vous serez plus au fait de tout ceci, bien sûr, vous devriez visiter les chambres fortes. La famille Scarlatti occupe toute l'aile est. Les deux fils, Chancellor et vous, possédez des pièces blindées l'une à côté de l'autre. C'est vraiment très touchant. »

Ulster semblait perdu dans ses pensées.

« Oui, j'aimerais bien visiter les chambres fortes... Quand je serai plus au fait de tout ceci, bien sûr. »

« Mon Dieu, est-ce que les Saxon préparent un mariage ou une réception pour l'archevêque de Canterbury? »

Elizabeth Scarlatti avait convoqué son fils aîné chez elle pour discuter des différents articles de journaux et du paquet d'invitations qui reposait sur son bureau.

« On ne peut pas les blâmer. Ulster n'est pas une prise ordinaire.

– Je le sais. D'un autre côté, on ne peut pas faire cesser de fonctionner la moitié de New York! »

Elizabeth s'approcha de la porte qui donnait sur la bibliothèque et la ferma, puis elle se tourna vers son fils.

« Chancellor, je veux discuter de quelque chose avec toi. Ce sera bref, et si tu as un brin de cervelle, tu ne répéteras jamais un mot de ce que je vais te dire.

– Bien sûr. »

Elizabeth continuait de le regarder. Elle pensait, au fond d'elle-même, que Chancellor était bien plus intelligent qu'elle ne l'aurait jamais pensé. Son problème résidait dans son apparence si terriblement provinciale et dans le fait qu'il soit si totalement dépendant. Et l'air perpétuellement inexpressif qu'il affichait quand ils tenaient une conférence le faisait vraiment passer pour un âne.

Les comités. Peut-être y en avait-il eu un peu trop, et pas assez de conversations? C'était sans doute de sa faute à elle.

« Chancellor, je ne prétends pas être dans les termes les plus intimes avec la jeune génération. Il me semble qu'il flotte un climat de permissivité qui n'existait pas de mon temps et, Dieu sait que c'est certainement un pas dans la bonne direction, il me semble que ça peut aller trop loin.

– Je suis tout à fait d'accord! l'interrompit Chancellor Drew avec ferveur. Il y a trop d'indulgence, et mes enfants n'en seront pas infectés, laisse-moi te le dire!

– Eh bien, cela va peut-être même plus loin que cette simple indignation justifiée. Les jeunes, comme les temps, sont ce que nous les modelons. Volontairement ou pas... Pourtant, ceci n'est qu'une introduction. »

Elizabeth s'assit devant son bureau.

« J'ai bien observé Janet Saxon ces dernières semaines... Observé, c'est peut-être un peu exagéré. Je ne l'ai vue qu'une demi-douzaine de fois, à commencer par cette absurde soirée de fiançailles. Il y a une chose qui m'a vraiment frappée : elle boit, elle boit beaucoup. Sans qu'on en comprenne la nécessité. C'est une jeune femme charmante, intelligente, vive. Est-ce que je me trompe? »

Chancellor Drew Scarlett était stupéfait. Il n'avait jamais remarqué une telle chose chez Janet Saxon. Cela ne lui avait même pas traversé l'esprit. Tout le monde buvait trop. Cela faisait partie de cette fameuse permissivité et, bien qu'il désapprouve, il n'avait jamais pris cela au sérieux.

« Je ne m'en étais jamais rendu compte, mère.

– Alors, visiblement, je me trompe et laissons donc tomber. Je suis bien trop vieux jeu, apparemment. »

Elizabeth sourit, et pour la première fois depuis des années, elle donna à son fils un baiser affectueux. Pourtant, quelque chose troublait Janet Saxon et Elizabeth avait l'impression de savoir ce que c'était.

La cérémonie du mariage de Janet Saxon et d'Ulster Stewart fut un triomphe. Chancellor Drew était, bien naturellement, le témoin de son frère, et accrochés à la traîne de la jeune mariée se tenaient ses cinq enfants. Sa femme, Allison Demerest Scarlett, n'avait pas pu assister à la cérémonie, car elle était en train d'accoucher à l'hôpital presbytérien.

Le fait que ce soit un mariage au mois d'avril avait été une source de conflit entre Janet et ses parents. Ils auraient préféré un mariage en mai ou en juin, mais Janet fut inflexible. Son fiancé insistait pour qu'ils soient en Europe vers la mi-avril et il n'y avait pas à discuter.

D'ailleurs, elle avait elle-même une excellente raison pour ne pas faire traîner les fiançailles.

Elle était enceinte.

Janet savait que sa mère se doutait de quelque chose. Elle savait aussi que celle-ci était ravie, qu'elle l'admirait même parce qu'elle pensait sincèrement que telle était l'ultime astuce féminine. La perspective de ce fiancé particulier, coincé, mis en cage, irréfutablement lié à sa femme, avait suffi à Marian Saxon pour accepter ce mariage en avril. Marian Saxon aurait laissé sa fille se marier dans une synagogue le Vendredi saint si ça avait pu en faire l'héritière Scarlatti.

Ulster Scarlett prit quelques vacances durant ses stages chez Waterman Trust. Il était convenu qu'après une longue lune de miel sur le vieux continent, il se replongerait dans le monde de la finance avec une vigueur accrue. Cela avait vraiment touché – et étonné – Jefferson Cartwright de voir qu'Ulster avait pris avec lui – dans son voyage d'amour, ainsi qu'il le disait – un grand nombre de papiers à étudier. Il avait rassemblé littéralement des centaines de rapports concernant les multiples intérêts des Industries Scarlatti et avait promis à Cartwright qu'il saurait maîtriser les complexités de ces subtiles diversifications dès son retour.

Jefferson Cartwright était si ému par le sérieux de son « élève » qu'il lui avait offert un attaché-case en cuir repoussé main.

La première étape de la lune de miel fut marquée par ce qui semblait être un sévère cas de mal de mer chez Janet. Pour le médecin du bord, légèrement amusé, il s'agissait en fait d'une fausse couche et la jeune mariée passa tout le trajet jusqu'à Southampton enfermée dans sa cabine.

En Angleterre, ils découvrirent que l'aristocratie était devenue beaucoup plus tolérante envers les envahisseurs américains. Tout n'était qu'une question de degré. Les colons riches et un peu vulgaires étaient prêts à être mangés et on les mangeait. Les plus acceptables – et Ulster Scarlett et sa femme entraient dans cette catégorie – étaient absorbés sans problème.

Même les propriétaires de Blenheim étaient impressionnés par quelqu'un qui pouvait parier le prix de leur meilleur chien de chasse sur une seule carte à retourner. Surtout si ce joueur particulier pouvait dire d'un coup d'œil lequel était le meilleur chasseur.

C'est à peu près à cette époque – le second mois de leur voyage – que des rumeurs commencèrent à filtrer jusqu'à New York, rapportées par quelques-uns des mieux placés parmi les Quatre Cents Familles. Il semblait qu'Ulster Stewart se comportait très mal. Il s'était absenté, avait quasi disparu pendant plusieurs jours. On disait même qu'il avait quitté sa femme pendant une quinzaine entière, la laissant dans un état de colère embarrassée.

Pourtant, on n'attachait pas une énorme importance à ces bruits, car Ulster Stewart avait fait la même chose avant son mariage, et après tout, Janet Saxon avait accroché le célibataire le plus en vue de Manhattan. Elle n'avait pas à se plaindre! Un millier de jeunes filles se seraient contentées de l'anneau nuptial de la cérémonie quitte à le laisser faire exactement ce qu'il voulait par la suite. Tous ces millions et même un titre de noblesse, disait-on, jetés dans la balance! Personne n'avait vraiment de sympathie pour Janet Saxon.

Puis les rumeurs prirent un autre tour.

Les Scarlett s'arrachèrent à la haute société londonienne et entamèrent ce qu'on ne pouvait appeler qu'un voyage complètement délirant à travers tout le continent, suivant un itinéraire parfaitement absurde. Des lacs gelés de Scandinavie aux rivages ensoleillés de la Méditerranée. Des rues encore glacées de Berlin jusqu'aux pavés brûlants de Madrid. Des montagnes de Bavière aux ruelles aplaties du Caire. De Paris en août aux îles écossaises en automne. Personne ne pouvait savoir où se trouveraient Ulster Scarlett et sa femme dans les jours qui venaient. Il n'y avait aucune logique apparente dans leurs déplacements.

Plus que quiconque, Jefferson Cartwright était concerné. Alarmé, même. Il ne savait pas quoi faire et décida de ne rien faire, sauf d'envoyer des rapports très précis à Chancellor Drew Scarlett.

Car Waterman Trust envoyait des milliers et des milliers de dollars en bons de caisse dans les bureaux de change les plus incroyables d'Europe. Chaque lettre d'Ulster Scarlett était extrêmement précise et ses instructions indiscutables. Il demandait toute confiance, il exigeait le silence quant à toutes ces transactions. Toute rupture de secret serait pénalisée par le retrait immédiat de tous ses intérêts chez Waterman... Un tiers des valeurs Scarlatti. La moitié de l'héritage Scarlatti.

Ulster avait bénéficié de ses stages à la banque, aucune illusion à se faire là-dessus. Il savait exactement comment formuler ses exigences financières et il le faisait dans le langage de la profession. Pourtant, Jefferson Cartwright était mal à l'aise. Il pourrait prêter flanc à la critique ultérieurement. Il restait encore les deux tiers des valeurs et la seconde moitié de l'héritage. Il résolut ce dilemme en envoyant la lettre suivante au frère d'Ulster Scarlett – puis des variations sur le même mode, les semaines suivantes.

Cher Chancellor,

Juste pour vous mettre au courant – comme nous le lui avons si bien appris ici, chez Waterman pendant nos sessions –, Ulster effectue des transferts considérables sur des banques européennes pour couvrir ce qui doit être la plus fantastique lune de miel de l'histoire du mariage. Rien n'est trop beau pour sa merveilleuse femme! Vous serez ravi d'apprendre que sa correspondance ne parle que d'affaires.

Chancellor reçut un certain nombre de lettres similaires, et sourit avec indulgence en songeant à l'amour que son frère portait à sa jeune épouse. Et penser qu'il écrivait comme un businessman! Il y avait là des progrès de faits!

Ce que Jefferson Cartwright n'expliquait pas, c'était l'abondance de factures, notes d'hôtel, billets, signés par Ulster un peu partout en Europe. Cartwright était très ennuyé. Sa flexibilité qu'il avait autorisée lors de l'incident du dirigeable devrait être employée à nouveau.

C'était inconcevable mais pourtant réel! Les dépenses d'Ulster Stewart allaient excéder les revenus du premier portefeuille. En l'espace de quelques mois – si on ajoutait les dépenses aux transferts – Ulster Stewart Scarlett atteignait la limite des huit cent mille dollars.

Inconcevable!

Et pourtant réel!

Et Waterman perdrait un tiers des intérêts Scarlatti, s'il divulguait cette information.

En août, Ulster Stewart envoya une lettre à sa mère et une à son frère annonçant que Janet était enceinte. Ils resteraient en Europe pendant un minimum de trois mois, car les médecins pensaient qu'il valait mieux que Janet voyage le moins possible jusqu'à ce que le bébé soit bien en route.

Janet resterait donc à Londres pendant qu'Ulster s'en irait chasser avec des amis dans le sud de l'Allemagne.

Il resterait absent un mois. Peut-être même un mois et demi.

Il leur télégraphierait quand ils auraient décidé de rentrer.

A la mi-décembre, le télégramme arriva. Ulster et Janet seraient de retour pour les vacances de Noël. Janet devait rester au calme, car sa grossesse était assez difficile, mais Ulster espérait que Chancellor s'était occupé des décorateurs et que son hôtel particulier de la 54e Rue serait tout à fait confortable.

Il demandait aussi à Chancellor d'envoyer quelqu'un accueillir une nouvelle gouvernante qu'il avait trouvée sur le continent. On la lui avait chaudement recommandée. Ulster voulait qu'elle se sente parfaitement chez elle. Elle se nommait Hannah.

La langue ne serait pas un problème : elle parlait l'anglais et l'allemand.

Pendant les trois derniers mois de la grossesse de Janet, Ulster reprit ses stages chez Waterman Trust et sa simple présence eut un effet calmant sur Jefferson Cartwright. Bien qu'il ne passât guère plus de deux heures à la banque, il semblait radouci, moins sujet à l'irritation qu'il ne l'avait été avant sa lune de miel.

Il commença même à emporter du travail chez lui dans son attaché-case de cuir repoussé main.

En réplique aux questions confidentielles de Cartwright sur les quantités énormes d'argent fournies par la banque à Ulster en Europe, l'héritier Scarlatti rappela au troisième vice-président que rien ne l'empêchait d'utiliser les revenus de ses valeurs pour investir. Il réitéra sa demande de ce que toutes ses transactions européennes demeurent secrètes. Un secret entre eux deux.

« Bien sûr, je comprends. Mais vous devez vous rendre compte que, dans l'éventualité où je transfère des fonds de votre second portefeuille pour couvrir vos dépenses – et cette année j'aurai certainement à le faire –, je dois faire un rapport qui s'inscrira dans les archives Scarlatti... Nous avons payé d'énormes sommes partout en Europe sur votre signature.

– Mais vous n'aurez pas à le faire longtemps, n'est-ce pas?

– A la fin de l'année fiscale qui, pour les Industries Scarlatti, tombe le 30 juin. Comme pour le gouvernement.

– Eh bien (le jeune homme soupira en regardant ce Sudiste agité), le 30 juin, je n'aurai plus qu'à faire face à mon destin! Ce ne sera pas la première fois que ma famille se met en colère. J'espère que ce sera la dernière. »

Alors que le jour de l'accouchement de Janet approchait, une procession sans fin de fournisseurs passait les portes de l'hôtel particulier d'Ulster. Une équipe de trois médecins surveillait constamment l'état de santé de Janet et sa propre famille lui rendait visite deux fois par jour. Ce qui importait, c'était que cette fébrilité la tînt occupée. Cela l'empêchait de penser à un fait terrifiant. Un fait si personnel qu'elle ne savait comment en parler. Elle n'avait personne assez proche d'elle pour en discuter.

Son mari ne lui adressait plus la parole.

Il avait abandonné son lit lors du troisième mois de sa grossesse, dans le sud de la France pour être précis. Il avait refusé d'admettre que sa première fausse couche n'était pas due à leurs relations sexuelles. Elle avait voulu ces relations constantes. Désespérément. Elle avait désiré sentir son corps contre le sien parce que c'étaient les seuls instants où elle se sentait proche de lui. Les seuls moments où son mari semblait débarrassé de cette fourberie, de ce mensonge, de ce froid calcul, reflétés au fond de son regard. Mais maintenant il lui refusait même ça.

Puis il quitta leur chambre commune, insista pour qu'ils aient des chambres séparées.

Et, depuis, il ne répondait plus à ses questions et n'ouvrait même plus la bouche pour lui parler.

Il l'ignorait complètement.

Il était silencieux.

Et, en étant honnête avec lui-même, il la méprisait carrément.

Il la haïssait.

Janet Saxon Scarlett, produit raisonnablement intelligent de Vassar, diplômée des cotillons de l'hôtel Pierre et sainte habituée des clubs de chasse. Et toujours, toujours, elle se demandait pourquoi c'était elle et pas une autre qui prenait plaisir aux privilèges qu'elle avait, de par sa classe sociale.

Non qu'elle les ait jamais désavoués. Peut-être estimait-elle y avoir droit? Dieu sait que c'était une « beauté ». Tout le monde le lui avait répété, aussi loin qu'allaient ses souvenirs. Mais elle était, comme s'en plaignait sa mère, une « observatrice » superficielle.

« Tu n'entres jamais dans les choses, Janet! Tu dois essayer de changer! »

Mais c'était dur de changer. Elle voyait sa vie comme deux images dans un stéréoscope – toutes deux différentes, mais se rassemblant en une seule pour obtenir le relief. Sur une des plaques, on trouvait la jolie jeune femme au passé irréprochable, à l'énorme fortune, et au futur assuré grâce à son énormément riche et si plaisant mari. Sur l'autre plaque, on pouvait voir une jeune femme au front plissé, une interrogation dans les yeux.

Car cette jeune femme pensait que le monde était plus grand que l'espace confiné qu'on lui présentait.

Plus vaste et plus contraignant. Mais personne ne lui avait jamais laissé voir ce monde-là.

Sauf son mari.

Et la partie qu'il lui en laissait voir – qu'il la forçait à regarder – était terrifiante.

C'était pour cela qu'elle continuait de boire.

Tandis que les préparatifs de l'accouchement se poursuivaient dans un flot ininterrompu d'amis et de visites familiales, une étrange passivité s'empara d'Ulster Scarlett. Elle était apparente pour ceux qui l'observaient de près et même visible pour les autres. Il avait ralenti son pas, normalement agité et nerveux. Il était plus calme, moins versatile, parfois réfléchi. Pendant une courte période, ses absences solitaires devinrent plus fréquentes mais jamais très longues, juste trois ou quatre jours d'affilée. Beaucoup, comme Chancellor, attribuaient son changement à sa paternité imminente.

« Je te le dis, mère, c'est tout simplement merveilleux. C'est un homme nouveau! Et tu sais, je lui ai dit qu'avoir des enfants était la réponse à tout. Ça donne un but à l'homme. Tu verras, quand ce sera fini, il sera fin prêt pour se conduire en homme!

– Tu as cette faculté rare qui consiste à comprendre des évidences, Chancellor. Ton frère est tout à fait convaincu qu'il faut à tout prix éviter ce que tu appelles « se conduire en homme ». Je le soupçonne d'être profondément ennuyé à l'idée d'être bientôt père. Ou alors, il boit du mauvais whisky.

– Tu es trop dure avec lui.

– Bien au contraire, l'interrompit Elizabeth. Je crois qu'il est devenu trop dur pour nous. »

Chancellor Drew sembla sidéré. Il changea de sujet de conversation et commença à lire à voix haute un rapport sur le plus récent projet de la Fondation Scarwyck.

Une semaine plus tard, Janet accoucha d'un garçon à l'hôpital français. Dix jours plus tard, à la cathédrale Saint-John on le baptisa Andrew Roland Scarlett.

Et le lendemain du baptême, Ulster Stewart Scarlett disparut.

11

Au début, personne ne s'en rendit réellement compte. Ulster avait déjà souvent déserté son domicile. Bien qu'on puisse attendre un autre comportement d'un jeune père, Ulster n'entrait pas exactement dans cette catégorie. On imagina que les rites tribaux suivant la naissance d'un enfant mâle lui étaient insupportables et qu'il s'était réfugié dans des activités qu'il valait mieux ne pas décrire.

Mais, lorsque après trois semaines, on fut toujours sans nouvelles de lui et qu'aucune explication satisfaisante n'apparut, la famille s'inquiéta. Le vingt-cinquième jour après sa disparition, Janet demanda à Chancellor d'appeler la police. Au lieu de cela, il appela Elizabeth, ce qui était un acte beaucoup plus positif.

Elizabeth soupesa les possibilités avec une attention extrême. Appeler la police déclencherait une enquête et probablement une vague de publicité intempestive en raison des activités passées d'Ulster Scarlett. Si c'était de son propre chef qu'Ulster s'était absenté, une telle mesure ne ferait que le provoquer. Sans provocation, son fils était déjà imprévisible. Elle décida de recourir à une agence de détectives qui avait souvent été appelée pour des histoires d'assurances ou autres petits problèmes délicats. Les patrons comprirent très bien et mirent leurs meilleurs limiers sur la piste d'Ulster Stewart Scarlett.

Elizabeth leur donna deux semaines pour déterrer ce dernier. En fait, elle espérait qu'il se serait montré d'ici là. Dans le cas contraire, elle ferait alors appel à la police.

A la fin de la première semaine, les enquêteurs avaient rempli un dossier complet sur les habitudes d'Ulster : les lieux où il se rendait le plus souvent, ses amis (nombreux), ses ennemis (quelques-uns). Et avec le plus de détails possible, ils avaient tenté de reconstituer ses mouvements pendant les derniers jours avant sa disparition. Ils remirent ces informations à Elizabeth.

Elizabeth et Chancellor Drew étudièrent les rapports de très près. Ils n'en apprirent rien.

La seconde semaine s'avéra aussi peu enrichissante, excepté en ce qui concernait l'emploi du temps d'Ulster, analysé minute par minute. Depuis son retour d'Europe, ses journées avaient suivi un rituel quasi immuable. Les courts de squash et les bains de vapeur de son club. La banque, en bas de Broadway, Waterman Trust. Ses cocktails sur la 53ᵉ Rue entre seize heures trente et dix-huit heures, avec une boîte de nuit différente chaque jour de la semaine. Ses sorties nocturnes dans le monde où des poignées de gens entreprenants réclamaient sa présence (et son financement). Ses arrivées routinières pour souper à deux heures trente du matin sur la 50ᵉ Rue, juste avant de rentrer chez lui.

Pourtant, une information insignifiante attira l'attention d'Elizabeth comme celle de l'enquêteur qui l'avait rapportée. C'était incongru. Cela s'était passé un mercredi.

« Quitté son hôtel particulier vers dix heures trente et a appelé immédiatement un taxi devant chez lui. Femme de ménage qui balayait le perron a cru entendre M. Scarlett intimer au chauffeur de l'emmener à une station de métro. »

Elizabeth n'avait jamais pensé qu'Ulster puisse prendre le métro. Et pourtant, deux heures plus tard, selon un « M. Mascolo, maître d'hôtel au *Venezia Restaurant* », il déjeunait avec une « Miss Dempsey (Cf. Connaissances, rubrique artistes de music-hall) ». Ce restaurant se trouvait à deux pâtés de maisons de chez Ulster. Bien sûr, on pouvait trouver une bonne douzaine d'explications et rien dans le rapport n'indiquait quoi que ce fût de plus étrange que la décision d'Ulster de prendre le métro. Elizabeth attribua ce mystère à un rendez-vous, probablement avec Miss Dempsey.

A la fin de la deuxième semaine, Elizabeth capitula et ordonna à Chancellor d'appeler la police.

Les journaux eurent un jour à marquer d'une croix blanche.

Le F.B.I. tomba d'accord avec la police de Manhattan sur le fait que des lois fédérales avaient peut-être été enfreintes. Des douzaines de gens cherchant à se faire de la publicité, ainsi que de nombreuses personnes sincères, vinrent raconter qu'elles avaient vu Ulster la dernière semaine avant sa disparition. Quelques escrocs téléphonèrent, affirmant connaître l'emplacement de sa cachette, exigeant de l'argent pour leur information. Cinq lettres de demande de raçon arrivèrent. La police vérifia tout, en vain.

Benjamin Reynolds lut cette histoire en page deux du *Washington Herald*. A part son mariage, c'étaient les premières nouvelles qu'il lisait sur Ulster Scarlett depuis l'entretien qu'il avait eu avec Elizabeth Scarlatti, presque un an auparavant. Pourtant, fidèle à sa parole, il avait fait faire des enquêtes discrètes sur le célèbre héros de la guerre durant les mois qui venaient de s'écouler, pour apprendre qu'il avait tout bonnement rejoint le monde normal. Elizabeth avait parfaitement accompli sa tâche. Son fils s'était retiré des affaires d'importations illicites et les rumeurs sur ses liaisons avec des éléments criminels s'étaient évanouies. Il avait même été jusqu'à assumer un travail mineur – chez Waterman Trust, à New York.

Pour Ben Reynolds, l'affaire Scarlatti avait paru classée.

Et maintenant ça.

Cela signifiait-il que la blessure se rouvrait ? Qu'on allait devoir revenir aux spéculations que lui, Ben Reynolds, avait mises à jour ? Fallait-il rappeler le Groupe Vingt ?

Un fils Scarlatti ne disparaissait pas sans qu'au moins le gouvernement soit alerté. Trop de membres du Congrès étaient redevables à Scarlatti d'une chose ou d'une autre.

Une usine ici, un journal là, un chèque substantiel pour soutenir une campagne électorale la plupart du temps. Tôt ou tard, quelqu'un allait se souvenir que le Groupe Vingt avait déjà surveillé les activités du disparu.

Ils se remettraient au travail, très discrètement.

Si Elizabeth Scarlatti approuvait.

Reynolds reposa son journal, se leva et traversa son bureau.

« Glover, dit-il en ouvrant la porte, pourriez-vous venir dans mon bureau une minute? »

Le vieil homme retourna s'asseoir dans son fauteuil.

« Vous avez lu cette histoire à propos de Scarlatti?

– Oui, ce matin en venant au bureau, répondit Glover en entrant.

– Et qu'est-ce que vous en pensez?

– Je savais que vous me poseriez la question. J'ai l'impression que quelques-uns de ses amis de l'année dernière l'ont retrouvé.

– Pourquoi? »

Glover se posa sur une chaise en face de Reynolds.

« Parce que je ne peux pas imaginer autre chose et que cela me semble logique... Et ne me redemandez pas pourquoi, parce que vous le savez aussi bien que moi.

– Vraiment? Je n'en suis pas si sûr.

– Oh! allons, Ben. Il arrête de financer. Quelqu'un est coincé avec un chargement à vendre et va le voir. Il refuse. Et une balle sicilienne part... Voilà... C'est, soit quelque chose comme ça, soit une histoire de chantage. Il a décidé de se défendre, et il a perdu.

– Je ne crois pas à la violence dans ce cas.

– Allez dire ça à la police de Chicago.

– Scarlett n'avait pas affaire aux seconds couteaux. Il traitait avec le sommet. C'est pour ça que je ne crois pas à la violence. Il y avait trop à perdre. Il était trop puissant. Il avait trop d'amis... On pouvait l'utiliser, pas le tuer.

– Alors à quoi pensez-vous?

– Je ne sais pas. C'est pour cela que je vous le demandais. Vous êtes bloqué cet après-midi?

– Oh! Dieu oui! Toujours les deux mêmes trucs. Aucun pas en avant.

– Le barrage d'Arizona?

– C'en est un. Ce fils de pute de membre du Congrès continue à faire passer les affectations de fonds et on sait bien qu'il touche des pots-de-vin, mais on ne peut pas le prouver. On n'arrive même pas à mettre la main sur qui que ce soit qui connaisse quiconque!... Incidemment, puisqu'on parle des affaires Scarlatti, Canfield est sur ce coup-là.

– Oui, je sais. Comment il s'en tire?

– Oh! on ne peut pas le blâmer, il fait du mieux qu'il peut.

– Quel est l'autre problème?

– Le rapport de Pond à Stockholm.

– Il faudrait qu'il glane autre chose que de simples rumeurs, Glover. Il nous fait perdre du temps, tant qu'il ne tient pas quelque chose de concret. Je vous l'ai déjà dit.

– Je sais, je sais. Mais Pond vient de nous faire parvenir un message, arrivé ce matin du ministère des Affaires étrangères. La transaction a été faite. Voilà le message.

– Pond ne peut pas trouver de noms? Trente millions de dollars en actions et valeurs et il n'a pas pu trouver un seul nom?

– C'est un syndicat très fermé, apparemment. Il n'a pas réussi.

– Un bien piètre ambassadeur. Coolidge paie des ambassadeurs minables.

– Il pense quand même que tout le ramdam a été manipulé par Donnenfeld.

– Ah! eh bien voilà un nom! Qui diable est ce Donnenfeld?

— Pas une personne. Une firme. A peu près la plus grosse sur le marché des changes de Stockholm.

— Et comment en est-il arrivé à cette conclusion?

— Il y a deux raisons. La première, c'est que seule une énorme firme aurait pu s'en charger. Et la deuxième, que toute l'histoire peut être enterrée plus facilement comme ça. Et il va falloir qu'ils l'enterrent. Des valeurs américaines vendues sur le marché des changes de Stockholm, c'est du business délicat!

— Délicat! Bordel, ça ne se peut pas!

— D'accord. Pas vendues, mais ramenées. Quand on en vient à l'argent, ça revient au même.

— Et qu'est-ce que vous comptez y faire?

— Faire du sale boulot. Continuer à vérifier toutes les sociétés, surtout celles qui sont liées à la Suède. Vous voulez savoir quelque chose? Rien que dans la ville de Milwaukee, y'en a au moins deux douzaines; ça ne vous plaît pas, ça? Faites vos liasses ici et faites des affaires avec vos cousins de là-bas.

— Si vous voulez mon opinion, Walter Pond fait du boucan pour attirer l'attention sur lui. Cal Coolidge ne nomme pas un ami ambassadeur au pays du soleil de minuit, à moins que le type ne soit pas autant son ami qu'il ne veut bien le croire. »

12

Au bout de deux mois, comme il n'y avait rien de plus à écrire ou à radiodiffuser, l'aspect nouveauté de la disparition d'Ulster Scarlett s'estompa. Car, en réalité, la seule information supplémentaire découverte par les efforts combinés de la police, du bureau des personnes disparues et du F.B.I. était de nature inconsistante et ne menait nulle part. C'était comme si Ulster Scarlett s'était littéralement décomposé, changé en vapeur. Il avait existé un instant et était devenu un souvenir la seconde suivante.

La vie d'Ulster, ses propriétés, ses préjugés, son anxiété, avaient été placés sous les microscopes de professionnels. Et le résultat de ces efforts traçait un extraordinaire tableau à la gloire de l'inutile. Un homme qui avait tout ce dont peut rêver un être humain sur cette terre avait apparemment vécu dans le vide. Un vide total, sans but aucun.

Elizabeth Scarlatti, déroutée, se penchait sur les volumineux rapports que les autorités lui avaient transmis. Cela devenait une habitude pour elle, un rituel d'espoir. Si son fils avait été tué, cela aurait été douloureux, bien sûr. Mais elle aurait pu accepter cette perte. Et il existait des milliers de moyens...

le feu, l'eau, la terre... pour se débarrasser d'un corps. Mais elle ne parvenait pas à accepter cette conclusion. C'était possible, évidemment. Il avait fréquenté la pègre, mais d'une façon périphérique.

Un matin, Elizabeth se tenait devant la fenêtre de sa bibliothèque et contemplait le monde extérieur prêt à livrer combat avec une nouvelle journée. Les piétons marchaient toujours si vite le matin. Les automobiles pétaradaient beaucoup plus, après une nuit d'oisiveté. Les yeux d'Elizabeth tombèrent sur une de ses domestiques en train de balayer le perron.

En regardant la femme de ménage faire des aller-retour avec son balai, Elizabeth se rappela une autre femme de ménage, sur un autre perron.

La femme de ménage d'Ulster qui s'était souvenue de son fils donnant ses instructions à un chauffeur de taxi.

Qu'avait-il dit déjà?

Une station de métro. Ulster voulait se rendre au métro.

Elizabeth n'avait jamais compris pourquoi.

Ce n'était qu'une faible bougie tremblotant dans une forêt terriblement sombre, mais c'était une petite lueur. Elizabeth se précipita sur son téléphone.

Une demi-heure plus tard, le troisième vice-président Jefferson Cartwright se tenait devant elle. Il était encore essoufflé d'avoir dû modifier son emploi du temps pour se rendre à ce rendez-vous inattendu et légèrement angoissant.

« Oui, dit le Virginien en traînant la voix. Tous ses comptes ont été examinés minutieusement à la minute où nous avons appris sa disparition. Un garçon merveilleux. Nous étions devenus très proches durant ses stages à la banque.

– Quel est l'état de ses comptes?

– Parfaitement normal.

– J'ai peur de ne pas comprendre ce que cela signifie? »

Cartwright hésita quelques secondes, l'air du banquier perdu dans ses pensées.

« Bien sûr, les rapports ne sont pas complets encore mais, à ce point de nos recherches, il n'existe aucune raison de croire qu'il avait dépassé les revenus annuels de son portefeuille.

– Quels sont ces revenus, monsieur Cartwright?

– Il est difficile de vous donner un montant précis à cause des fluctuations du marché, heureusement en hausse...

– Donnez-moi une idée approximative.

– Voyons... »

Jefferson Cartwright n'aimait pas le tour pris par la discussion. Il était soudain extrêmement soulagé d'avoir prévu d'envoyer de vagues rapports à Chancellor Drew pour le mettre au courant des dépenses de son frère en Europe. Son accent épais du Sud se fit encore plus traînant.

« Je pourrais téléphoner à d'autres directeurs plus au fait du portefeuille de M. Scarlett, mais ces revenus étaient considérables, madame Scarlatti.

– Donc, j'espère que vous avez au moins une approximation même grossière sous la main. »

Elizabeth n'aimait pas Jefferson Cartwright et le ton de sa voix était de mauvais augure.

« Les revenus de M. Scarlett, d'après le portefeuille destiné à ses dépenses personnelles, mis à part le second fonds réservé à l'investissement, était en excédent de sept cent quatre-vingt-trois mille dollars, dit Cartwright rapidement, calmement.

– Je suis ravie que ses besoins personnels n'aient jamais excédé un montant si insignifiant », enchaîna Elizabeth en changeant de position sur son fauteuil droit de manière à donner à M. Cartwright le bénéfice complet de son regard.

Jefferson Cartwright accéléra le tempo, les phrases se heurtaient les unes aux autres, son accent se fit plus prononcé que jamais.

« Eh bien, vous étiez au courant des extravagances de M. Scarlett, assurément. Je sais que les journaux en ont rapporté beaucoup. Comme je le disais, j'ai fait de mon mieux pour l'avertir, mais c'était un jeune homme très têtu. Si vous vous souvenez, il y a juste trois ans, M. Scarlett a acheté un dirigeable pour la coquette somme d'un demi-million de dollars. Nous avons fait de notre mieux pour l'en dissuader, mais c'était impossible. Il disait qu'il lui fallait un dirigeable! Si vous consultiez les comptes de votre fils, madame, vous trouveriez de nombreux achats irréfléchis. »

Décidément, Cartwright était sur la défensive, tout en sachant pertinemment qu'Elizabeth ne pouvait le tenir pour responsable.

« Combien y a-t-il eu d'achats de cette sorte? »

A une vitesse encore accélérée le banquier répliqua :

« Eh bien, rien d'aussi invraisemblable que ce dirigeable, bien sûr! Nous avons réussi à prévenir de tels incidents en expliquant à M. Scarlett qu'il ne fallait pas transférer des fonds du second portefeuille pour de telles choses. Qu'il fallait qu'il limite ses dépenses aux revenus de son premier portefeuille. Dans nos comités de la banque, nous avons attiré son attention sur ce point sans arrêt. Pourtant, rien que l'année dernière, pendant qu'il était en Europe, avec la ravissante Mme Scarlett, nous étions en contact permanent avec des banques continentales à propos de son compte personnel.

Pour parler gentiment, votre fils a grandement aidé l'économie européenne... Il nous a fallu aussi faire différents paiements directs sur sa simple signature... M. Chancellor Scarlett vous en a certainement parlé, je lui ai envoyé de très nombreuses notes à ce sujet, à propos des sommes dont nous gratifiions votre fils pendant son voyage de noces. »

Elizabeth haussa les sourcils.

« Non, il ne m'a parlé de rien.

— Madame Scarlatti, c'était la lune de miel de votre fils, et il n'y avait aucune raison de...

— Monsieur Cartwright, coupa sèchement la vieille dame, avez-vous un relevé valable des retraits bancaires de mon fils, ici et sur le continent, pour la durée de l'an dernier?

— Bien sûr, madame.

— Et un listing des paiements effectués directement par vous sur sa signature?

— Certainement.

— Je m'attends à les avoir sur ce bureau pas plus tard que demain matin.

— Mais il faudrait une semaine à une équipe complète d'experts-comptables pour tout rassembler! M. Scarlett n'était pas à proprement parler l'individu le plus précis quant à ce genre d'affaires...

— Monsieur Cartwright, je suis en relations d'affaires avec Waterman Trust depuis près d'un quart de siècle. Les Industries Scarlatti traitent exclusivement par l'intermédiaire de Waterman Trust parce que telle est ma décision. Je crois en votre banque parce qu'elle ne m'a jamais laissé une seule raison de n'avoir pas confiance. Suis-je assez claire?

— Vraiment. Demain matin. »

Jefferson Cartwright salua pour sortir comme un esclave à qui son sultan vient de pardonner.

« Oh! monsieur Cartwright...

– Oui?

– Je ne crois pas vous avoir jamais recommandé de maintenir les dépenses de mon fils dans les limites de ses revenus.

– Je suis désolé... (Des filets de transpiration apparurent sur le front de Cartwright.) Elles ont été mini...

– Je crois que vous ne m'avez pas comprise, monsieur Cartwright. Je suis tout à fait franche. Je m'en remets à vous. Bonne journée.

– Bonne journée, madame Scarlatti. »

Cartwright et trois comptables de Waterman passèrent la nuit à essayer de mettre à jour les comptes d'Ulster Stewart. Ce n'était pas une sinécure.

Vers deux heures et demie du matin, Jefferson Cartwright avait sur son bureau une liste des banques et des bureaux de change où l'héritier Scarlatti avait, ou avait eu, un jour, des comptes. En face de chaque liste, on avait dressé un relevé des sommes et des dates de leurs transferts. La liste semblait sans fin. Chaque dépôt aurait largement correspondu aux revenus annuels de la majorité des Américains moyens, mais, pour Ulster Stewart, ce n'était que la rente d'une semaine. Il faudrait des jours pour se rendre compte de ce qu'il restait. La liste incluait :

CHEMICAL CORN EXCHANGE, 900 Madison Avenue, New York City.

MAISON CENTRALE DE BANQUE, 22 rue Violet, Paris.

LA BANQUE AMERICAINE, rue Neuve, Marseille.

DEUTSCHE AMERICANISCHE BANK, Kurfürstendamm,
Berlin.
BANCO-TURISTA, Calle de la Suenos, Madrid.
BANQUE DE MONTE-CARLO, rue des Belles-Feuilles,
Monaco.
WIENER STAEDTISCHE SPARKASSE, Salzburgerstrasse,
Vienne.
BANQUE FRANCO-ALGÉRIENNE, Harbor of Moons,
Le Caire, Egypte.

Et ainsi de suite, Ulster et sa femme avaient
vraiment parcouru l'Europe.

Bien entendu, en face de cette liste d'avoirs sup-
posés, se trouvait une deuxième liste de débits sous
la forme de comptes à découvert. Ils couvraient les
notes d'hôtels, les achats dans les magasins, les
boutiques, les restaurants, les locations de voitures,
les lignes maritimes, les trains, les chevaux, les
clubs privés, les établissements de jeu. Au vu de la
signature d'Ulster, tout avait été payé par Waterman Trust.

Jefferson Cartwright étudia en profondeur les
rapports détaillés.

Selon les standards de la civilisation, ce n'était
qu'un amas de non-sens financier, mais l'histoire
d'Ulster Stewart montrait que tout ceci était parfaitement normal pour lui. Cartwright arrivait à la
même conclusion que les agents comptables du
F.B.I. peu après la disparition du fils Scarlatti.

Rien d'extraordinaire si on considérait le passé
d'Ulster Stewart. Naturellement, Waterman Trust
allait envoyer des lettres de demande d'examen à
toutes ces banques pour évaluer le montant des
dépôts qui restaient. Ce ne serait plus qu'un jeu
d'enfant de faire transférer les fonds chez Waterman Trust.

« Bien sûr, murmura le Sudiste pour lui-même, dans des circonstances pareilles, on ne s'en sort pas trop mal. »

Jefferson Cartwright était convaincu que la vieille Scarlatti aurait une attitude différente envers lui ce matin-là. Il dormirait quelques heures, prendrait une bonne douche froide et apporterait les rapports lui-même. Il espérait qu'il aurait l'air fatigué, terriblement fatigué. Cela impressionnerait peut-être Mme Scarlatti?

« Cher monsieur Cartwright, cracha Elizabeth, il ne vous est jamais venu à l'esprit que, pendant que vous transfériez des milliers et des milliers de dollars à des banques à travers toute l'Europe, vous vous endettiez simultanément, jusqu'à près d'un quart de million de dollars? Cela ne vous a jamais traversé le crâne qu'en combinant ces deux sommes mon fils accomplissait ce qui paraît impossible! Il a dépensé le revenu annuel de son compte en moins de neuf mois! Jusqu'au dernier centime!

— Naturellement, madame Scarlatti, des lettres partent ce matin vers toutes ces banques en leur demandant des informations complètes. Grâce à votre procuration, bien sûr. Je suis certain que des sommes assez conséquentes vont être rapatriées.

— Je n'en suis pas aussi sûre que vous!

— Si je peux être franc, madame Scarlatti, je ne vois pas du tout où vous voulez en venir... »

Le ton d'Elizabeth se fit momentanément plein de sympathie, réfléchi.

« Pour tout vous dire, je ne le sais pas vraiment moi-même. Seulement ce n'est pas moi qui conduis ce navire...

— Je vous demande pardon?

166

– Pendant les stages de mon fils chez Waterman, aurait-il pu... trouver quelque chose... qui aurait pu lui permettre de transférer de telles sommes en Europe?

– Je me suis posé la même question. En tant que son conseiller, j'ai cru de mon devoir de faire des recherches... Apparemment, M. Scarlett a fait quelques investissements en Europe.

– Des investissements? Cela semble improbable.

– Il évoluait dans un large cercle d'amis, madame. Des amis qui, j'en suis certain, ne manquaient pas de projets... et je dois dire que votre fils devenait de plus en plus compétent dans l'analyse des investissements...

– Il quoi?

– Je fais référence à ses études des portefeuilles Scarlatti. Il avait vraiment mis la main à la pâte et il était très exigeant envers lui-même. J'étais très fier de ses progrès. Il prenait nos séances très au sérieux. Il essayait de comprendre le facteur de diversification... Même pendant sa lune de miel, il avait emporté des centaines de rapports financiers des sociétés Scarlatti. »

Elizabeth se leva et marcha lentement, délibérément, vers la fenêtre surplombant la rue, mais tout son être était concentré sur la soudaine et incroyable révélation du banquier.

Comme cela lui était si souvent arrivé par le passé, elle se rendait compte que son instinct – flou et abstrait au départ – la menait tout droit à la vérité. C'était ça. Elle approchait. Mais la réalité était encore hors de portée.

« Je présume que vous voulez parler des états des comptes et des rapports de société des holdings Scarlatti?

– Cela aussi, bien sûr. Mais il avait emporté bien

d'autres choses. Il analysait tous les comptes et les participations, les siens et ceux de Chancellor – même les vôtres, madame Scarlatti. Il espérait pouvoir écrire un rapport complet en insistant spécialement sur les facteurs de croissance. C'était une tâche terriblement ambitieuse et il ne lâchait pas pied...

– Bien plus qu'ambitieuse, monsieur Cartwright, interrompit Elizabeth. Je dirais impossible, sans entraînement. »

Elle continuait à contempler la rue.

« Effectivement, madame. A la banque nous l'avions compris. Donc nous l'avions convaincu de limiter ses recherches à ses propres propriétés. Je sentais que ce serait plus facile à expliquer et je ne voulais pas tempérer son enthousiasme, donc je... »

Elizabeth se retourna brusquement et fixa le banquier. Son regard l'arrêta net. Elle savait que la vérité était maintenant à portée de sa main.

« Soyez plus clair, s'il vous plaît. Comment mon fils procédait-il... dans ses... recherches?

– A partir de son propre portefeuille. Principalement les actions de son second portefeuille – son fonds d'investissement. Ce sont des garanties beaucoup plus stables. Il avait établi une liste et il se plaçait devant tel ou tel choix possible, envisageant ce qui aurait pu être fait quand elles avaient été achetées. Si je puis ajouter quelque chose, il était très impressionné par la sélection d'actions. Il me l'avait dit.

– Il... les avait cataloguées? Que voulez-vous dire exactement?

– Il avait établi des listes séparées, chiffrant les montants de chaque valeur, les années, les dates où les dividendes tombaient. A partir de ces dates et de ces montants, il avait la possibilité de comparer avec d'autres valeurs boursières.

– Comment a-t-il fait ça?

– Comme je vous l'ai dit, à partir des relevés annuels des portefeuilles.

– Où cela?

– Dans les chambres fortes, madame. Les coffres Scarlatti. »

Mon Dieu! pensa Elizabeth.

La vieille dame posa une main tremblante sur l'appui de la fenêtre. Elle parvint à s'exprimer posément, malgré la peur qui l'envahissait.

« Combien de temps a duré cette... recherche?

– Eh bien, plusieurs mois. Depuis son retour d'Europe, pour être précis.

– Je vois. Quelqu'un l'assistait? Je veux dire, il avait peu d'expérience tout de même... »

Jefferson Cartwright rendit son regard à Elizabeth. Il n'était pas complètement idiot.

« Ce n'était pas la peine. Faire un relevé d'anciennes valeurs est à la portée du premier venu. Il s'agit simplement de faire des listes de noms, de dates... Et votre fils est... était un Scarlatti.

– Oui... Il l'était. »

Elizabeth savait que le banquier commençait à lire ses pensées. Aucune importance. Rien n'importait, que la vérité.

Les chambres fortes...

« Monsieur Cartwright, je serai prête dans dix minutes. J'appelle ma voiture et nous retournons tous les deux dans vos bureaux.

– Comme vous voudrez. »

Le trajet jusque Downtown s'accomplit en silence. Le banquier et la vieille dame étaient assis l'un à côté de l'autre à l'arrière, mais personne ne parla.

Chacun d'eux était préoccupé par ses propres pensées.

Elizabeth – La vérité.

Cartwright – La survie.

Car, si ce qu'il commençait à suspecter se révélait exact, il était ruiné. Même Waterman Trust pouvait être ruiné. Et il était le conseiller attitré d'Ulster Stewart Scarlett.

Le chauffeur ouvrit la porte et le Sudiste sortit sur le trottoir, tendant la main pour aider Elizabeth. Il remarqua qu'elle serrait sa main assez fort, presque trop, en s'extrayant avec difficulté de l'automobile. Elle regardait par terre. Elle regardait nulle part.

En fait, il conduisit la vieille dame à travers la banque rapidement. Ils passèrent les caisses, le service comptabilité, les portes des bureaux jusqu'à l'arrière de l'immeuble. Ils prirent l'ascenseur et descendirent jusqu'aux immenses caves voûtées de Waterman Trust. Au sortir de l'ascenseur, ils tournèrent à gauche et s'avancèrent vers l'aile est.

Les murs étaient gris, les surfaces douces et le ciment épais encadrait une grille d'acier brillant. Au-dessus du portail, une simple inscription :

AILE EST

SCARLATTI

Une fois de plus, Elizabeth songea que l'effet était funèbre. Au-delà des barreaux, une étroite entrée était éclairée d'ampoules brillantes dans de petites cages grillagées. Sans les portes latérales, cette entrée aurait ressemblé au dernier passage menant à la chambre funéraire d'un pharaon, quelque part au cœur d'une étrange pyramide. La porte du fond menait aux coffres des Industries Scarlatti elles-mêmes.

Tout. Il y avait tout.

Giovanni, et son souvenir...

Les deux portes de chaque côté menaient à des cabinets réservés à sa femme et à ses trois enfants. Chancellor et Ulster avaient les leurs sur la gauche. Elizabeth et feu Roland sur la droite. Elizabeth était près de Giovanni.

Elle n'avait jamais fait cimenter celui de Roland. Elle savait que, dans un cas ultime, les tribunaux s'en occuperaient. C'était un geste envers son fils disparu. C'était normal. Roland aussi faisait partie de l'Empire.

Le garde en uniforme hocha la tête, comme pour présenter des condoléances, songea Elizabeth, et il ouvrit le portail aux barreaux d'acier.

Elizabeth se tenait le dos à l'entrée, devant la première chambre forte sur sa gauche. Au centre de la porte de métal, sur une plaque : ULSTER STEWART SCARLATTI.

Le garde ouvrit cette porte et Elizabeth entra dans la petite pièce.

« Vous refermerez la porte et vous attendrez dehors.

– Naturellement. »

Seule dans cette pièce qui avait tout d'une cellule, elle pensa qu'elle n'était entrée qu'une seule fois dans la chambre forte d'Ulster. C'était avec Giovanni. Des années, des siècles auparavant... Il lui avait fixé rendez-vous à la banque sans lui parler des arrangements qu'il avait faits dans leur chambre forte. Il en était si fier! Il l'avait promenée à travers les cinq pièces comme un guide balade des touristes dans un musée. Il avait élaboré les complexités, les interrelations des différents fonds. Elle se souvenait comment il tapait du plat de la main sur les portes des chambres fortes comme si c'était du bétail primé dans un concours qui, plus tard, allait engendrer d'immenses troupeaux.

Il ne s'était pas trompé.

La pièce n'avait pas changé. Cela aurait pu être hier.

Sur un des côtés, encastrée dans le mur, une rangée de coffres renfermait les valeurs – actions au porteur, des certificats de propriété dans des centaines de firmes. Les fonds pour la vie de tous les jours. Le premier portefeuille d'Ulster. Sur deux autres côtés se trouvaient des classeurs. Chaque dossier marqué d'une année. Tous les ans changée par les directeurs de Waterman Trust. Chaque tiroir contenait des centaines d'actions au porteur et chaque classeur avait six tiroirs.

Des valeurs qu'on devait utiliser pendant les quatre-vingt-quatre prochaines années.

Le second portefeuille. Affecté à l'expansion des Scarlatti.

Elizabeth étudia les étiquettes sur les classeurs.

1926. 1927. 1928. 1929. 1930. 1931.

C'étaient les premières étiquettes.

Elle vit qu'une écritoire avait été déplacée de plusieurs mètres vers le fond, jusqu'aux classeurs de droite. La personne, qui s'en était servie, s'était assise entre le premier et le second dossier. Elle regarda les étiquettes correspondantes.

1932. 1933. 1934. 1935. 1936. 1937.

Elle s'assit et tira à elle l'écritoire. Elle regardait le dernier tiroir. Le premier.

1926.

Elle l'ouvrit.

L'année était divisée en ses douze mois, chaque mois séparé par un curseur. Devant chaque curseur, une étiquette de métal fin avec deux attaches miniatures reliées par un seul fil de fer noyé dans la cire. Sur la surface de la cire – gravées – les initiales W.T. en gothique.

L'année 1926 était intacte. Aucun des minuscules sceaux n'avait été défait. Ce qui signifiait qu'Ulster n'avait pas exécuté la requête de la banque concernant les instructions pour l'investissement. A la fin décembre, les directeurs procéderaient eux-mêmes et, sans nul doute, consulteraient Elizabeth comme ils l'avaient fait dans le passé pour les fonds d'Ulster.

Elle tira à elle l'année 1927.

Là aussi, tout était intact. Aucun des sceaux de cire n'avait été brisé.

Elizabeth allait refermer le tiroir 1927 quand elle s'arrêta soudain. Ses yeux avaient saisi un léger flou dans la cire. Une minuscule tache qui serait passée inaperçue si toute son attention ne s'était pas portée sur les sceaux.

Le *T* du *W.T.* était ébréché et incliné vers le bas, sur le sceau du mois d'août. De même pour les mois de septembre, octobre, novembre et décembre.

Elle tira le dossier Août et le secoua. Puis elle tira sur le fil de fer scellé et la cire éclata, tomba en petits morceaux sur le sol.

Le carton était vide.

Elle le remit en place et examina les autres mois de 1927.

Tous vides.

Elle les remit tous en place et ouvrit l'année 1928. Chaque fine étiquette avait son *T*. abîmé et penché vers le bas.

Tous étaient vides.

Combien de temps Ulster avait-il fait durer cet extraordinaire mensonge? Allant d'un banquier à un autre, et toujours, toujours atterrissant dans la chambre forte. Document par document, valeur par valeur.

Trois heures auparavant, elle n'aurait jamais pu y croire. C'était uniquement grâce à son souvenir de cette femme de ménage balayant le perron. Sa mémoire avait eu un déclic. La femme de ménage qui se souvenait de l'ordre donné à un chauffeur de taxi.

Ulster Scarlett avait pris le métro.

Au beau milieu de la matinée il n'avait pas voulu risquer de prendre un taxi à cause de la circulation. Il avait été en retard à sa réunion quotidienne à la banque.

Quelle meilleure heure que le milieu de la matinée? L'effervescence des premières cotations boursières, le chaos de l'ouverture des cours.

Même Ulster Scarlett passerait inaperçu à cette heure-là.

Elle n'avait pas compris cette histoire de métro.

Maintenant elle comprenait.

Comme pour accomplir un rituel douloureux, elle vérifia tous les tiroirs restant jusqu'en 1931.

Vides.

Elle en était au milieu de l'année 1934 quand elle entendit le bruit de la porte de métal qui s'ouvrait. Elle referma vite le tiroir et se retourna, très en colère.

Jefferson Cartwright entra et ferma la porte.

« Je croyais vous avoir dit de rester dehors!

— Ma parole, madame Scarlatti, on dirait que vous venez de croiser un régiment de spectres!

— Sortez! »

Cartwright bondit et tira l'un des tiroirs du milieu, au hasard.

Il vit les sceaux brisés, prit un des dossiers et l'ouvrit.

« On dirait qu'il y a quelque chose qui manque.

– Je vous ferai renvoyer!

– Peut-être... Peut-être », dit-il en ouvrant un autre tiroir, satisfait de constater que plusieurs autres dossiers, dont les sceaux avaient été brisés, étaient également vides.

Elizabeth se tenait immobile, l'air méprisant, à côté du banquier. Quand elle parla, ce fut avec l'intensité née du dégoût.

« Vous venez d'achever votre carrière chez Waterman Trust!...

– Peut-être... Peut-être. Excusez-moi, s'il vous plaît. »

Gentiment, le Virginien éloigna Elizabeth du second classeur et poursuivit ses recherches. Il atteignit l'année 1936 et se tourna vers la vieille dame.

« Reste pas grand-chose, hein? Je me demande jusqu'où cela va, pas vous? Bien sûr, je vais vous établir un rapport complet le plus tôt possible. Pour vous et pour mes supérieurs. »

Il referma le tiroir 1936 en souriant.

« Ce sont des affaires privées, des affaires de famille. Vous ne ferez rien de tel! Vous ne pouvez rien faire! s'écria Elizabeth.

– Allons, allons! Ces cabinets contenaient des titres au porteur. Des titres négociables sur simple signature... Leur possession signifie qu'on est le propriétaire. C'est exactement comme de l'argent... Votre fils disparu est parti avec un bon morceau de la bourse de New York! Et nous n'avons même pas fini de regarder! Ouvrons-nous quelques autres tiroirs?

– Je ne le tolérerai pas!

– Ne le tolérez pas. Suivez votre chemin et je vais simplement révéler à mes supérieurs que Waterman Trust est dans un sacré pétrin. Oublions les commissions assez conséquentes dues à la banque et mettons de côté toute pensée relative aux compagnies impliquées qui deviendraient nerveuses en ne sachant qui possède quoi – il peut même y avoir une ruée sur certaines valeurs –, je possède maintenant une information que je vais immédiatement rapporter aux autorités!

– Vous ne pouvez pas! Vous ne devez pas!

– Et pourquoi pas? » demanda Jefferson Cartwright en écartant les paumes dans un geste fataliste.

Elizabeth se détourna de lui et tenta d'ordonner ses pensées.

« Estimez la valeur de ce qui manque, monsieur Cartwright...

– Je peux vous donner une estimation portant sur ce que nous avons regardé. Onze ans, approximativement trois millions et demi de dollars par an, ce qui nous amène à quelque chose comme quarante millions de dollars. Mais cela ne fait que commencer.

– Je voulais dire... préparez-moi une estimation. Je pense ne pas avoir besoin de vous dire que si vous dites un seul mot à qui que ce soit, je vous détruirai. Nous pouvons parvenir à un accord amiable. »

Elle regardait Jefferson Cartwright dans les yeux.

« Vous devriez savoir, monsieur Cartwright, que grâce à un événement fortuit, vous avez acquis des informations privilégiées qui vous portent beaucoup plus haut qu'auraient pu le faire votre talent ou vos capacités. Quand on a une telle chance, on se doit de faire très attention. »

Elizabeth Scarlatti ne dormit pas de la nuit.

Jefferson Cartwright non plus. Mais il n'était pas dans son lit. Il était devant un bureau avec des rames de papier à ses pieds.

Les approximations montaient au fur et à mesure qu'il examinait attentivement les classeurs comparés aux relevés des comptes Scarlatti.

Jefferson Cartwright crut qu'il allait devenir fou.

Ulster Stewart avait emporté des actions au porteur d'une valeur totale de plus de deux cent soixante-dix millions de dollars.

Il fit et refit ses totaux.

Un montant qui allait provoquer une crise à Wall Street.

Un scandale international qui pouvait, si on le mettait au jour, mutiler les Industries Scarlatti... Et il serait mis au jour quand l'heure viendrait de convertir les premières actions manquantes. Au pire, d'ici un an, à peine.

Jefferson Cartwright replia les dernières pages qu'il avait écrites et les mit dans la poche intérieure de sa veste. Il aspira profondément comme pour se libérer d'un poids et quitta les chambres fortes.

Il appela le garde d'un petit sifflement. Le type s'était assoupi sur une chaise de cuir noir près de la porte.

« Oh! Dieu! Monsieur Cartwright! Vous m'avez fait peur! »

Cartwright se retrouva dans la rue.

Il regarda la lumière grisâtre du ciel. Le matin déjà. Cette pâle lumière annonçait Jefferson Cartwright comme une fanfare.

Oui, lui – Jefferson Cartwright, cinquante-cinq

ans, ex-champion de football de l'université de Virginie – qui avait épousé l'argent et l'avait perdu – tenait dans sa poche une carte blanche pour tout ce qu'il avait jamais désiré.

Il était de retour dans le stade et la foule hurlait :

« But! »

Rien ne pouvait lui être maintenant refusé.

13

IL était une heure vingt du matin, Benjamin Reynolds était confortablement assis dans un fauteuil de son appartement de Georgetown. Il tenait, sur ses genoux, l'un des dossiers que l'attorney général avait fait parvenir au Groupe Vingt. Il y en avait seize en tout et il les avait équitablement partagés entre Glover et lui.

A cause de la pression sénatoriale, dont celle du sénateur Brownlee, de New York, on allait retourner toutes les pierres. Si le fils Scarlatti s'était volatilisé dans l'espace, les hommes de l'attorney général pourraient au moins remplir des volumes pour expliquer ce fait. Parce que le Groupe Vingt avait frôlé brièvement la vie d'Ulster Scarlett, Reynolds aussi devrait écrire quelque chose, un appendice quelconque, insignifiant.

Reynolds sentit une vague culpabilité l'envahir en imaginant Glover qui devait errer dans le même non-sens.

Comme tous les rapports d'enquête sur les personnes disparues, c'était rempli de détails insignifiants : dates, heures, minutes, rues, adresses, maisons, noms, des noms, encore des noms. Une fresque de l'inconséquent gonflée pour sembler importante. Et peut-être cela le paraîtrait-il, à quelqu'un. Quelque part. Une phrase, une section, un paragraphe, même un mot, pouvaient ouvrir une porte à quelqu'un.

Mais certainement à personne du Groupe Vingt.

Il s'excuserait auprès de Glover plus tard ce matin.

Soudain le téléphone sonna. Dans le silence, à cette heure inhabituelle, ce bruit fit sursauter Reynolds.

« Ben? C'est Glover...

– Bon Dieu! Vous m'avez fait une de ces peurs! Qu'est-ce qu'il y a? Quelqu'un a appelé?

– Non, Ben. Je suppose que ce que je vais vous dire aurait pu attendre jusqu'à ce matin, mais je voulais vous octroyer le plaisir de vous endormir en riant, salopard!

– Vous avez bu, Glover. Allez vous battre avec votre femme, pas avec moi. Qu'est-ce que j'ai fait?

– Vous m'avez remis ces huit bibles écrites par le bureau de l'attorney général, voilà ce que vous avez fait... Et j'ai trouvé quelque chose!

– Bon sang! Sur l'histoire de New York? Sur les docks?

– Non. Rien que nous ayons jamais relié à Scarlett. C'est peut-être rien, mais on ne sait jamais...

– Quoi?

– La Suède. Stockholm.

– Stockholm? Mais de quoi parlez-vous?

– Je connais le rapport de Pond par cœur.

– Walter Pond? Les valeurs?

– C'est ça. Son premier rapport est arrivé ici en mai dernier. C'était la première fois qu'on entendait parler de ces actions... Vous vous souvenez?

– Oui, oui... Et alors?

– Selon un rapport dans le sixième dossier, Ulster

Scarlett était en Suède l'an dernier. Vous ne devinez pas quand? »

Reynolds s'arrêta avant de répondre. Son esprit était soudain braqué sur cette incroyable somme de trente millions de dollars.

« C'était pas à Noël? »

Ce qui n'était pas une question mais une affirmation proférée avec calme.

« Puisque vous mentionnez Noël, certaines personnes ont effectivement dû croire que Noël tombait en mai à Stockholm.

– Nous en parlerons tout à l'heure. »

Reynolds raccrocha sans attendre que son subordonné ait pu répondre ni même lui dire au revoir.

Comme d'habitude, les processus de pensée de Benjamin Reynolds couraient, bien au-delà de l'information reçue, jusqu'aux complications, aux ramifications qu'elle impliquait.

Si Glover avait raison dans ses suppositions, si réellement Ulster Stewart était impliqué dans la manipulation qui avait eu lieu à Stockholm, alors trente millions de dollars en valeurs américaines avaient été illégalement présentées sur le marché boursier de Stockholm.

Pas un individu au monde, même pas Ulster Stewart, ne pouvait mettre la main sur trente millions de dollars en actions.

A moins d'une conspiration.

Mais de quelle sorte? Et dans quel but?

Si Elizabeth Scarlatti elle-même en faisait partie – et à la lumière des sommes impliquées on pouvait l'imaginer – pourquoi?

S'était-il complètement trompé sur son compte?

C'était possible. Mais il était également possible qu'il ait eu raison, l'année précédente. Le fils Scar-

latti n'avait pas fréquenté la pègre pour s'émoustil-
ler ou parce qu'il en avait assez de ses amis sans
saveur. Pas s'il était lié à cette histoire de Stockholm.

Glover arpentait le plancher devant le bureau de
Reynolds.

« C'est là. Le visa de Scarlett indique qu'il est
entré en Suède le 10 mai. Le rapport de Pond est du
15.

— Je vois. Je sais lire.

— Qu'est-ce que vous allez faire ?

— Faire ? Je ne peux rien faire ! Il n'y a rien de
concret là-dedans. Juste une affirmation attirant
notre attention sur quelques rumeurs et la date
d'entrée d'un citoyen américain en Suède. Que
voyez-vous d'autre ?

— En admettant que ces rumeurs aient une base
réelle, la relation est évidente et vous le savez
comme moi ! Dix contre un que si le dernier rapport
de Pond est exact, Scarlett est à Stockholm en ce
moment !

— En admettant qu'il ait quelque chose à vendre.

— C'est bien ce que je dis.

— Si je me souviens bien, il faut d'abord que
quelque chose soit volé avant qu'on puisse crier au
voleur ! Si nous lançons des accusations, tout ce que
les Scarlatti auront à dire c'est qu'ils ne savent pas
de quoi nous parlons et nous nous retrouverons
face au mur de la légalité. Et il est solide ! En plus,
ils n'ont même pas besoin de faire ça. Ils peuvent
simplement refuser de nous faire l'honneur d'une
réponse – comme dirait la vieille dame – et ceux de
la Haute s'occuperont du reste... Cette agence –

182

pour ceux qui la connaissent – est une abomination. Le but que nous servons est différent de quelques autres buts dans cette ville. On s'occupe des chéquiers et des équilibres financiers – faites votre choix – et pas mal de gens à Washington aimeraient nous voir disparaître.

– Alors nous ferions bien de refiler cette information au bureau de l'attorney général, qu'ils tirent eux-mêmes leurs conclusions. Je crois que c'est la seule solution. »

Benjamin Reynolds fit pivoter son fauteuil d'un petit mouvement du pied et son regard se perdit dans le ciel et ses nuages à la fenêtre.

« C'est effectivement ce que nous devrions faire. C'est ce que nous ferons si vous insistez.

– Qu'est-ce que ça signifie? » demanda Glover, s'adressant à la nuque de son supérieur.

Reynolds fit faire demi-tour à nouveau à son fauteuil et regarda son subordonné.

« Je crois que nous pouvons faire mieux que ça, et nous-mêmes. Mieux que le Trésor, que la Justice ou que le F.B.I. Ils doivent rendre des comptes à des douzaines de comités... Pas nous.

– Nous étendons nos prérogatives.

– Je ne crois pas. Et aussi longtemps que je suis assis dans ce fauteuil, c'est ma décision qui importe, non?

– Oui. Pourquoi voulez-vous que nous nous chargions de cette affaire?

– Parce qu'il y a quelque chose de malsain dans tout ça. Je l'ai senti dans les yeux de cette vieille dame.

– C'est d'une logique transparente, fit Glover ironiquement.

– C'est assez. Je l'ai vu.

– Ben? Si les choses prennent un tour qui nous

dépasse, vous vous rabattrez sur l'attorney général?

– Vous avez ma parole.

– Très bien. Qu'est-ce qu'on fait, alors? »

Benjamin Reynolds se leva.

« Canfield est toujours en Arizona?

– A Phoenix.

– Qu'il revienne immédiatement. »

Canfield. Un homme compliqué pour une mission
qui ne l'était pas moins. Reynolds ne l'aimait pas et
ne lui faisait pas entièrement confiance. Mais il
progressait plus vite que n'importe quel autre
agent.

Et dans l'éventualité où il déciderait de se vendre,
Ben Reynolds le saurait. Il en verrait la trace
quelque part, les signes avant-coureurs. Canfield
n'était pas si expérimenté que ça.

Si cela se produisait, Reynolds le briserait et
saurait la vérité sur les affaires Scarlatti. Canfield
était dépensier.

Oui, Matthew Canfield était un bon choix. S'il
poursuivait les Scarlatti selon les termes du Groupe
Vingt, rien à dire. Si, d'un autre côté, il trouvait un
chemin différent, disons suffisamment lucratif pour
ne pas pouvoir le refuser, on le rappellerait et on le
détruirait.

Il serait fini, mais le Groupe Vingt saurait la
vérité.

Ben Reynolds se rassit et songea à son propre
cynisme.

Pas de problème. Le moyen le plus rapide de
résoudre le mystère Scarlatti était d'utiliser le pion
Matthew Canfield.

Un pion qui allait se piéger lui-même.

14

ELIZABETH ne parvenait pas à dormir. Elle n'arrêtait pas de s'asseoir sur son lit pour écrire tout ce qui lui passait par la tête. Elle notait des faits, des hypothèses, des possibilités improbables, même des aberrations. Elle dessinait des petits carrés, y inscrivait des noms, des lieux, des dates et tentait de les rassembler avec des lignes. Vers trois heures du matin, elle avait réduit les séries d'événements aux paragraphes suivants :

● Avril 1925. Ulster et Janet se marient après seulement trois semaines de fiançailles. Pourquoi?... prennent la Cunard Line jusqu'à Southampton. Réservations faites par Ulster en février. Comment pouvait-il savoir?

● Mai à décembre 1925. Approximativement huit cent mille dollars expédiés par Waterman Trust à seize différentes banques d'Angleterre, de France, d'Allemagne, d'Autriche, de Hollande, d'Italie, d'Espagne et d'Algérie.

● Janvier à mars 1926. Des actions d'une valeur approximative de deux cents millions de dollars disparaissent de la banque Waterman. Vente forcée équivalente : entre cent cinquante et deux cents millions. Toutes les factures au nom d'Ulster et de

Janet sur les comptes ouverts en Europe sont réglées en février 1926. Au mois de mars, le comportement d'Ulster s'altère, il semble retiré en lui-même.

● Avril 1926, naissance d'Andrew. Andrew est baptisé. Ulster disparaît.

● Juillet 1926. Confirmation reçue de quatorze banques européennes que tout le liquide a été retiré. Généralement après quatre semaines de dépôt. Deux banques, celles de Londres et de La Haye, déclarent qu'il reste en leur possession, respectivement, vingt-six mille et dix-neuf mille dollars.

Tel était l'ordre chronologique des événements concernant la disparition d'Ulster. L'explication était là-dedans. La préméditation de toute cette série de faits était apparente : les réservations faites en février; les fiançailles raccourcies; le voyage de noces; les dépôts et les retraits presque immédiats; le vol des actions et la disparition finale. De février 1925 à avril 1926. Un plan conçu sur quatorze mois et orchestré avec une précision redoutable, jusqu'au point d'assurer la descendance, si on devait en croire Janet. Ulster était-il capable d'une telle ingéniosité? Elizabeth l'ignorait. Elle savait vraiment peu de choses sur lui et ces rapports accumulés ne faisaient qu'obscurcir davantage son image. Car la personne analysée dans ces rapports semblait incapable de quoi que ce soit, sauf de complaisance envers elle-même.

Elle savait qu'il n'y avait qu'un endroit où commencer son enquête : l'Europe, les banques. Pas toutes, se disait-elle, mais quelques-unes. Car, sans égard pour les complexités de la croissance et les excès de la diversification, les pratiques fondamentales de la banque étaient restées les mêmes depuis l'époque des pharaons. Vous déposez de l'argent et vous sortez de l'argent. Et, que ce soit par nécessité ou pour le plaisir, l'argent retiré s'en va ailleurs. C'était précisément cet ailleurs, ou ces ailleurs, qu'Elizabeth voulait découvrir. Parce que c'était cet argent, l'argent que Waterman Trust avait expédié à seize banques d'Europe qui serait utilisé jusqu'à ce que les actions volées puissent être vendues.

A neuf heures moins dix, le majordome ouvrit la porte d'entrée au nouveau second vice-président de Waterman Trust, Jefferson Cartwright. Il escorta ce dernier jusqu'à la bibliothèque où Elizabeth était assise, derrière son bureau, une véritable tasse de café à la main.

Jefferson Cartwright s'assit sur le petit fauteuil qui faisait face au bureau, conscient que cela flattait sa stature imposante.

« Avez-vous apporté les lettres?

– Je les ai ici, madame Scarlatti, répondit le banquier en posant sa serviette sur ses genoux et en l'ouvrant. Puis-je saisir cette opportunité pour vous remercier de la promotion que je dois à un mot de votre part. C'est tout à fait généreux.

– Merci. Vous êtes second vice-président maintenant, si j'ai bien compris?

– C'est exact, madame, et je suis certain que c'est à vous que je le dois. Merci encore. »

Il tendit les papiers à Elizabeth.

Elle les prit et commença à lire les premières pages en diagonale. Tout paraissait en ordre. En fait, c'était excellent.

Cartwright prit la parole, calmement.

« Ces lettres vous autorisent à recevoir toute information concernant les transactions faites par votre fils, Ulster Stewart Scarlett, dans les différentes banques : dépôts, retraits, transferts. Elles vous donnent accès à tous les coffres s'il y en a. Une lettre de couverture a été envoyée à chaque banque avec une copie de votre signature. Je les ai signées en tant que représentant de la procuration qu'a Waterman Trust pour M. Scarlett. En le faisant, j'ai, bien sûr, pris un énorme risque.

– Je vous félicite.

– C'est tout bonnement incroyable, dit le banquier. Deux cent soixante-dix millions de dollars en titres manquent. Inexistants. Et ils flottent quelque part dans la nature. Qui diable sait où? Même les pools bancaires les plus considérables auraient du mal à réunir un tel capital. Oh! c'est une crise, madame. Surtout dans un marché qui spécule à tout va. Honnêtement, je ne sais pas quoi faire.

– Il se peut qu'en suivant votre propre conseil vous passiez de nombreuses années nanti d'un salaire plus confortable pour des efforts minimes. Inversement, il est également possible que...

– Je crois savoir quelle est cette autre possibilité, l'interrompit Jefferson Cartwright. Si je vous suis bien, vous cherchez des informations liées à la disparition de votre fils. Vous pouvez en trouver, si elles existent. Vous pouvez aussi ne rien trouver. Dans les deux cas, il ne reste que douze mois avant que les premiers titres manquants n'apparaissent sur le marché. Douze mois. Certains d'entre nous pourraient bien ne plus être de ce monde d'ici là. D'autres pourraient se retrouver face à la ruine.

– Vous envisagez ma mort?

– Certainement pas. Mais ma propre position est beaucoup plus délicate. J'ai violé les règles de ma compagnie et l'éthique bancaire. Comme j'étais le conseiller financier de votre fils, on pourrait penser qu'il y a eu complicité.

– Et vous vous sentiriez mieux si nous passions un accord, c'est cela? »

Elizabeth posa les lettres, furieuse du peu de confiance de son interlocuteur.

« Je vous achète et vous voulez me faire chanter sur cet achat. C'est une stratégie habile. Combien?

– Je suis désolé de vous faire si piètre impression. Je ne cherche aucun accord. Ce serait dégradant.

– Alors que voulez-vous?

– J'ai préparé une déclaration, en trois exemplaires : un pour vous, un pour la fondation Scarwyck et, bien sûr, un pour mon avocat. J'aimerais que vous l'étudiiez et que vous me donniez votre accord. »

Cartwright sortit des papiers qu'il posa devant Elizabeth. Elle prit la copie du dessus et vit qu'il s'agissait d'une lettre d'agrément, adressée à la fondation Scarwyck.

Ceci pour confirmer un accord entre M. Jefferson Cartwright et moi-même, Mme Elizabeth Wickham Scarlatti, présidente de la fondation Scarwyck, 525 Cinquième Avenue, New York.

« Attendu que M. Cartwright a généreusement fait don de son temps et de ses services professionnels à mon profit et au profit de la fondation Scarwyck, il a été décidé d'un commun accord de le nommer conseiller de la fondation au salaire annuel de cinquante mille dollars ($ 50 000), poste qu'il occupera jusqu'à la fin de ses jours. Ledit poste lui sera attribué à dater de ce jour.

« Attendu que M. Jefferson Cartwright a souvent agi

à mon profit et au profit de la fondation Scarwyck contre son propre jugement et en opposition avec ses propres souhaits.

« Attendu que M. Cartwright a accompli tous services de la façon dont son client, moi-même, croyait fermement qu'il fallait agir pour le plus grand bénéfice de la fondation Scarwyck, il l'a fait sans anticiper une responsabilité future et souvent sans connaissance complète des transactions.

« Je déclare que, s'il devait y avoir un jour des poursuites, des amendes, des jugements résultant desdites actions de la fondation Scarwyck, tout serait pris en charge et payé par la fondation et mes comptes personnels.

« Il faut ajouter qu'aucune de ces actions n'est envisagée mais étant donné que les intérêts de la fondation Scarwyck sont internationaux, que ses exigences sont parfois pressantes et ses décisions souvent sujettes à ma propre opinion, l'inclusion d'une telle clause est jugée raisonnable.

« On notera que les services exceptionnels rendus par M. Cartwright à mon profit ont été exécutés en toute confiance durant les derniers mois, mais qu'à partir de cette date d'aujourd'hui je ne m'oppose en rien à ce que son nouveau poste dans la fondation Scarwyck soit rendu public. »

Il y avait deux lignes sur la droite pour les signatures et une autre à gauche pour celle d'un témoin. Elizabeth se rendait compte qu'il s'agissait d'un document très professionnel. Il ne disait rien, mais couvrait tout.

« Vous n'espérez pas sérieusement que je vais signer ça ?

— Honnêtement, si. Vous voyez, si vous ne le

190

faites pas, mon très grand sens des responsabilités va me faire marcher tout droit jusqu'aux autorités. Sans doute chez le district attorney avec des informations pertinentes sur la disparition de M. Scarlett... Vous imaginez le raz de marée international qui suivra? Le simple fait que la célèbre Mme Scarlatti soit en route pour poser des questions aux banques avec qui son fils était en affaires...

— Je nierai tout!

— Malheureusement, vous ne pourrez pas nier qu'il manque des actions. Elles n'ont pas à être honorées pendant un an encore, mais elles *manquent*! »

Elizabeth fixait le Sudiste, elle était battue. Silencieusement, elle prit un stylo. Elle signa les papiers tandis qu'à son tour, tournant chaque page, il signait aussi.

LES malles d'Elizabeth étaient à bord du paquebot britannique le *Calpurnia*. Elle avait dit à sa famille que les événements de ces derniers mois avaient épuisé sa patience et ses forces et qu'elle projetait de séjourner assez longtemps en Europe, seule. Elle partait le jour suivant. Chancellor Drew était d'accord sur l'aspect bénéfique d'un tel voyage, mais il pressait sa mère de partir avec un compagnon. Après tout, Elizabeth n'était plus jeune et quelqu'un devait l'accompagner. Il suggéra Janet.

Elizabeth lui suggéra à son tour de garder ses suggestions pour la fondation Scarwyck, mais le cas de Janet devait être envisagé.

Elle convoqua sa bru tard dans l'après-midi, deux jours avant le départ du *Calpurnia*.

« Ce que tu me dis, Janet, est très difficile à croire. Pas tant au sujet de mon fils qu'à ton propre sujet. L'aimais-tu ?

– Oui. Je crois. Ou peut-être étais-je submergée par lui. Au début il y avait tellement de gens, tellement de lieux différents. Tout allait si vite. Et puis je me suis rendu compte – lentement – qu'il ne m'aimait pas. Il ne pouvait supporter d'être dans la même pièce que moi. C'était une nécessité irritante

pour lui. Mon Dieu, ne me demandez pas pourquoi! »

Elizabeth se souvenait des paroles de son fils :
« Il est temps que je me marie... Elle fera une bonne
épouse. » Pourquoi avait-il ces mots? Pourquoi cela
avait-il été si important pour lui?

« Il était fidèle? »

La jeune femme jeta la tête en arrière, éclatant de
rire.

« Vous savez ce que c'est que de partager son
mari avec... avec on ne sait jamais qui!

— La psychologie nouvelle voudrait que les hommes se comportent souvent comme cela pour com-
penser, Janet. Pour se convaincre qu'ils sont... adé-
quats.

— Erreur, madame Scarlatti, dit Janet en mettant
de l'emphase dans la prononciation du nom d'Elizabeth avec un léger dédain. Votre fils était adéquat.
Extrêmement. Je suppose que je ne devrais pas
parler de ça, mais nous faisions beaucoup l'amour.
L'heure, le lieu, cela ne lui importait jamais. Ni si
j'avais envie ou pas, c'était sa dernière considération, je veux dire que j'étais sa dernière considération.

— Pourquoi vous êtes-vous mise avec lui? C'est ça
que je trouve difficile à comprendre. »

Janet Scarlett fouilla dans son sac à main, en
sortit un paquet de cigarettes et en alluma une très
nerveusement.

« Je vous ai déjà dit beaucoup, pourquoi ne pas
aller jusqu'au bout. J'avais peur...

— De quoi?

— Je ne sais pas. Je n'ai jamais réussi à comprendre. De ce que nous appelons les apparences.

— Sans vouloir vous offenser, cela me paraît stupide.

– Vous oubliez que j'étais la femme d'Ulster Stewart Scarlett. Je l'avais eu... Il n'est pas facile d'admettre que je n'ai pas su le garder plus de quelques mois.

– Je vois... Nous savons toutes deux qu'un divorce sur la base de désertion présumée du domicile familial serait l'idéal pour vous, mais on vous critiquerait à n'en plus finir. Cela semblerait du plus parfait mauvais goût.

– Je le sais. J'ai décidé d'attendre un an avant de demander le divorce. Un an, c'est un laps de temps raisonnable. Cela sera mieux compris.

– Je ne suis pas si sûre que tel soit votre intérêt.

– Pourquoi?

– Vous sépareriez complètement votre enfant et vous-même de la famille Scarlatti. Je serai franche avec vous. Dans des circonstances comme vous les évoquez, je ne ferais aucune confiance à Chancellor.

– Je ne comprends pas.

– Une fois que vous aurez fait votre première démarche, il utilisera toutes les armes légales valables pour vous débouter.

– Quoi!

– Il contrôlerait l'enfant et l'héritage. Heureusement...

– Vous êtes folle! »

Elizabeth poursuivit comme si Janet ne l'avait pas interrompue.

« Heureusement, le sens de la propriété de Chancellor – qui frise le ridicule – l'empêcherait d'intenter une action qui pourrait causer de l'embarras. Mais si vous le provoquez... Non, Janet, le divorce n'est pas une solution.

– Vous savez ce que vous dites?

– Je vous l'assure... Si je pouvais être certaine d'être encore en vie d'ici un an je vous donnerais ma bénédiction! Mais sans moi, Chancellor deviendrait un animal sauvage!

– Il n'y a rien que Chancellor puisse me faire, à moi ou à mon enfant! Rien!

– S'il vous plaît, ma chérie, je n'essaie pas d'être moraliste, mais votre comportement n'a pas été au-dessus de tout soupçon.

– Je n'ai pas à entendre ceci! »

Janet quitta le divan et ouvrit son sac pour y remettre ses cigarettes. Elle en sortit ses gants.

« Je ne juge pas. Je ne vous juge pas. Vous êtes une fille intelligente. Quoi que vous fassiez, je suis certaine que vous avez vos raisons... Si cela peut vous mettre à l'aise, je suis persuadée que vous avez passé une année en enfer.

– Oui. Un an en enfer. »

Janet Scarlett commença à mettre ses gants.

Elizabeth parlait rapidement, en traversant la pièce.

« Soyons candides. Si Ulster était ici, ou disons quelque part, on pourrait arranger sans difficulté un divorce incontesté. Après tout, aucun de vous n'est sans taches. Mais, comme le dit la loi, une des parties est manquante, peut-être décédée, mais pas légalement déclarée morte. Et il y a un enfant, un seul enfant. Cet enfant est l'héritier d'Ulster. Là est le problème, Janet. »

Elizabeth se demandait si la jeune femme commençait à comprendre. Le problème avec les jeunes gens riches, c'était qu'ils considéraient leur fortune comme acquise, naturelle, et que, de surcroît, ils n'arrivaient pas à appréhender que cet argent, bien qu'un sous-produit, était un catalyseur de pouvoir et, pour cette raison, une chose effrayante.

« Une fois que vous aurez fait le premier pas, les oiseaux de proie des deux camps vous tomberont dessus. En fin de compte le nom de Scarlatti deviendrait une blague dans les fumoirs des Country Clubs. Et, ça, je ne le tolérerai jamais! »

Elizabeth prit divers classeurs sur son bureau, en choisit un et reposa les autres. Elle s'assit derrière son bureau et regarda sa bru.

« Vous comprenez ce que je dis?

— Oui, je crois, dit lentement la jeune femme en contemplant ses mains gantées. Vous voulez me mettre sur la touche de façon que rien ne dérange vos précieux Scarlett. »

Elle hésita puis redressa la tête pour soutenir le regard à sa belle-mère.

« Et pendant une minute j'ai cru que vous pouviez être gentille!

— Vous ne pouvez quand même pas prétendre être un cas social, dit Elizabeth.

— Non, effectivement. Mais puisque je ne demande pas la charité, cela importe peu, non? Je pense que vous essayez d'être généreuse à votre manière.

— Alors vous ferez ce que je vous suggère? demanda Elizabeth en commençant à remettre le classeur dans son tiroir.

— Non, répliqua fermement Janet Saxon Scarlett. Je ferai exactement ce dont j'ai envie. Et je ne crois pas que je finirai en plaisanterie dans les fumoirs des Country Clubs!

— N'en soyez pas si sûre! dit Elizabeth en claquant le classeur sur la table.

— J'attendrai un an, dit Janet, et puis je ferai ce que j'ai à faire. Mon père saura quoi. J'agirai selon sa décision.

– Votre père est un businessman, il peut avoir certains doutes.

– C'est également mon père!

– Je comprends très bien, ma chérie. Je vous comprends si bien que je vous suggère de m'autoriser quelques questions avant que vous partiez. »

Elizabeth se leva, traversa la pièce pour fermer la porte avec soin. Elle donna même un tour de clef.

Janet regardait faire la vieille dame, animée d'autant de curiosité que de peur. Cela ne ressemblait pas à sa belle-mère d'être concernée par des interruptions quelconques. Tout intrus indésirable était promptement éconduit d'un seul mot.

« Il n'y a rien à ajouter. Je veux partir.

– Je suis d'accord, vous n'avez plus grand-chose à dire, coupa Elizabeth qui était retournée à son bureau. L'Europe vous a plu, ma chérie? Paris, Marseille, Rome? Apparemment, New York est un endroit bien ennuyeux pour vous. Je suppose que dans ces circonstances l'autre côté de l'Océan a beaucoup plus à offrir.

– Que voulez-vous dire?

– Rien que cela. Vous semblez avoir pris du bon temps d'une manière quelque peu irraisonnée. Mon fils s'était trouvé la compagne idéale pour ses escapades. Pourtant, il s'est montré plus discret que vous.

– Je ne vois toujours pas de quoi vous parlez. »

Elizabeth ouvrit le classeur et feuilleta plusieurs pages.

« Voyons... Il y a eu un trompettiste noir à Paris...

– Un quoi! De quoi parlez-vous?

– Il vous a raccompagnée à votre hôtel, pardon à l'hôtel d'Ulster, à huit heures du matin. Selon toute évidence vous aviez passé la nuit avec lui. »

Janet fixait sa belle-mère d'un air incrédule. Malgré sa stupéfaction, elle répondit rapidement, avec calme.

« Oui, à Paris, oui! Et j'étais avec lui, mais pas comme vous l'imaginez. J'essayais de retrouver Ulster. Toute la nuit nous avons tourné pour le chercher.

– Ce fait n'apparaît pas ici. On vous a vue rentrer à l'hôtel avec un Noir qui vous soutenait.

– J'étais épuisée.

– Ici, ils utilisent le mot ivre...

– C'est un mensonge! »

La vieille dame passa à une autre page.

« Et une semaine dans le sud de la France? Vous vous en souvenez, Janet?

– Non, répondit la jeune femme d'un ton hésitant. Qu'est-ce que vous faites? Qu'avez-vous là? »

Elizabeth se leva, tenant le classeur loin des yeux de sa bru.

« Allons... Ce week-end chez Mme Auriole. Comment appelle-t-on son château déjà? *La Silhouette?* Un nom bien dramatique.

– C'était une amie d'Ulster!

– Et, bien évidemment, vous n'aviez aucune idée de ce que signifiait *La Silhouette* d'Auriole et de ce qu'on faisait dans ce château?

– Vous ne suggérez tout de même pas que j'aie quoi que ce soit à voir avec ce genre de choses?

– Que se passait-il donc dans ce château? »

La voix d'Elizabeth s'était élevée, presque vicieusement.

« Je... Je n'en sais rien. Rien!

– J'attends.

– Je ne vous répondrai pas!

– C'est très prudent de votre part, mais j'ai bien peur que cela ne marche pas! Il est tout à fait connu qu'on trouve au menu chez Mme Auriole de l'opium, du hachisch, de la marijuana, de l'héroïne, de la cocaïne... un paradis pour les usagers de toutes les formes de narcotiques!

– Je ne le savais pas!

– Vous ne saviez rien? Et vous avez passé un week-end prolongé là-bas? Trois jours, au plus fort de la saison?

– Non!... Oui, je m'en suis aperçue et je suis partie. J'ai quitté le château dès que j'ai compris de quoi il retournait!

– Des orgies pour drogués. Une expérience merveilleuse pour voyeur sophistiqué. Jour et nuit. Et Mme Scarlett n'en savait rien!

– Je vous le jure! »

Le ton d'Elizabeth changea, se transforma en une fermeté assez douce pourtant.

« J'en suis certaine, mon petit, mais je ne sais pas qui vous croira. » Elle s'arrêta un instant, feuilletant les pages de son classeur. « Il y a bien d'autres choses encore là-dedans... Berlin, Vienne, Rome, et particulièrement Le Caire...

– Ulster m'avait quittée pendant deux semaines! J'ignorais où il était. J'étais pétrifiée, hurla Janet penchée sur le bureau d'Elizabeth les yeux écarquillés par la peur.

– On vous a vue dans les endroits les plus bizarres, ma chère. Vous avez même commis un des crimes les plus graves du monde. Vous avez acheté un être humain. Vous avez acheté un esclave.

– Non, non! Ce n'est pas vrai!

– Oh! que si! Vous avez acheté un jeune Arabe de treize ans destiné à la prostitution. Vous êtes citoyenne américaine et les lois...

– C'est un mensonge! coupa Janet. Ils m'ont dit que si je donnais de l'argent, ce jeune Arabe pourrait me dire où était Ulster! C'est tout ce que j'ai fait!

— Non, ce n'est pas tout. Vous lui avez fait un cadeau. Vous lui avez offert une fillette de douze ans et vous le saviez. Je me demande si vous avez jamais réfléchi à ce que vous faisiez!

— Je ne voulais que retrouver Ulster! Ça m'a rendue malade quand je me suis rendu compte de ce qui se tramait. Je ne comprenais pas! Je ne savais même pas de quoi ils parlaient! Tout ce que je voulais c'était retrouver Ulster et quitter cet horrible endroit!

— Je ne vous contredirai pas, mais d'autres pourraient bien le faire.

— Qui? demanda la jeune femme en tremblant.

— Les tribunaux, par exemple. Les journaux également. (Elizabeth fixait la jeune femme terrifiée en face d'elle.) Mes amis... Même vos amis.

— Et vous permettriez... que quelqu'un se serve de ces mensonges contre moi? »

Elizabeth haussa les épaules.

« Et contre votre propre petit-fils?

— Je doute qu'il reste longtemps votre fils, je veux dire légalement. Je suis certaine que les tribunaux décideraient rapidement d'en confier la garde à Chancellor. »

Janet s'assit lentement sur le rebord de son fauteuil. Ses lèvres s'entrouvrirent, elle commença à pleurer.

« S'il vous plaît, Janet. Je ne vous demande pas de disparaître dans un couvent. Je ne vous demande même pas de renoncer aux satisfactions d'une femme de votre âge et de votre appétit. Vous vous êtes très peu restreinte ces derniers mois et je m'attends à ce que vous restiez fidèle à vous-même. Je ne vous demande qu'un minimum de discrétion, peut-être un peu plus que d'habitude, et un haut degré de prévoyance. Sinon, le remède sera immédiat. »

Janet Saxon Scarlett détourna son visage en larmes, les paupières serrées.

« Vous êtes horrible, murmura-t-elle.

— J'imagine que c'est effectivement comme cela que vous me considérez maintenant, mais il se peut qu'un jour vous révisiez votre opinion. »

Janet bondit de son fauteuil.

« Laissez-moi sortir d'ici!

— Pour l'amour du Ciel, essayez de comprendre. Chancellor et Allison vont arriver. J'ai besoin de vous, ma chérie. »

La jeune femme courut jusqu'à la porte, oubliant qu'elle était fermée à clef. Elle ne pouvait pas ouvrir. Prise d'une panique totale, sa voix n'était plus qu'un souffle.

« Que pourriez-vous vouloir de plus? »

Elizabeth sut qu'elle avait gagné.

16

MATTHEW CANFIELD était appuyé contre le coin de l'immeuble qui dominait le carrefour de la 5e Avenue et de la 63e Rue, à environ cinquante mètres de l'imposante entrée de l'hôtel particulier des Scarlatti. Il resserra son imperméable autour de lui pour lutter contre le froid qu'amenait la pluie d'automne et regarda sa montre. Six heures moins dix. Déjà une heure qu'il était à son poste. Et, dans le meilleur des cas, il allait rester là jusqu'à minuit, ou même jusqu'au lendemain matin. La jeune femme était entrée à cinq heures moins le quart. Il avait prévu une relève à deux heures si rien ne s'était produit d'ici là. Il n'avait aucune raison valable de penser qu'il allait se passer quoi que ce soit d'ici là, mais son instinct lui chuchotait le contraire. Après cinq semaines passées à se familiariser avec les sujets de son enquête, il laissait son imagination remplir les blancs laissés par son observation. La vieille dame prenait le bateau le surlendemain et elle n'emmenait personne avec elle. Ses lamentations sur la mort ou la disparition de son fils étaient internationalement connues. Sa douleur remplissait quotidiennement des colonnes de magazines. Pourtant, elle cachait bien sa tristesse et continuait à s'occuper de ses affaires.

La femme de Scarlett était différente. Si elle portait le deuil de son mari disparu, ça ne se voyait pas beaucoup. Ce qui était plus apparent, c'était le fait qu'elle ne croyait absolument pas à sa mort. Qu'avait-elle dit au bar du Country Club d'Oyster Bay? Malgré le whisky qui rendait sa voix pâteuse, ses phrases étaient claires.

« Ma chère belle-mère se croit très maligne. Je voudrais que son paquebot coule! Elle retrouverait son fils! »

Ce soir avait lieu une confrontation entre les deux femmes et Matthew Canfield aurait bien aimé en être témoin.

La bruine se changeait en pluie. Canfield décida de traverser la 5e Avenue pour aller dans le parc. Il prit un journal dans la poche de son imperméable, l'étala sur un banc devant le mur de Central Park et s'assit. Un homme et une femme s'arrêtèrent devant la maison d'Elizabeth Scarlatti. Il faisait tout à fait nuit maintenant et il ne pouvait pas les distinguer. La femme expliquait quelque chose avec animation et l'homme n'avait pas l'air de l'écouter, beaucoup plus occupé à sortir sa montre de la poche de son gilet et à regarder l'heure. Canfield fit de même et constata qu'il était six heures moins deux. Il se leva lentement et retraversa l'avenue. L'homme s'était approché d'un réverbère pour mieux lire l'heure sur sa montre. La femme parlait toujours.

Canfield ne fut pas surpris de voir que c'était l'aîné des frères, Chancellor Drew Scarlett, et sa femme Allison.

Canfield continua à marcher dans la 63e Rue pendant que Chancellor Scarlett prenait sa femme par le bras pour monter le perron des Scarlatti.

Quand il atteignit Madison Avenue, Canfield entendit un craquement aigu. Il se retourna et vit que la porte d'entrée de l'hôtel particulier avait été ouverte avec une telle force qu'elle avait claqué contre le mur de la maison, résonnant dans toute la rue.

Janet Scarlett dévala l'escalier de brique, glissa, se releva et enfila la 5e Avenue en courant. Canfield fit demi-tour et marcha vers elle. Elle était blessée. Le timing était plus que parfait.

L'agent était à une trentaine de mètres de la femme d'Ulster Scarlett quand une voiture noire, une Pierce-Arrow cabriolet, tourna le coin de la rue et s'arrêta devant la jeune femme.

Canfield s'arrêta aussi et observa la scène. Il pouvait voir le chauffeur penché vers la portière côté passager. La lumière des réverbères tombait droit sur son visage. C'était un très bel homme d'une quarantaine d'années, à la moustache impeccablement peignée. Il ressemblait au genre d'individu que Janet Scarlett pouvait connaître. Canfield était assez surpris de constater que cet homme avait attendu – comme lui – que Janet sorte de chez Elizabeth.

Soudain l'inconnu ouvrit la portière de sa voiture et sortit sur le trottoir. Il s'approcha de la jeune femme.

« Allons, madame Scarlett, montez. »

Janet Scarlett s'était penchée pour masser son genou écorché. Elle regarda, sidérée, l'homme à la moustache. Canfield se tenait dans l'ombre d'une porte cochère.

« Quoi? Vous n'êtes pas un taxi... Non. Je ne vous connais pas...

– Montez! Je vais vous ramener chez vous. Vite! »

L'homme parlait d'un ton péremptoire. Une voix bizarre. Il saisit Janet par le bras.

« Non! Non, je ne monterai pas! » Elle essaya de se dégager.

Canfield sortit de l'ombre.

« Bonsoir, madame Scarlett. Je pensais bien que c'était vous. Puis-je vous aider? »

L'homme lâcha la jeune femme et fixa Canfield. Il avait l'air à la fois embarrassé et furieux. Pourtant, au lieu de parler, il refit immédiatement le tour de sa voiture et remonta dedans.

« Hé! une minute, monsieur! cria Canfield en agrippant la poignée de la portière. Et cette promenade... »

L'homme écrasa l'accélérateur, le cabriolet bondit, projetant Canfield à terre, la main lacérée par la poignée de la portière.

Il se releva, tenant sa main en sang.

« Votre ami manque totalement de tact! »

Janet Scarlett regarda l'agent avec gratitude.

« Je ne l'ai jamais vu... Du moins je ne crois pas... Peut-être... Je suis désolée, mais je ne me souviens pas de votre nom. Je suis désolée, je vous remercie infiniment.

— Ne vous excusez pas. Nous ne nous sommes vus qu'une seule fois. A Oyster Bay, au club, il y a une quinzaine de jours.

— Oh! fit Janet comme si le souvenir de cette soirée la dérangeait.

— C'est Chris Newland qui nous a présentés. Je m'appelle Canfield.

— Ah! oui.

— Matthew Canfield, de Chicago.

— Ça y est, je me souviens maintenant.

— Venez, je vais vous trouver un taxi.

— Votre main saigne.

– Votre genou aussi.

– Ce n'est qu'une égratignure.

– Moi aussi. Plus de peur que de mal.

– Vous devriez voir un médecin.

– Tout ce dont j'ai besoin c'est d'un mouchoir et de glace. Le mouchoir pour ma main et la glace pour mon whisky. »

Ils atteignirent la 5e Avenue et Canfield héla un taxi.

« Voilà tous les médicaments dont j'ai besoin, madame Scarlett. »

Janet sourit, un peu hésitante et, montant dans le taxi, répondit :

« C'est le genre de médicaments que je peux vous fournir. »

Le hall d'entrée de la maison des Scarlett sur la 54e Rue était bien comme Canfield se l'était imaginé. Plafonds hauts, porte épaisse, escalier intérieur impressionnant. Des miroirs anciens de chaque côté du hall, des portes à deux battants, de chaque côté des glaces, se faisant face. Celles de droite étaient ouvertes et Canfield pouvait voir les meubles classiques d'une salle à manger imposante. Les portes de gauche qui étaient fermées donnaient probablement sur le living-room. Des tapis d'Orient couvraient le parquet çà et là... Tout était exactement comme il se devait. Pourtant, Canfield était choqué par le choix des couleurs de l'entrée. Le papier au mur était d'un rouge trop riche, presque sanglant, et les tentures au-dessus des doubles portes étaient noires – un velours noir très lourd qui ne cadrait absolument pas avec la finesse du mobilier français.

Janet remarqua sa réaction et avant qu'il ne puisse dissimuler ses sentiments, elle lui dit :

« Ça vous tape dans l'œil, n'est-ce pas?

– Je n'avais pas remarqué, fit-il poliment.

– Mon mari avait insisté pour avoir ce rouge hideux et avait remplacé mes tentures rosés par ce noir sinistre. Quand j'ai eu le malheur de lui faire une objection, il m'a fait une scène terrible. »

Elle ouvrit les portes à double battant et s'avança dans l'obscurité pour allumer.

Canfield la suivit dans le living-room. De la taille de cinq courts de squash! Quant au nombre de ses chaises, fauteuils et divans, il était renversant. Toutes sortes de lampes étaient posées sur des tables basses commodément placées près des sièges. Les meubles étaient de styles différents, hormis un demi-cercle de divans qui faisait face à une énorme cheminée. A la lueur de l'unique lampe, les yeux de Canfield furent immédiatement attirés par une série de reflets provenant du dessus du manteau de la cheminée. Des photographies. Des douzaines de clichés de tailles variables encadrés de fines baguettes noires. Elles étaient arrangées comme un bouquet d'images avec, au centre, un rouleau de parchemin dans un cadre d'or.

La jeune femme remarqua le regard de Canfield mais passa outre.

« Il y a à boire et de la glace par ici, dit-elle en montrant un petit bar. Servez-vous... Vous m'excuserez une minute, je vais changer de bas. »

Elle disparut dans le hall.

Canfield traversa l'immense salon jusqu'au petit bar roulant et prépara deux scotches. Il sortit un mouchoir propre de la poche de son pantalon et, après l'avoir plongé dans la glace, il s'en fit un pansement autour de sa main qui ne saignait plus.

Puis il alluma une autre lampe, près de la cheminée, pour éclairer les photos. Il resta un instant complètement ébahi.

C'était incroyable. Le mur au-dessus de la cheminée était une illustration photographique de la carrière militaire d'Ulster Stewart. De l'école d'élève officier jusqu'à son embarquement... De son arrivée en France à sa montée en ligne. Dans certains cadres, des cartes traversées par de gros traits rouges et bleus indiquant les positions des tranchées. Dans nombre des photos, Ulster était le centre d'attraction.

Il avait déjà vu des photos d'Ulster Scarlett, mais c'étaient généralement des photos de presse prises dans des cocktails mondains ou sur différents terrains de tennis, de polo, de golf, ou au cours de régates, et Ulster avait toujours ressemblé précisément à l'idée que se font Brooks Brothers de leurs clients. Mais là il était au milieu de soldats et cela ennuyait Canfield de voir qu'il avait au moins une tête de plus que le plus grand de ses camarades. Et il y avait des soldats partout, de tous rangs, de toutes armes. D'étranges caporaux dont on inspectait les armes, de nombreux sergents alignant des fantassins, des officiers à l'air expérimenté écoutant : tous ces hommes semblaient n'agir que pour le bénéfice de ce grand et vigoureux lieutenant qui, d'une manière ou d'une autre, captivait leur attention. Sur d'autres photos, le jeune officier avait passé ses bras autour des épaules de ses compagnons qui souriaient à moitié, il avait l'air de leur promettre que les jours meilleurs étaient proches.

A en juger d'après les expressions de ceux qui l'entouraient, Scarlett n'y réussissait pas vraiment. Mais son propre comportement irradiait l'optimisme le plus total. Calme et autosatisfait aussi, songea Canfield. Le centre de cette exposition était le parchemin. La citation obtenue dans l'Argonne. Si on en jugeait d'après cet étalage, Ulster Scarlett était le héros le mieux fabriqué ayant jamais eu la chance de partir à la guerre. Ce qu'il y avait de plus dérangeant, c'était le spectacle lui-même. C'était grotesque tellement c'était disproportionné. Une telle exposition aurait semblé à sa place dans le bureau de quelque guerrier fameux dont les campagnes s'étaient étendues sur un demi-siècle, mais pas ici, dans ce living-room surchargé de la 54e Rue, décor typique d'une espèce très particulière de jouisseur.

« C'est intéressant, n'est-ce pas? dit Janet en rentrant dans la pièce.

— Impressionnant, en tout cas. Ce n'est pas n'importe qui.

— Argument facile à trouver. Si jamais quelqu'un oubliait, il n'avait qu'à rentrer ici pour se le faire rappeler.

— J'ai l'impression que cette... Cette histoire en images de comment la guerre fut gagnée n'était pas une idée de vous. »

Il tendit son verre à Janet qui, il le remarqua, le saisit fermement et le porta immédiatement à ses lèvres.

« Absolument, dit-elle en finissant son verre. Asseyez-vous, je vous en prie. »

Canfield vida tranquillement les trois quarts de son verre.

« Laissez-moi d'abord vous resservir », fit-il en prenant son verre à elle.

Elle était assise sur le grand divan qui faisait face à l'exposition d'Ulster Stewart Scarlett.

« Je n'aurais jamais imaginé que votre mari était

sujet à ce genre – il cherchait comment définir cette exagération –, ce genre de migraine.

– Excellente analogie. Un lendemain de cuite... Vous êtes très philosophe.

– Ce n'était pas mon intention. Je n'avais jamais songé à le ranger dans cette catégorie-là. »

Il lui tendit son verre et resta debout en face d'elle.

« Vous avez déjà lu les comptes rendus de ce qui s'est passé? Je pense que les journaux ont fait un excellent travail en rendant parfaitement clair pour tout le monde que c'est à lui que nous devions la victoire sur le Kaiser. »

Elle but, d'un trait.

« Oh! c'est bien ça les journalistes. Il faut qu'ils vendent leurs articles. Je les lis mais je ne les prends jamais trop au sérieux. Je crois que votre mari ne les prenait pas au sérieux non plus.

– Vous parlez de lui comme si vous le connaissiez. »

Canfield prit un air surpris, à dessein, et après avoir bu une petite gorgée de whisky, il lui demanda :

« Vous ne saviez pas?

– Quoi?

– Bien sûr, je le connaissais. Et même très bien. Je pensais que vous le saviez. Désolé. »

Janet cacha sa surprise.

« Il n'y a pas à être désolé. Ulster avait beaucoup d'amis. Impossible de les connaître tous. Vous étiez un de ses amis de New York? Je ne me souviens pas qu'il m'ait jamais parlé de vous.

– Oh! on se voyait de temps en temps quand je venais ici.

– Ah! oui, c'est vrai, vous êtes de Chicago. C'est ça?

– C'est ça. Mais pour être franc, mon travail me fait parcourir le pays dans un peu tous les sens.

– Qu'est-ce que vous faites ? »

Canfield revenait avec deux autres verres pleins. Il s'assit.

« Pour parler sans façon, disons que je suis un agent commercial.

– Et vous vendez quoi ? Je connais beaucoup de gens qui vendent toutes sortes de choses. Ils ne font pas tant de manières.

– Eh bien, je ne vends pas des actions ou des buildings ni même des ponts. Je vends des courts de tennis. »

Janet éclata de rire. C'était un joli rire.

« Vous plaisantez !

– Non, je suis sérieux. Je vends des courts de tennis. »

Il posa son verre et fit semblant de chercher dans ses poches.

« Voyons si j'en ai un sur moi ce soir. Ils sont très beaux. Le terrain idéal, selon les standards de Wimbledon, sauf en ce qui concerne le gazon. C'est d'ailleurs le nom de notre compagnie. Wimbledon. Sachez, pour votre information, que ce sont d'excellents courts. Vous avez probablement joué sur une dizaine de ces courts et vous ne saviez même pas à qui vous les deviez.

– C'est incroyable. Pourquoi les gens achètent-ils vos courts de tennis ? Ils ne peuvent pas construire les leurs ?

– Bien sûr que si. On les y encourage. On ramasse plus d'argent quand on doit en détruire un pour mettre le nôtre à la place.

– Vous vous moquez de moi. Un court de tennis, c'est un court de tennis, un point c'est tout.

– Le gazon, ma chère, vous y avez pensé ? Il n'est

jamais vraiment prêt au printemps et toujours jauni avant l'automne. Les nôtres durent toute l'année. »

Elle rit à nouveau.

« C'est très simple. Ma compagnie a inventé un nouveau revêtement à base d'asphalte qui reproduit l'élasticité d'un court normal. Ça ne fond pas quand il fait chaud, ça ne se craquelle pas quand il gèle. Vous voulez voir ? Nos camions seront là dans trois jours et, pendant ce temps, nous aurons déjà fait poser la première couche de graviers. Nous passons des contrats locaux. Avant de vous en rendre même compte, vous disposerez d'un magnifique court de tennis, ici, sur la 54e Rue. »

Ils rirent ensemble.

« Et je présume que vous êtes champion de tennis.

— Non, je joue, mais assez mal. Je n'aime pas vraiment ce jeu. Remarquez, nous avons une dizaine de vedettes internationales de la raquette pour promouvoir nos courts. Nous vous organisons un match le jour où les travaux de votre tennis sont terminés. Vous pouvez inviter vos amis et faire une jolie réception sportive. Il y a eu quelques magnifiques surprises-parties sur nos courts. C'est d'ailleurs la clause qui nous fait le plus vendre.

— Très impressionnant.

— D'Atlanta à Bar Harbor. Les meilleurs courts, les plus belles parties. »

Il leva son verre.

« Ainsi vous avez vendu un court de tennis à Ulster ?

— Jamais essayé. J'imagine que j'aurais pu. Après tout, il a bien acheté un dirigeable et qu'est-ce qu'un court comparé à ça ?

— C'est plus plat. »

Elle sourit et lui tendit son verre vide.

Il se leva, retourna au bar en ôtant le mouchoir autour de sa main. Il le remit dans sa poche. Elle éteignit lentement sa cigarette dans le cendrier posé devant elle.

« Si vous ne faites pas partie des New-Yorkais, où avez-vous rencontré mon mari?

– A l'université, d'abord. Très brièvement. J'ai abandonné au milieu de ma première année. »

Canfield se demandait si Washington avait bien mis en place un dossier correspondant à ce faux passé, quelque part dans les archives de Princeton.

« Vous étiez allergique aux livres?

– Allergique à l'argent. C'est la mauvaise branche de la famille qui en avait. Puis nous nous sommes revus une fois à l'armée.

– L'armée?

– Oui, mais pas du tout dans ces conditions-là, dit-il en désignant d'un grand geste du bras l'étalage de photos au-dessus de la cheminée.

– Ah bon?

– Nous nous sommes quittés dès la fin de l'entraînement dans le New Jersey. Il est parti pour la France et la gloire. Moi pour Washington et l'ennui. Mais avant ça, on s'est payé du bon temps! »

Canfield se pencha légèrement vers elle, donnant à sa voix ce ton un peu intime qui accompagne les effets secondaires de l'alcool.

« Tout ceci, avant son mariage, bien sûr.

– Mariage qui n'a rien changé, Matthew Canfield. »

Il la fixa, remarqua que la réponse qu'il avait attendue était un mélange de dégoût et d'indifférence.

« Si c'est le cas, il était plus bête que je le pensais. »

Elle regarda ses yeux comme on lit une lettre, pas entre les lignes, mais pour essayer de voir au-delà des mots.

« Vous êtes un homme très attirant. »

Puis elle se leva d'un coup, un peu chancelante, et posa son verre sur la table basse devant le divan.

« Je n'ai pas dîné, et si je ne mange pas rapidement quelque chose, je sens que je vais devenir complètement incohérente. Et je n'aime pas être incohérente.

— Venez, je vous invite.

— Pour que vous inondiez de sang un pauvre maître d'hôtel affolé?

— Je ne saigne plus, dit Canfield en lui montrant sa main. J'aimerais beaucoup dîner avec vous.

— Oui, j'en suis certaine », fit-elle en ramassant son verre.

Elle se dirigea, vaguement titubante, vers la cheminée.

« Savez-vous ce que j'allais faire?

— Non, répondit-il, profondément enfoui dans un sofa.

— J'allais vous demander de partir. »

Canfield commençait à protester.

« Non, attendez. Je voulais rester seule et grignoter un petit quelque chose et peut-être est-ce une très mauvaise idée?

— C'est une très très mauvaise idée!

— Alors je ne le ferai pas.

— Bien.

— Mais je n'ai pas envie de sortir, dit-elle. Vous mangeriez ici avec moi, à la fortune du pot, comme on dit?

— Cela ne vous causerait pas trop de tracas? »

Janet Scarlett tira un cordon de sonnette qui pendait près de la cheminée.

« Du tracas? Juste pour la cuisinière, et depuis qu'Ulster est *parti*, on ne peut pas dire qu'elle soit surmenée. »

La gouvernante répondit à son appel à une telle vitesse que l'agent se demanda si elle n'était pas cachée derrière la porte à les écouter. C'était la femme la plus laide que Matthew Canfield ait jamais vue de sa vie. Elle avait des mains comme des battoirs.

« Oui, madame? Nous ne vous attendions pas ce soir. Vous aviez dit que vous dîniez chez Mme Scarlatti.

— On dirait que j'ai changé d'avis, n'est-ce pas, Hannah? M. Canfield et moi nous allons dîner ici. A la fortune du pot. Servez-nous ce que vous trouverez.

— Très bien, madame. »

Cet accent venait du centre de l'Europe, peut-être suisse ou allemand, pensa Canfield. Le visage épais, encadré de cheveux gris tirés en arrière, aurait au moins pu refléter un sentiment amical. Pas du tout. Elle semblait dure, masculine.

Pourtant, elle allait s'assurer que la cuisinière confectionnait un excellent repas.

« Quand ma vieille carne de belle-mère veut quelque chose, elle les fait tous trembler jusqu'à ce qu'elle l'obtienne », dit Janet.

Ils étaient revenus dans le living-room et sirotaient du cognac sur un divan noyé de coussins. Leurs épaules se touchaient.

« C'est normal. D'après le peu que j'ai vu, elle dirige la barque. Ils doivent filer droit.

« – Pas mon mari. Il la rendait folle furieuse.

– Vraiment, demanda Canfield en faisant semblant de ne pas s'intéresser au sujet outre mesure. J'ignorais qu'il y eut des orages entre eux deux.

– Oh! rien d'orageux. Ulster se fichait tellement de tout et de tout le monde qu'il ne pouvait jamais y avoir de combat. C'est ça qui la rendait folle. Il faisait exactement ce qu'il voulait et c'était la seule personne qu'elle ne pouvait pas contrôler. Elle détestait ça.

– Elle aurait pu lui couper les vivres, non? demanda naïvement Canfield.

– Il avait son argent à lui.

– Dieu que ce doit être exaspérant. Il l'a probablement rendue folle. »

La jeune femme contemplait les photos de son mari.

« Il m'a aussi rendue folle. Ils sont pareils...

– C'est sa mère... dit Canfield d'un ton évasif.

– Et je suis sa femme. »

Elle était ivre maintenant et regardait les photos avec haine.

« Elle n'a pas le droit de me mettre en cage comme un animal! De me menacer avec le qu'en dira-t-on! Des mensonges! Des millions de mensonges! C'étaient les amis de mon mari, pas les miens! Et même si c'étaient les miens! Les siens n'étaient pas mieux!

– Il faut dire que les amis d'Ulster étaient toujours un peu bizarres, je suis d'accord. S'ils vous dérangent, ignorez-les. Vous n'avez pas besoin d'eux. »

Janet se mit à rire.

« Voilà ce que je vais faire! Je vais aller à Paris, au Caire et au fond de l'enfer, je mettrai des annonces dans les journaux. Vous tous, amis d'Ulster Scarlett, je vous ignore. Signé J. Saxon Scarlett, veuve. Du moins je l'espère! »

L'agent saisit sa chance.

« Elle a des informations sur vous... qui viennent d'endroits comme ça?

– Oh! elle ne loupe pas un truc. Vous n'êtes personne si l'illustre Mme Scarlatti n'a pas un dossier sur vous. Vous ne le saviez pas? »

Puis, aussi rapidement qu'elle s'était laissé envahir par la fureur, elle reprit sur un ton calme et réfléchi.

« Aucune importance. Qu'elle aille au diable!

– Pourquoi part-elle en Europe?

– En quoi cela vous intéresse? »

Canfield haussa les épaules.

« Ça ne m'intéresse pas, je l'ai juste lu dans les journaux.

– Je n'en ai pas la moindre idée.

– Ça n'a rien à voir avec ces rumeurs, ces mensonges qu'elle a récoltés à Paris et... ailleurs? »

Il essayait, et c'était facile, d'embrouiller un peu ses mots.

« Allez lui demander. Vous savez que ce cognac est délicieux! »

Elle finit ce qui restait au fond de son verre et le posa. Le verre de Canfield était encore presque plein. Il retint son souffle et le vida d'un trait.

« Vous avez raison, c'est une salope.

– Une vraie salope, dit la jeune femme en se pressant contre l'épaule et le bras de Canfield.

– Vous n'êtes pas une salope, n'est-ce pas?

– Non.

– Pourquoi va-t-elle en Europe?

– Je me le suis demandé plusieurs fois et je n'ai jamais trouvé la réponse. Je m'en fous. Etes-vous vraiment quelqu'un de bien?

– Tout ce qu'il y a de mieux, je pense.

– Je vais vous embrasser pour voir. Je le sens tout de suite, fit-elle.

– Vous n'avez pas une telle expérience...

– Oh! mais si », dit-elle en prenant Canfield par le cou pour l'attirer à elle.

Elle tremblait.

Il était vaguement étonné. Pas par ce baiser, mais par le désespoir qu'il sentait en elle, et pour une raison étrange, il eut soudain envie de la proté-ger.

Elle lâcha ses épaules.

« Allons en haut », dit-elle.

Et en haut ils s'embrassèrent et Janet mis ses mains sur son visage à lui.

« Elle a dit... Drôle d'être une Scarlett sans un Scarlett alentour... C'est ça qu'elle a dit?

– Qui? Qui a dit ça?

– « Mère salope », voilà qui!

– Sa mère?

– A moins qu'elle ne le retrouve... Je serai libre... Prenez-moi, *please*, Matthew... Prends-moi! »

En la menant vers son lit, Canfield décida qu'il devait trouver un moyen de convaincre ses supé-rieurs qu'il fallait qu'il prenne le bateau qui allait emmener Mme Elizabeth Scarlatti en Europe.

17

Jefferson Cartwright se drapa d'une serviette et sortit du bain turc de son club. Il entra sous la douche dont les jets fins comme des aiguilles frappèrent le sommet de son crâne. Il leva la tête et resta immobile jusqu'à ce que sa peau ne supporte plus cette douleur exquise. Il manœuvra les robinets pour refroidir lentement l'eau, jusqu'à ce qu'elle soit glacée.

La nuit précédente il s'était soûlé. En fait, il avait commencé à boire tôt l'après-midi et vers minuit il était tellement parti qu'il avait décidé de rester à son club plutôt que de rentrer chez lui. Il avait toutes les raisons du monde d'arroser ça. Depuis son rendez-vous triomphal avec Elizabeth Scarlatti, il avait passé plusieurs jours à analyser le mieux possible les affaires de la fondation Scarwyck. Maintenant, il était prêt à marcher parmi ses pairs. Le contrat signé par Elizabeth ne quittait plus son esprit. Il le gardait dans sa serviette jusqu'à ce qu'il en sache assez sur Scarwyck pour impressionner ses propres avoués. Tandis que l'eau lui coulait sur le visage, il songeait à la consigne automatique de Grand Central Station où il avait déposé cette serviette. Beaucoup de ses collègues juraient que les consignes de la gare Centrale étaient plus sûres que des chambres fortes. Elles étaient en tout cas plus sûres que les chambres fortes des Scarlatti!

Il passerait prendre l'objet après le déjeuner et déposerait le contrat chez ses avocats. Ils seraient sidérés et il espérait qu'ils lui poseraient des questions sur Scarwyck. Il leur ferait un exposé si clair et si complet qu'ils n'en reviendraient pas.

Il les entendait déjà.

« Mon Dieu, mon vieux Jeff! On ne se doutait de rien! »

Cartwright se mit à rire tout seul sous sa douche. Lui, Jefferson Cartwright, était le plus fringant cavalier de toute la Virginie! Ces idiots de Nordistes avec leurs airs condescendants, qui ne pouvaient même pas satisfaire leurs propres femmes! Il allait falloir qu'ils comptent avec le vieux Jeff, maintenant!

Mon Dieu! songeait-il, il pouvait achever ou vendre la moitié des membres du club! Quel jour merveilleux!

Après sa douche, il s'habilla et, sentant pleinement la mesure de son nouveau pouvoir, entra d'un air conquérant dans le bar. La plupart des membres du club étaient installés pour déjeuner et avec une grâce feinte, plusieurs acceptèrent qu'il leur offre un verre. Pourtant, leur réticence se changea en vague enthousiasme quand Jefferson annonça, mine de rien, qu'il avait repris les rênes financières de la fondation Scarwyck.

Deux ou trois personnes trouvèrent soudain que Jefferson Cartwright n'était pas dénué de qualités qu'ils n'avaient pourtant jamais remarquées auparavant. Vraiment, ce n'était pas un mauvais bougre, réflexion faite... Il cachait bien son jeu! Bientôt, les gros fauteuils de cuir entourant la table où Jefferson était assis étaient tous occupés.

Quand la pendule marqua deux heures trente, les membres du club s'excusèrent et se dirigèrent vers leurs bureaux et leurs téléphones. Le réseau de communication s'activa et la nouvelle étonnante du coup de Cartwright se répandit dans la ville.

Pourtant, une personne n'était pas partie. Elle restait avec quelques vieux habitués et se joignit à la cour de Jefferson Cartwright. L'homme avait peut-être la cinquantaine et personnifiait ce que tous les gens aisés en vieillissant recherchent. Jusqu'à la fine moustache grise parfaitement dessinée.

Ce qu'il y avait de drôle, c'est que personne à cette table n'était certain de savoir qui il était, mais personne n'aurait osé l'admettre. Après tout, c'était un club.

Le gentleman se propulsa dans un fauteuil à côté de Cartwright dès qu'il en trouva un libre. Il badina avec le Sudiste et insista pour commander une autre tournée.

Quand leurs verres furent amenés, le gentleman si élégant prit les Martini au milieu d'une anecdote, les tint quelques instants devant lui, puis, finissant son histoire, il en tendit un à Cartwright.

Jefferson prit son verre et le vida.

Le gentleman s'excusa, se leva et sortit. Deux minutes plus tard, Cartwright s'affala sur la table. Ses yeux n'étaient pas flous, ni même fermés comme chez un homme ayant atteint les limites de sa tolérance à l'alcool. Non. Ses yeux étaient grands ouverts, exorbités.

Jefferson Cartwright était mort.

Le gentleman ne revint jamais.

221

Downtown, dans la salle de rédaction d'un journal new-yorkais, un vieux claviste composait les phrases d'un court fait divers, qui devait paraître en page 10 :

UN BANQUIER SUCCOMBE DANS UN CLUB PRIVÉ.

Le claviste s'en fichait éperdument.
Plusieurs machines plus loin, un autre employé composait une autre histoire. Cette nouvelle devait être coincée entre des annonces de vente page 48.

UNE CONSIGNE AUTOMATIQUE FRACTURÉE
A GRAND CENTRAL STATION.

L'homme était perplexe. Il n'existait donc plus rien de sûr? Même les consignes de gare...

18

Assise à la table du capitaine, dans la salle à manger des premières classes du *Calpurnia*, Elizabeth fut quelque peu surprise de voir que son voisin de droite était un homme qui avait à peine dépassé la trentaine. Quand elle voyageait seule, les convenances voulaient que la compagnie de navigation lui fournisse toujours un vieux diplomate ou un agent de change à la retraite, un excellent joueur de cartes, bref quelqu'un avec qui elle ait quelque chose en commun.

Pourtant, personne n'était à blâmer puisque, comme à son habitude, elle avait vérifié la liste du commissaire du bord, procédure à laquelle elle tenait, pour être certaine qu'il n'y aurait pas de conflits d'intérêts embarrassants, et elle avait remarqué ce Matthew Canfield, directeur d'une société qui faisait dans le sport et achetait beaucoup en Angleterre. Quelqu'un avec des relations, avait-elle songé.

De toute manière, il était charmant. Un homme jeune très superficiel, croyait-elle, et probablement très bon vendeur, ce qu'il avait admis.

Vers la fin du dîner, un officier s'approcha de son fauteuil. Il y avait un télégramme pour elle.

« Vous pouvez me l'apporter ici? », dit Elizabeth d'un ton ennuyé.

L'officier se pencha pour lui chuchoter quelque chose.

« Très bien, dit-elle en se levant.

— Puis-je vous être d'une aide quelconque, madame Scarlatti? demanda Matthew Canfield, vendeur superficiel, en se levant en même temps que tous les gens présents à la table.

— Non, merci.

— Vous en êtes bien sûre?

— Tout à fait, merci. »

Elle suivit l'officier et sortit de la salle à manger.

Dans la salle radio, on montra à Elizabeth une table derrière un comptoir et on lui tendit le télégramme. Elle remarqua les instructions en haut : URGENT. La destinataire doit répondre immédiatement.

Elle se tourna vers l'officier qui l'avait accompagnée.

« Je vous demande pardon. J'ignorais que vous exécutiez un ordre. »

Elle se mit à lire le reste du télégramme :

MADAME ELIZABETH SCARLATTI / HMS CALPURNIA / EN MER VICE-PRÉSIDENT JEFFERSON CARTWRIGHT DÉCÉDÉ / STOP / CAUSE DE LA MORT INCERTAINE / STOP / AUTORITÉS SOUPÇONNENT CIRCONSTANCES ANORMALES / STOP / AVANT DÉCÈS CARTWRIGHT A RENDU PUBLIQUE SA PROMOTION FONDATION SCARWYCK / STOP / NOUS N'AVONS AUCUNE TRACE D'UNE TELLE POSITION ET POURTANT INFORMATION PROVIENT DE SOURCES FIABLES / STOP / DÉSIREZ-VOUS FAIRE UN COMMENTAIRE OU DONNER INSTRUCTIONS QUELCONQUES / STOP / ÉPISODE TRÈS TRAGIQUE ET EMBARRASSANT POUR CLIENTS WATERMAN TRUST / STOP / NOUS N'AVIONS PAS CONNAISSANCE D'ACTIVITÉS LOUCHES

224

DE CARTWRIGHT / STOP / ATTENDONS VOTRE RÉPONSE / STOP / HORACE BOUTIER PRÉSIDENT WATERMAN TRUST.

Elizabeth était sidérée. Elle câbla à Boutier que toutes déclarations devant être faites par les Industries Scarlatti devraient être rédigées par Chancellor Drew Scarlett ceci pas avant une semaine. D'ici là, pas de commentaire.

Elle envoya un second télégramme à Chancellor Drew :

C.D. SCARLETT, 129 EST SOIXANTE-DEUXIÈME RUE, NEW YORK. CONSIDÉRANT JEFFERSON CARTWRIGHT PAS DE COMMENTAIRES JE RÉPÈTE PAS DE COMMENTAIRES NI PUBLICS NI PRIVÉS JUSQU'À CE QUE NOUS SOYONS EN CONTACT DEPUIS L'ANGLETERRE / STOP / JE RÉPÈTE PAS DE COMMENTAIRES / STOP / AFFECTIONNÉE COMME TOUJOURS, MÈRE.

Elizabeth sentit qu'il lui fallait réapparaître à table, ne fût-ce que pour atténuer l'effet de cet incident. Mais en marchant lentement le long des coursives derrière l'officier du pont, il lui vint progressivement une appréhension concernant cet incident. Etait-ce un avertissement? Elle élimina immédiatement la possibilité que des activités « louches » de Cartwright aient pu causer son assassinat. C'était une plaisanterie.

Maintenant, ce à quoi Elizabeth devait se préparer, c'était la découverte des accords passés entre Cartwright et elle. Il pourrait y avoir plusieurs explications, qu'elle fournirait sans beaucoup chercher. Bien évidemment, quoi qu'elle dise, le consensus serait qu'elle vieillissait. Un tel accord avec un homme pareil était une preuve d'excentricité qui frisait l'incompétence.

Cela lui importait peu. Elizabeth Scarlatti se fichait de l'opinion des autres.

Ce qui importait, très profondément, c'était la cause de sa peur soudaine : le fait que l'on puisse ne jamais retrouver le contrat signé.

De retour à la table du capitaine, elle coupa court à toute interprétation de son absence en avouant sincèrement et brièvement qu'un de ses fidèles directeurs était décédé, un homme qu'elle appréciait beaucoup. Comme elle ne paraissait pas vouloir s'étendre sur le sujet, ses compagnons lui exprimèrent leur sympathie, puis, après une pause appropriée, reprirent leur conversation. Le commandant du *Calpurnia*, un Anglais obèse aux sourcils broussailleux et aux bajoues énormes, fit remarquer avec pertinence que la perte d'un excellent directeur ressemblait au transfert d'un officier en second bien entraîné.

Le jeune homme assis près d'Elizabeth se pencha vers elle et dit doucement :

« On le croirait sorti tout droit d'une *Histoire de la Marine*, non ? »

La vieille dame sourit, agréablement surprise par cette complicité. Un ton au-dessous du brouhaha des conversations, elle répondit tout aussi doucement.

« Le roi de la mer. Vous ne le voyez pas en train d'ordonner qu'on fouette le mousse ?

— Non, répondit le jeune homme, mais je le vois très bien en train d'essayer de sortir de sa baignoire, c'est plus drôle.

— Vous êtes pervers. Si nous heurtons un iceberg, je vous éviterai.

— Vous ne pourrez pas. Je serai dans le premier canot de sauvetage et il y aura certainement quelqu'un à cette table qui vous aura réservé une place », dit-il avec un sourire désarmant.

Elizabeth rit. Le jeune homme l'amusait et c'était assez rafraîchissant d'être traitée avec un fond d'insolence humoristique. Ils bavardèrent plaisamment sur les différents itinéraires qui les attendaient en Europe. Il était assez fascinant de voir qu'aucun d'eux n'avait l'intention de dire quoi que ce soit d'important à l'autre.

Le dîner achevé, la troupe des passagers importants se rendit dans la salle de jeu et se répartit par couples pour jouer au bridge.

« Je présume que vous jouez terriblement mal, dit Canfield en souriant, et comme je suis plutôt bon, je vous aiderai.

— Difficile de refuser une invitation aussi flatteuse. »

Puis il lui demanda qui était mort.

« Quelqu'un que j'aurais pu connaître?

— J'en doute, jeune homme.

— On ne sait jamais. Qui était-ce?

— Pourquoi diable connaîtriez-vous un obscur directeur de ma banque?

— Apparemment, ça avait l'air de quelqu'un d'important.

— J'imagine que certains le pensaient, oui.

— Eh bien, s'il était assez riche, je lui ai peut-être vendu un court de tennis un jour?

— Vraiment, monsieur Canfield, vous exagérez », dit Elizabeth en riant.

Pendant la partie, Elizabeth remarqua que le jeune Canfield, bien qu'il ait le flair d'un joueur de première catégorie, n'était pas si bon que ça. A un moment il fit le mort sans nécessité réelle, mais elle mit cela sur le compte d'une certaine courtoisie à son égard. Il demanda au steward une marque particulière de cigares, et se voyant proposer une autre marque, il s'excusa, disant qu'il allait chercher les siens dans sa cabine.

Elizabeth se souvint qu'à table, au café, ce charmant M. Canfield avait ouvert un paquet tout neuf de ces cigares.

Il revint quelques minutes plus tard. Le tour était fini et il s'excusa en expliquant qu'il avait aidé un vieux monsieur, légèrement barbouillé par la houle, à regagner sa cabine.

Leurs adversaires le complimentèrent, mais Elizabeth ne dit rien. Elle se contenta de regarder le jeune homme, avec un mélange de satisfaction et de crainte. Elle remarqua qu'il évitait son regard.

Le jeu finit tôt. La houle secouait maintenant le *Calpurnia* d'une façon assez désagréable. Canfield escorta Elizabeth jusqu'à sa suite.

« C'était charmant de votre part, dit-elle. Je vous libère maintenant, au profit de la jeune génération. »

Canfield sourit.

« Si vous voulez, mais vous me condamnez à l'ennui, vous savez.

— Les temps ont bien changé, ou bien est-ce les jeunes gens?

— Peut-être. »

Il semblait à Elizabeth que l'idée de partir lui déplaisait.

« Eh bien, une vieille dame vous remercie.

— Et un homme plus si jeune vous remercie également. Bonne nuit, madame Scarlatti. »

Elle le retint.

« Cela vous intéresse toujours de savoir qui était l'homme qui est mort?

— J'ai compris que vous ne vouliez pas me le dire. Cela n'a aucune importance. Bonne nuit.

– Il s'appelait Cartwright, Jefferson Cartwright. Vous le connaissiez? »

Elle l'observait avec attention.

« Non, désolé. »

Son regard était franc et parfaitement innocent.

« Bonne nuit, jeune homme. »

Elle entra dans sa suite et referma la porte. Elle entendit le bruit de ses pas qui s'éloignaient dans la coursive. Il avait l'air pressé.

Elizabeth ôta son veston et traversa la grande cabine aux lourds meubles fixés au sol. Elle alluma une lampe vissée à la table de nuit et s'assit sur le grand lit. Elle essayait de se rappeler plus en détail ce que le capitaine avait dit de ce jeune homme quand il lui avait présenté la liste de ses compagnons de table.

« Et puis il y a ce gaillard, Canfield, un homme qui a beaucoup de relations, madame... »

Elizabeth n'avait pas plus prêté attention à cette brève biographie qu'aux autres.

« Il est associé dans une société qui vend des articles de sport et fait très souvent la traversée. Wimbledon, je crois. »

Puis, si la mémoire d'Elizabeth était fidèle, le capitaine avait ajouté :

« Il s'est embarqué sur une requête prioritaire de la compagnie. Probablement le fils d'un des directeurs. Universitaire et tout. Il a fallu décommander le docteur Barstow pour lui. »

Elizabeth avait donné son accord sans problème.

Ainsi ce jeune homme avait atterri à sa table à la requête des propriétaires d'une compagnie maritime anglaise. Et le gros capitaine, accoutumé aux grands des deux continents et à leurs caprices, s'était senti obligé de lui donner la place d'un chirurgien célèbre.

Sans peut-être d'autre arrière-pensée qu'étancher son infatigable imagination, Elizabeth décrocha le téléphone et demanda la salle radio.

« *Calpurnia* radio, bonsoir. »

L'accent britannique ramenait le mot bonsoir à un simple humhum.

« Elizabeth Scarlatti, suite deux A, 3. Puis-je parler à l'officier de service, s'il vous plaît.

– Officier de pont Peters, madame. Puis-je vous aider?

– Etes-vous l'officier qui était de service plus tôt dans la soirée?

– Oui, madame. Vos télégrammes pour New York ont été envoyés immédiatement. Ils devraient être chez leurs destinataires dans une heure.

– Merci, mais ce n'est pas pour cela que je vous appelle... J'ai peur d'avoir manqué quelqu'un que je devais retrouver dans la salle radio. Est-ce que quelqu'un m'a demandée? »

Elle écoutait attentivement, cherchant la moindre trace d'hésitation. Il n'y en avait aucune.

« Non, madame, personne ne vous a demandée.

– Eh bien, il a dû se sentir bien embarrassé. Je me sens un peu coupable.

– Je suis désolé, madame Scarlatti. En dehors de vous-même, il n'y a eu que trois passagers ici ce soir. C'est la première nuit, vous savez.

– Puisqu'il n'y en avait que trois, cela vous ennuierait de me les décrire?

– Mais pas du tout... Eh bien, nous avons eu un couple de touristes âgés et un gentleman un peu éméché, je dois dire, qui voulait le répertoire des appels.

– Le quoi?

230

« – Le répertoire, madame. Nous en établissons trois par jour pour les premières classes. A dix, douze et deux heures. Gentil garçon, vraiment. Juste un peu parti.

– Il était jeune? Presque la trentaine, en tenue de soirée?

– Cette description est parfaite madame.

– Merci, officier Peters. C'est une affaire sans importance, mais je vous remercie d'avance pour votre discrétion.

– Bien entendu, madame. »

Elizabeth se leva et passa au salon. Son partenaire au bridge n'était peut-être pas très habile aux cartes mais c'était un fantastique acteur.

19

MATTHEW CANFIELD se dépêchait de parcourir la coursive pour une raison bien simple. Son estomac se soulevait au rythme de la houle. Peut-être que la foule au bar lui ferait du bien. Il se fraya un passage et commanda un cognac.

« Sacrée soirée, hein ? »

Un énorme type, bâti comme un pilier de rugby, coinçait Canfield contre le bar.

« Vraiment, répondit Canfield machinalement.

– Je vous connais ! Vous étiez à la table du capitaine. On vous a vu au dîner.

– Très bonne table.

– Vous savez quoi ? J'aurais pu y être, à la table du capitaine, mais j'ai dit merde.

– Eh bien, cela nous aurait fait un excellent hors-d'œuvre.

– Non, je veux dire vraiment merde ! »

Son accent, pensa Canfield, manquait de distinction.

« J'ai un de mes oncles qu'a un tas d'actions. Mais j'ai dit merde !

– Vous pouvez prendre ma place, si vous voulez. »

Le pilier recula légèrement et s'agrippa au bar.

« C'est bien trop léger pour nous. Hé! barman! bourbon et ginger ale! »

Le pilier parvint à retrouver l'équilibre vers Canfield. Ses yeux étaient vitreux et hagards. Ses cheveux très blonds lui tombaient sur le front.

« Qu'est-ce que tu fais, mon pote? T'es encore à la fac?

— Merci du compliment. Non, je suis chez Wimbledon Sports. Et vous? »

Canfield se remit sur son tabouret, tournant la tête pour surveiller la foule.

« Godwin et Rawlins. Mon beau-père possède l'ensemble. La cinquième plus grosse maison de la ville.

— Très impressionnant.

— C'est quoi ton truc?

— Quoi?

— Ton truc. Qu'est-ce qui fait que t'es à la grande table?

— Oh! des amis dans la compagnie, je crois. Nous travaillons beaucoup avec des firmes anglaises.

— Wimbledon, c'est à Detroit, ça, non?

— A Chicago.

— Ah! ouais. Et ça marche les petites raquettes?

— On est solvables. »

Canfield prononça cette dernière remarque presque agressivement, en regardant bien cet adonis blond et ivre.

« T'énerve pas! Comment tu t'appelles? »

Canfield allait répondre lorsque son regard tomba sur la cravate de l'ivrogne. Il ne savait pas pourquoi. Puis Canfield remarqua ses boutons de manchettes. Ils étaient, eux aussi, assez larges, rayés de couleurs aussi intenses que la cravate. Ces couleurs étaient rouge sang et noir.

« T'as perdu ta langue?

« – Quoi ?

– Comment tu t'appelles ? Moi, c'est Boothroyd. Chuck Boothroyd. »

Il s'agrippa à nouveau au bar pour retrouver son équilibre à nouveau perdu.

« Alors, comme ça, on bosse dans le tennis ? »

Boothroyd hoqueta et sembla sombrer dans une demi-torpeur.

L'agent décida que le cognac ne lui faisait aucun bien, il se sentait de plus en plus malade.

« Oui, je me débrouille. Ecoutez, mon vieux, je ne me sens pas bien. Ne vous vexez pas, mais je crois que je ferais mieux de rentrer avant d'avoir un accident. Bonne nuit, monsieur...

– Boothroyd.

– C'est ça. Bonne nuit. »

Boothroyd entrouvrit les yeux et fit un petit salut de la main en attrapant son verre. Canfield fit une sortie rapide et chancelante.

« Chucksie ! Chéri ! »

Une femme brune se cogna franchement dans Boothroyd très éméché.

« Tu disparais à chaque fois que j'essaie de te trouver !

– Né fais pas ta pouffiasse, mon amour.

– Je le ferai chaque fois que tu t'en iras ! »

Le barman se découvrit du travail en retard à l'autre bout du comptoir et s'éloigna rapidement.

M. Boothroyd regarda sa femme et pendant une seconde son déséquilibre disparut. Il fixa son regard sur elle et ses yeux n'étaient plus vitreux, mais, au contraire, complètement en alerte. Pour qui les aurait observés, le couple avait l'air de n'être que mari et femme se disputant au sujet de la quantité d'alcool ingurgitée par le mari, mais avec cette violence sourde qui éloigne les intrus. Bien qu'il se tînt toujours penché en avant, Chuck Boothroyd s'exprima clairement dans le vacarme des conversations. Il était absolument sobre.

« Pas à s'inquiéter, chérie.

– Tu en es certain?

– Positif.

– Qui est-ce?

– Un vendeur en pleine réussite. Il cherche à sucer des affaires, c'est tout.

– Si c'est un vendeur, pourquoi l'a-t-on placé à table à côté d'elle?

– Allons, arrête, tu es malade.

– Juste prudente.

– Je vais t'expliquer. Il travaille pour les magasins de sport Wimbledon, à Chicago. Ils importent la moitié de leurs trucs d'un tas de sociétés anglaises. »

Boothroyd s'arrêta comme s'il expliquait quelque chose à un enfant.

« Ceci est un bateau britannique. La vieille dame est une sacrée relation à se faire. En plus, il est soûl comme une bourrique et malade comme deux bêtes.

– J'en veux une gorgée, dit Mme Boothroyd en prenant le verre de son mari.

– Sers-toi.

– Quand vas-tu le faire?

– Dans une vingtaine de minutes.

– Pourquoi faut-il que ce soit ce soir?

– Tout le bateau est ivre mort et il y a une gentille petite tempête dehors. Ceux qui ne sont pas beurrés sont en train de vomir leurs tripes. Et vice versa.

– Qu'est-ce que tu veux que je fasse?

– Tu me frappes, une bonne claque en pleine figure, puis tu retournes voir les gens avec qui tu étais et tu continues à rigoler. Dis-leur que quand j'ai atteint ce stade d'ébriété, je ne vais pas tarder à m'écrouler. Dans quelques minutes je vais tomber dans les pommes, là, sur le plancher. Trouve deux types, ou trois, pour me ramener à ma cabine.

— Je ne sais pas si qui que ce soit est encore assez sobre pour faire ça.

— Prends le steward, alors, ou le barman. C'est même mieux. Le barman. Je lui en ai fait baver ce soir.

— Très bien. Tu as la clef?

— Ton père me l'a donnée sur le quai ce matin. »

20

CANFIELD atteignit sa cabine en songeant qu'il allait vraiment être malade. Le bateau roulait et tanguait. Il se demanda pourquoi les gens plaisantaient au sujet du mal de mer. Il ne trouvait pas ça drôle du tout. Même dans les dessins animés cela ne le faisait pas rire.

Il s'effondra sur son lit, n'ôtant que ses chaussures. Il constata avec soulagement que le sommeil n'allait pas tarder. Après vingt-quatre heures de mauvaise mer ininterrompues.

Puis on commença à frapper.

D'abord doucement, si doucement que, pour toute réaction, Canfield se tourna sur sa couchette. Puis de plus en plus fort et vite. C'étaient des petits coups secs, comme tapés d'une seule phalange et ces sons aigus résonnaient dans toute la cabine.

Canfield, à moitié endormi, appela.

« Qu'est-ce que c'est?

– Vous feriez mieux d'ouvrir la porte.

– Qui est là? »

Les coups reprirent de plus belle.

« Bon sang, arrêtez! J'arrive! »

Il lutta pour se mettre sur ses pieds et s'avança jusqu'à la porte. Il y eut une autre lutte pour parvenir à ouvrir la serrure. Un opérateur radio en uniforme bondit dans la cabine.

« Bon Dieu, mais qu'est-ce que vous voulez?

— Vous m'aviez dit de venir dans votre cabine si j'avais quelque chose qui en valait la peine. Vous savez.

— Et alors?

— Eh bien, vous ne croyez quand même pas qu'un marin anglais va se mettre à table gratuitement, non?

— Combien?

— Dix sacs.

— Au nom du Ciel, qu'est-ce que ça fait?

— Cinquante dollars pour vous.

— C'est fichtrement cher!

— Ça les vaut.

— Vingt dollars.

— Allons! marchanda le cockney.

— Trente, pas plus. »

Canfield se retournait vers son lit.

« Vendu! Filez-moi le cash. »

Canfield sortit son portefeuille et tendit au type trois billets de dix dollars.

« Vous avez été démasqué. Par Mme Scarlatti », dit le marin. Puis il partit.

Canfield se passait la figure à l'eau froide pour se réveiller et soupesait les différentes possibilités.

Il avait été découvert et n'avait même pas un bon alibi. En tout état de cause, il ne servait plus à rien. Il allait devoir être remplacé et cela prendrait du temps. Le moins qu'il puisse faire c'était d'empêcher la vieille dame de savoir d'où il venait.

Il aurait vraiment voulu que Benjamin Reynolds soit là, avec un bon conseil, une bonne idée. Puis il se souvint de ce que Reynolds avait dit un jour à un collègue qui avait été découvert : « Servez-vous d'une partie de la vérité. Voyez si ça aide. Trouvez une raison à ce que vous êtes en train de faire. »

Il quitta sa cabine et monta les marches jusqu'au pont A. Il trouva la suite d'Elizabeth Scarlatti et frappa à la porte.

Charles Connaway Boothroyd, vice-président de Godwin et Rawlins, tomba dans les pommes au milieu du bar des premières.

Trois stewards, deux fêtards bourrés, sa femme et un officier qui passait par là entreprirent de traîner son énorme corps jusqu'à sa cabine. En riant, ils lui ôtèrent ses immenses chaussures et le couvrirent d'un plaid.

Mme Boothroyd fit apporter deux bouteilles de champagne pour les sauveteurs. Elle en avala un plein verre à eau.

Les stewards et l'officier ne burent que sur la grande insistance de Mme Boothroyd et partirent dés qu'ils le purent. Néanmoins pas avant qu'elle ne les ait vraiment persuadés que son mari était inconscient.

Seule avec les deux volontaires, Mme Boothroyd s'assura que le champagne était bien fini.

« Qui de vous deux a une cabine tranquille? »

Il s'avéra qu'un seul des deux étaient célibataire. La femme du second était quelque part sur le bateau.

« Qu'elle aille se faire voir et continuons tout seuls! Vous croyez que vous vous en sortirez, à vous deux? » dit-elle d'un ton de défi à ses deux interlocuteurs.

Ils répondirent comme un seul homme, secouant

la tête comme des hamsters qui ont trouvé un fromage.

« Je vous préviens. Je vais relever mes jupes pour vous deux! »

Mme Boothroyd chancelait en ouvrant la porte.

« Mon Dieu, j'espère que ça ne vous dérange pas de regarder l'autre? Moi, j'adore! »

Les deux hommes s'écrasèrent presque pour passer en même temps la porte derrière elle.

« Pouffiasse », murmura Charles Connaway Boothroyd.

Il enleva la couverture et mit son pantalon. Puis il fouilla dans un tiroir et en sortit l'un des bas de sa femme.

Comme pour un exercice, il passa le bas sur son visage, se leva et se regarda dans une glace. Il était content de ce qu'il voyait. Il enleva le bas et ouvrit une valise.

Sous diverses chemises, se trouvaient une paire de chaussures de tennis et une fine cordelette élastique d'environ un mètre.

Charles Connaway Boothroyd laça ses tennis, la cordelette posée à ses pieds. Il passa un pull noir sur sa chemise. Il souriait. C'était un homme heureux.

Elizabeth Scarlatti était déjà couchée quand elle entendit frapper. Elle avança la main vers sa table de nuit et saisit un petit revolver.

Elle se leva, alla jusqu'à la porte.

« Qui est là? demanda-t-elle, fort.

– Matthew Canfield. J'aimerais vous parler. »

Elizabeth était embarrassée. Elle ne s'était pas attendue à cela et cherchait ses mots.

« Je suis certaine que vous avez un peu trop bu,

monsieur Canfield. Cela ne peut pas attendre demain matin ? »

Elle n'avait pas l'air convaincue elle-même.

« Vous savez très bien que je n'ai pas bu et cela ne peut pas attendre. Je crois que nous devrions parler. »

Canfield comptait sur le vent et le bruit de la mer pour étouffer le son de sa voix. Il comptait aussi sur le fait qu'il avait soudain assez à faire pour s'empêcher d'être malade.

Elizabeth s'approcha de la porte.

« Je ne vois pas une seule raison valable pour que nous parlions à cette heure-ci. J'espère ne pas avoir à appeler le commissaire du bord !

— Bon Dieu, madame, allez-vous m'ouvrir ! Ou dois-je appeler la police, *moi*, et leur dire qu'on va courir tous les deux l'Europe aux trousses d'un type qui se balade avec des millions en valeurs dont, en passant, je ne verrai jamais la couleur.

— Que dites-vous ? »

Elizabeth était collée à la porte.

« Ecoutez, madame Scarlatti. »

Matthew avait fait un cercle avec ses mains autour de sa bouche, contre le bois de la porte.

« Si mes informations sont exactes vous avez un revolver. Très bien. Ouvrez la porte et si je n'ai pas les mains au-dessus de la tête, ou s'il y a qui que ce soit derrière moi, ouvrez le feu ! Je peux difficilement être plus fair-play ! »

Elle ouvrit la porte et Canfield était là, avec pour unique pensée la conversation imminente qui allait l'empêcher de mourir du mal de mer. Il referma la porte et Elizabeth Scarlatti se rendit compte de son état. Comme toujours, son sens des priorités en cas d'urgence fit merveille.

« Vous pouvez utiliser ma salle de bain, monsieur

Canfield. Elle est là. Remettez-vous et nous parlerons. »

Charles Connaway Boothroyd fourra deux oreillers sous la couverture de son lit. Il ramassa sa corde et fit claquer la boucle comme un lasso. Le craquement des fibres faisait une agréable musique à ses oreilles. Il mit le bas de soie de sa femme dans sa poche et quitta silencieusement sa cabine. Comme il était sur le pont A, à tribord, il n'avait qu'à faire le tour du pont-promenade pour atteindre son but. Il vérifia l'ampleur du roulis et du tangage du navire sur la mer agitée et détermina très vite le moment précis où il faudrait balancer un corps humain à l'eau sans qu'il risque de toucher la coque. Boothroyd était un véritable professionnel. Bientôt, tous reconnaîtraient sa valeur.

Canfield sortit de la salle de bain d'Elizabeth Scarlatti en se sentant nettement mieux. Elle l'observait, assise dans un fauteuil à l'autre bout de la pièce et pointait son revolver directement sur lui.

« Si je m'assieds, vous cesserez de me menacer avec cette saleté? dit-il.

– Probablement pas. Mais asseyez-vous et nous verrons. »

Canfield se posa sur le coin du lit et pivota pour lui faire face. La vieille dame arma le chien de son revolver.

« A la porte, vous avez parlé de quelque chose, monsieur Canfield, et ce quelque chose est la seule et unique raison qui fait que ce revolver n'a pas encore servi. Auriez-vous l'amabilité de poursuivre?

– Oui. La première chose que je dois vous dire, c'est que je ne suis pas... »

Canfield s'arrêta net.

La serrure de la porte de la cabine bougeait. Quelqu'un essayait d'entrer silencieusement. L'agent tendit instinctivement la main à la vieille dame qui lui remit immédiatement son revolver.

Très vite, Canfield, gentiment mais avec fermeté, l'attira vers le lit. D'un regard il lui donnait des instructions qu'elle acceptait de suivre.

Elle s'allongea sur le lit avec, pour toute lumière, celle de la petite lampe de chevet, tandis que Canfield se plaçait dans l'ombre derrière la porte. Il lui fit signe de fermer les yeux, ordre qu'il ne s'attendait pas vraiment à la voir exécuter, mais elle obéit. Elizabeth laissa rouler sa tête au travers de son oreiller. Un journal était ouvert, à quelques centimètres de sa main droite. Elle avait l'air de s'être endormie en lisant.

La porte de la cabine s'ouvrit et se referma à toute vitesse.

Canfield se colla le dos au mur et serra le petit pistolet dans sa main. Entre la porte et la cloison, un espace permettait à Canfield de regarder dans l'entrée. Il se rendit compte que l'intrus avait le même avantage, sauf que Canfield était dans l'obscurité et, il l'espérait, sa présence était totalement inattendue.

C'est alors qu'il aperçut le visiteur et sa gorge se serra involontairement, en partie à cause de la surprise, en partie à cause de la peur.

L'homme était énorme, plus grand que Canfield, un torse et des épaules très larges. Il portait un pull noir, des gants noirs et sa tête était recouverte de quelque chose de translucide, probablement un bas, qui lui donnait une apparence inhumaine, étrange, aplatissant ses traits.

L'intrus passa la porte de la chambre et se planta au pied du lit, à un mètre devant Canfield. On aurait dit qu'il évaluait la vieille dame en sortant une fine cordelette de la poche de son pantalon.

Il avança vers la gauche du lit, se pencha en avant.

Canfield bondit, écrasa de tout son poids le revolver sur la tête de l'intrus. L'impact du coup fit éclater immédiatement le cuir chevelu et un jet de sang se répandit sous la soie du bas. L'intrus tomba en avant, se rattrapa dans sa chute avec ses mains et pivota en un éclair pour faire face à Canfield. Il n'eut qu'une demi-seconde de stupéfaction.

« Vous! » Ce n'était pas une exclamation, plutôt de la reconnaissance. « Espèce de salopard! »

La mémoire de Canfield se mit à courir en tous sens, passant en revue des moments et des événements, et pourtant, il n'avait pas la moindre idée de l'identité de ce type bâti comme un colosse. Mais il était visible qu'il aurait dû le connaître. Et le fait qu'il ne le reconnaisse pas était particulièrement dangereux.

Mme Scarlatti, ramassée contre l'appui de son lit, observait la scène, effrayée mais sans panique. Elle était plutôt en colère devant une situation qu'elle ne pouvait pas contrôler.

« Je vais appeler la police du bord, dit-elle calmement.

— Non! lui ordonna sèchement Canfield. Ne touchez pas à ce téléphone, s'il vous plaît.

— Vous êtes fou, jeune homme!

— Tu veux marchander, mon vieux? » demanda l'homme masqué.

Sa voix aussi était vaguement familière. L'agent

posa le canon de son revolver sur la tempe de l'inconnu.

« Pas de marchandage. Enlève ce masque de carnaval. »

L'homme leva lentement ses deux mains.

« Non, mon pote! Une seule main. Assieds-toi sur l'autre, la paume en haut!

– Petit malin, hein, dit l'intrus en baissant un bras.

– Monsieur Canfield, j'insiste! Cet homme est entré dans ma cabine. Dieu sait qu'il voulait probablement me voler ou me tuer. Pas vous. Je dois appeler les autorités compétentes! »

Canfield ne savait pas vraiment comment faire pour que la vieille dame comprenne. Il n'était pas du genre héroïque, et la pensée de s'en remettre aux autorités était assez tentante. Mais cela les protégerait-il? Et même dans ce cas, ce colosse à ses pieds était le seul lien que lui ou le Groupe Vingt pouvait avoir avec Ulster Scarlett. Canfield se rendit compte que, si on appelait la police du bord, l'intrus passerait simplement pour un voleur et serait sacrifié par ceux qui l'avaient envoyé. Il était toujours possible qu'il soit un voleur, mais Canfield en doutait.

Assis aux pieds de Canfield, Charles Boothroyd en arrivait aux mêmes conclusions quant à son futur. L'idée de l'échec associé à la prison commença à déclencher un désespoir menant à des actes incontrôlables, irréparables.

Canfield s'adressa calmement à la vieille dame.

« J'attire votre attention sur le fait que ce monsieur n'a pas forcé votre porte. Il a enclenché la serrure, ce qui veut dire qu'on lui avait fourni une clef.

– C'est vrai! J'avais une clef! Tu vas pas faire une bêtise, hein, mon pote? On peut s'arranger. Je peux te filer cinquante fois ce que tu gagnes en vendant tes raquettes! Ça te dit? »

Canfield scrutait le visage masqué. Encore un détail désagréable. Connaissait-on sa couverture? La douleur qui lui envahit soudain l'estomac venait de l'impression qu'ils étaient peut-être deux à être sacrifiés dans cette cabine.

« Enlève ce bon Dieu de masque!

– Monsieur Canfield, des milliers de passagers ont voyagé sur ce bateau. Se procurer une clef est l'enfance de l'art. Je dois insister... »

La vieille dame n'eut pas le temps d'achever sa phrase. L'énorme main droite de l'intrus avait saisi le pied de Canfield. Canfield tira et toucha l'homme à l'épaule en tombant. L'arme était un petit calibre peu bruyant.

La main du type lâcha brusquement la cheville de Canfield pour se porter à l'épaule où la balle était entrée. Canfield se redressa rapidement et envoya de toutes ses forces un coup de pied vers la tête de l'homme. Le bout de sa chaussure de cuir atteignit la base du cou et arracha un lambeau de chair sous le bas de soie. Pourtant, l'homme se redressait, fonçait sur Canfield, dans la position d'un pilier de rugby, essayait de le bloquer à la taille. Canfield ouvrit le feu à nouveau. Cette fois la balle frappa l'homme au flanc. Canfield se colla au mur tandis que son adversaire s'écroulait à genoux, sifflant, presque à l'agonie, les muscles éclatés sous l'impact de la balle.

Canfield se pencha pour arracher le masque de soie couvert de sang, mais le géant, à genoux, lança son bras gauche vers lui le clouant au mur. Canfield le frappa de la crosse de son revolver, essayant en même temps de s'arracher à cette poigne d'acier. En tirant sur le poignet de l'homme, il arracha un morceau de la manche de son pull noir. Sur la manche blanche de la chemise, Canfield aperçut un gros bouton de manchette, rayé de diagonales noires et rouges.

Canfield perdit une précieuse seconde à assimiler cette information. Cet homme, sanguinolent, blessé, grognant de douleur et de désespoir, Canfield le connaissait. Il était profondément troublé. Tentant de maintenir son bras droit en place, il visa soigneusement la rotule. Ce n'était pas facile. L'énorme bras de Boothroyd lui écrasait maintenant le bas-ventre avec la force d'un piston. Au moment où il allait presser la détente, Boothroyd se releva d'un coup, se jetant de tout son poids contre Canfield qu'il aplatit contre le mur. Canfield tira, plus par réflexe qu'autre chose. La balle pénétra dans l'estomac de Boothroyd.

Il s'écroula.

Matthew Canfield, d'un coup d'œil, aperçut la vieille dame qui se saisissait du téléphone. Il sauta par-dessus le blessé et lui arracha l'appareil. Il remit le combiné en place.

« S'il vous plaît! Je sais ce que je fais!

– Vous en êtes certain?

– Oui. Croyez-moi!

– Mon Dieu! Attention! »

Canfield s'écarta d'un bond. Boothroyd s'était relevé et lui fonçait dessus, les deux poings serrés en une énorme massue. Il avait manqué lui briser la colonne vertébrale d'un seul coup. Il trébucha, heurta le bord du lit et tomba. Canfield écarta la vieille dame et braqua son revolver sur son assaillant.

« Je ne sais pas comment tu arrives à faire ça, mais si tu ne t'arrêtes pas, la prochaine balle je te la mets dans le crâne! C'est compris, mon pote? »

Canfield songeait qu'il était le seul membre du groupe d'intervention qui manquait régulièrement les séances d'entraînement au tir.

Allongé sur le plancher, la vision floue à cause de la douleur et du voile soyeux ensanglanté qui lui couvrait le visage, Charles Boothroyd savait qu'il était proche de la fin. Son souffle s'épuisait. Le sang envahissait ses poumons. Il ne lui restait qu'un espoir : regagner sa cabine, retrouver sa femme. Elle saurait quoi faire. Elle paierait une fortune au médecin du bord pour le remettre sur pied. Et *ils* comprendraient. Aucun homme ne pouvait subir ce genre de punition et se faire soupçonner d'avoir volontairement échoué dans sa mission.

D'un effort surhumain il se releva. Il murmurait des mots incohérents en se tenant au lit.

« N'essaie pas de te lever, mon pote. Réponds juste à une question, dit Canfield.

— Quoi... Quoi?

— Où est Scarlett? »

C'était une course contre la montre : l'homme allait s'évanouir d'une seconde à l'autre.

« Sais pas...

— Est-il en vie?

— Qui?

— Tu sais très bien qui! Scarlett! Son fils! »

Epuisant ses dernières forces, Boothroyd accomplit l'impossible. Saisissant le matelas, il parut retomber en arrière, comme s'il allait s'évanouir. Son geste défit les draps et les couvertures, et alors que Canfield s'avançait vers lui, Boothroyd souleva soudain le matelas et le jeta sur l'agent. Pendant que le matelas était vertical, Boothroyd se lança dessus de tout son poids. Canfielf tira et sa balle se perdit dans le plafond. La vieille dame et lui disparurent sous le poids et la poussée de Boothroyd qui, d'un dernier effort, les écrasa contre le mur et le sol puis se releva. Il fit demi-tour, quasiment aveugle, et chancela pour sortir de la chambre. Une fois dans l'autre pièce, il arracha le bas de soie, ouvrit la porte et se précipita au-dehors.

Elizabeth Scarlatti gémissait de douleur en se tenant la cheville. Canfield repoussa le matelas et l'aida à se remettre sur pied.

« Je crois que ma cheville ou mon pied sont cassés. »

Canfield n'avait qu'une idée : courir après Boothroyd. Mais il ne pouvait pas laisser la vieille dame comme ça. D'ailleurs, s'il la laissait, elle allait se jeter sur le téléphone et là, ça n'allait plus du tout.

« Je vais vous porter, dit-il.

– Pour l'amour du Ciel, remettez le matelas d'abord. Je suis fragile! »

Canfield était partagé entre l'envie d'ôter sa ceinture et de lier les mains d'Elizabeth Scarlatti pour courir après Boothroyd et la possibilité de suivre ses instructions. Sa première envie était stupide, il s'en rendit compte. Il remit donc le matelas en place et la posa gentiment sur son lit.

« Comment vous sentez-vous?

– Très mal. » Elle gémit quand il disposa les oreillers derrière elle.

« Je crois que je ferais mieux d'appeler le médecin du bord », dit Canfield, mais sans faire un geste vers le téléphone.

Il tentait de trouver les mots qui la feraient rester tranquille et le laisseraient mener la situation comme il l'entendait.

« Nous avons bien le temps. Vous voulez courir après cet homme, n'est-ce pas? »

Canfield lui jeta un regard sec.

« Oui.

– Pourquoi? Vous pensez qu'il a quelque chose à voir avec mon fils?

– Chaque seconde passée en explications réduit nos possibilités de le découvrir un jour.

– Comment puis-je savoir que vous agissez dans mon intérêt? Vous ne vouliez pas que j'appelle à l'aide quand on en avait vraiment besoin. Vous nous avez presque fait tuer, en fait. Je crois que je mérite quelques explications!

– Pas le temps! S'il vous plaît, faites-moi confiance!

– Pourquoi le ferais-je? »

Les yeux de Canfield tombèrent sur la cordelette abandonnée par Boothroyd.

« Entre autres raisons trop longues à discuter, si je n'avais pas été là, vous seriez morte. »

Il désigna la fine corde sur le plancher.

« Si vous croyez que ceci aurait servi à vous lier les mains, permettez-moi de vous rappeler les avantages qu'il y a à étrangler quelqu'un avec une corde élastique. Vos poignets auraient pu aisément sortir de ceci, mais pas votre gorge », dit-il en brandissant la cordelette devant elle.

Elle le fixait intensément.

« Qui êtes-vous? Pour qui travaillez-vous? »

Canfield se souvint du but de sa visite : lui dire une partie de la vérité. Il avait dans l'idée de raconter qu'il était employé par un groupe privé intéressé par Ulster Scarlett – un magazine, ou une publication quelconque. Dans les circonstances présentes, c'était stupide. Boothroyd n'était pas un voleur. C'était un tueur en mission. Quelqu'un avait décidé de supprimer Elizabeth Scarlatti. Elle ne faisait en aucune façon partie de la moindre conspiration. Maintenant, Canfield avait besoin de toutes les aides possibles.

« Je suis agent du gouvernement des Etats-Unis.

— Oh! mon Dieu! Cet âne de sénateur Brownlee! Si j'avais su!

— Il n'en sait rien non plus, je vous assure. Sans le savoir il nous a mis sur une piste, mais là s'arrête son rôle.

— Et je présume que la moitié de Washington joue aux détectives sans m'informer de quoi que ce soit!

— Si dix personnes à Washington sont au courant, c'est un maximum. Comment va votre cheville?

— Elle survivra, et moi aussi.

— Si j'appelle le docteur, inventerez-vous une histoire pour lui expliquer que vous êtes tombée? Pour que je gagne du temps. C'est tout ce que je vous demande.

— Je vais faire mieux que cela, monsieur Canfield. Je vais vous laisser aller. Nous pourrons appeler un docteur plus tard si besoin est. »

Elle ouvrit le tiroir de sa table de nuit et lui tendit la clef de sa cabine.

Canfield s'avança vers la porte.

« A une condition, dit la vieille dame en élevant suffisamment la voix pour l'arrêter.

— Laquelle?

— Que vous soyez très attentif à une proposition que j'ai à vous faire. »

Canfield, intrigué, se retourna vers elle.

« Quel genre de proposition?

— Que vous travailliez pour moi.

— Je reviens », dit l'agent en s'élançant au-dehors.

21

Trois quarts d'heure plus tard, Canfield revint tranquillement dans la suite d'Elizabeth. Au moment où la vieille dame entendit la clef dans la serrure elle s'écria, avec appréhension :

« Qui est-ce ?

– Canfield. »

Il entra.

« L'avez-vous trouvé ?

– Oui. Puis-je m'asseoir ?

– Je vous prie. Que s'est-il passé ? Monsieur Canfield, pour l'amour du Ciel, expliquez-moi ? Qui est-ce ?

– Il s'appelait Boothroyd. Il travaillait pour un groupe financier new-yorkais. Selon toute évidence, on l'avait engagé pour vous tuer. Il est mort et ses restes sont derrière nous, à environ cinq kilomètres déjà.

– Mon Dieu ! »

La vieille dame s'assit sur son lit.

« Commençons-nous par le commencement ? demanda Canfield.

– Jeune homme, vous rendez-vous compte de ce que vous avez fait ? On va faire des recherches, une enquête ! Le bateau va être en effervescence !

– Oh! oui, il y a quelqu'un qui va être en effervescence, je vous l'accorde. Mais je doute qu'il y ait guère plus d'une enquête de routine et une veuve éplorée et troublée enfermée dans sa cabine.

– Que voulez-vous dire? »

Canfield lui raconta comment il avait trouvé le corps près de la cabine de Boothroyd. Il ne s'étendit pas sur la fouille à laquelle il avait procédé, ni sur la façon dont il avait balancé par-dessus bord le corps, mais il décrivit en détail comment il était retourné au bar pour apprendre que Boothroyd s'était évanoui plusieurs heures auparavant. Le barman, qui exagérait probablement, disait qu'il avait fallu une demi-douzaine d'hommes pour le porter jusqu'à son lit.

« Vous voyez, l'alibi d'acier qu'il s'était forgé devient l'explication la plus logique pour sa... disparition.

– Ils vont fouiller le bateau jusqu'à ce qu'on arrive.

– Non.

– Pourquoi?

– J'ai déchiré un morceau de son pull et je l'ai accroché à la rambarde, en face de sa cabine. Il devient ainsi évident que M. Boothroyd, ivre mort, a tenté de retourner au bar et a eu un tragique accident. Un ivrogne plus un temps pourri, c'est un très fâcheux mélange sur un navire. »

Canfield s'arrêta et réfléchit.

« S'il opérait seul, nous sommes en sécurité. Sinon... »

Il se tut.

« Etait-il nécessaire de le jeter par-dessus bord?

– Vous auriez préféré qu'on le trouve avec quatre balles dans le corps?

– Trois. Il y en a une dans le plafond.

– C'est encore pire. De lui, on serait remonté jusqu'à vous. Et s'il a un collègue à bord, vous seriez morte avant demain matin.

– Je suppose que vous avez raison. Qu'allons-nous faire maintenant?

– Attendre.

– Attendre quoi?

– Attendre que quelqu'un découvre ce qui s'est passé. Peut-être sa femme. Peut-être celui qui lui avait remis la clef. Quelqu'un.

– Vous croyez qu'ils vont s'en apercevoir?

– Je pense que c'est obligatoire si quelqu'un d'autre à bord travaillait avec lui. Pour la bonne raison que tout a foiré.

– Peut-être était-ce juste un cambrioleur?

– Non. C'était un tueur. Sans vouloir vous effrayer. »

La vieille dame regarda Canfield droit dans les yeux.

« Qui est-ce *Ils*, monsieur Canfield?

– Je n'en sais rien. C'est là que commence la discussion.

– Vous croyez qu'ils sont liés à la disparition de mon fils?

– Oui. Pas vous? »

Elle ne répondit pas immédiatement.

« Vous disiez qu'il nous fallait partir du commencement. Où se trouve-t-il, selon vous, ce début?

– Quand nous avons découvert que des millions de dollars de valeurs américaines étaient vendus sur un marché étranger.

– Qu'est-ce que cela a à voir avec mon fils?

– Il était là. Il était dans cette région quand les rumeurs ont commencé. Un an après sa disparition, nous avons reçu des renseignements irréfutables selon lesquels la vente était faite. Il était encore là. Elémentaire, n'est-ce pas?

– Ou pure coïncidence.

– La coïncidence s'est évanouie d'elle-même quand vous m'avez ouvert votre porte il y a une heure. »

Il se cala dans son fauteuil, les yeux mi-clos, et vit que la vieille dame était furieuse mais se contrôlait.

« Ce ne sont que des suppositions, monsieur Canfield.

– Je ne crois pas, puisque nous savons pour qui travaillait l'homme qui voulait vous assassiner – Godwin quelque chose, Wall Street –, je crois que le tableau est assez clair. Quelqu'un d'un groupe financier qui est le cinquième de New York est assez énervé ou a assez peur de vous pour tenter de vous faire assassiner.

– Spéculations!

– Spéculations? Mon œil! J'ai des bleus qui le prouvent!

– Comment Washington a-t-il fait pour relier tous ces faits?

– Washington emploie trop de monde. Nous ne sommes qu'un petit département. Nos travaux ordinaires portent plutôt sur les crimes financiers commis par des officiels.

– Vous êtes inquiétant, monsieur Canfield.

– Pas du tout. Si un oncle de l'ambassadeur de Suède commet un crime dans les importations suédoises, nous préférons tirer cela au clair calmement.

– Maintenant vous paraissez inoffensif.

– Non plus. Je vous l'assure.

– Au sujet de ces valeurs?

– C'est l'ambassadeur en Suède, en fait, sourit

Canfield, qui, je pense, n'a pas le moindre oncle dans l'import-export.

— L'ambassadeur de Suède? Je pensais que vous aviez prononcé le nom du sénateur Brownlee?

— Ce n'est pas moi, c'est vous! Brownlee a fait assez de boucan pour que le ministère de la Justice enferme tous les gens qui avaient connu Ulster Scarlett de près ou de loin. A un moment, nous étions effectivement sur le dossier Scarlett.

— Vous êtes avec Reynolds!

— Une fois de plus c'est vous qui le dites. Pas moi.

— Cessez de finasser! Vous travaillez pour ce Reynolds, n'est-ce pas?

— Il y a une chose en tout cas, c'est que je ne suis pas votre prisonnier et que je n'ai pas à subir de contre-interrogatoire.

— Très bien. Alors, cet ambassadeur de Suède?

— Vous ne le connaissez pas? Vous ne savez rien de Stockholm?

— Oh! Dieu du Ciel, bien sûr que non! »

L'agent la crut.

« Il y a quatorze mois, l'ambassadeur Walter Pond a prévenu Washington qu'un groupe de Stockholm avait offert trente millions de dollars pour un paquet de valeurs américaines, si on pouvait les passer en fraude. Ce rapport était daté du 15 mai. Le visa de votre fils montrait qu'il était entré en Suède le 10 mai.

— C'est bien maigre tout ça! Mon fils était en voyage de noces. Un voyage jusqu'en Suède n'avait rien d'extraordinaire.

— Il était seul, sa femme était restée à Londres. Pour une lune de miel, c'est assez bizarre. »

Elizabeth se redressa.

« C'était il y a plus d'un an. Cet argent n'était qu'une promesse...

— L'ambassadeur Pond a confirmé que la transaction a bien été effectuée.

— Quand?

— Il y a deux mois. Juste après la disparition de votre fils. »

Elizabeth, après une seconde de réflexion, changea de sujet brutalement.

« Avant que vous ne couriez après cet homme, je vous ai posé une question.

— Je m'en souviens. Vous m'avez offert un travail.

— Pourrai-je espérer la coopération de votre agence sur votre seul accord? Nous avons le même objectif. Il n'y a pas de conflit d'intérêt entre nous.

— Que voulez-vous dire?

— Vous est-il possible d'informer votre agence que je vous ai offert volontairement de collaborer? La vérité, monsieur Canfield, presque la vérité. On a attenté à ma vie. Si vous n'aviez pas été là, je serais morte à l'heure qu'il est. Je suis une vieille dame en proie à la peur.

— On en déduirait que vous savez que votre fils est en vie.

— Pas que je le sais, seulement que je le soupçonne.

— A cause de ces valeurs?

— Je refuse d'admettre ça.

— Alors pourquoi?

— Répondez-moi d'abord. Pourrais-je utiliser l'influence de votre agence sans qu'on me pose trop de questions? En n'étant responsable que devant vous.

– Ce qui veut dire que moi je ne serais responsable que devant vous également.

– Exactement.

– C'est possible.

– En Europe aussi?

– Nous avons des accords avec la plupart des...

– Alors voici ce que je vous propose, coupa Elizabeth. J'ajoute que ce n'est pas marchandable... Cent mille dollars. Payés selon des accords mutuels. »

Matthew Canfield fixait la vieille dame si pleine de confiance en elle-même. Il eut peur. Il y avait quelque chose de terrifiant dans la simplicité avec laquelle elle avait mentionné une somme pareille. Il répéta ses mots comme pour lui-même.

« Cent mille dollars...

– Tu étais poussière... murmura Elizabeth, avant d'ajouter : acceptez mon offre, monsieur Canfield, et profitez tranquillement de votre future fortune. »

L'agent avait la tête en feu. Pourtant il ne faisait pas chaud dans cette cabine.

« Vous connaissez ma réponse...

– Oui, c'est bien ce que je pensais... Devenir riche n'implique que quelques modifications mineures. Vous aurez assez d'argent pour être à l'aise, pas assez pour crouler sous les responsabilités... Maintenant, où en étions-nous?

– Quoi?

– Ah! oui. Pourquoi est-ce que je soupçonne mon fils d'être en vie? Sans faire référence aux valeurs dont vous parliez.

– Pourquoi donc?

– D'avril à décembre de l'an passé, mon fils a fait transférer des centaines de milliers de dollars dans des banques un peu partout en Europe. Je crois qu'il a l'intention de vivre de ces sommes. Je suis ces dépôts à la trace. »

Elizabeth se rendit compte que l'agent ne la croyait pas.

« Il se trouve que c'est la vérité.

— Mais pour les valeurs aussi?

— Puisque je parle maintenant à une personne appointée par moi et sachant que je nierai formellement cette conversation... oui.

— Pourquoi nier?

— Bonne question. Je ne crois pas que vous puissiez comprendre, mais je vais essayer de vous expliquer. On ne découvrira pas la disparition de ces titres avant un an. Je n'ai aucun droit légal d'examiner le portefeuille de mon fils avant, sinon ce serait accuser publiquement la famille Scarlatti. Cela détruirait les Industries Scarlatti, cela rendrait toutes transactions suspectes dans toutes les banques. C'est une très lourde responsabilité. Considérant les sommes qui sont en jeu, cela créerait une panique dans des centaines de firmes. »

Canfield atteignait les limites de ses facultés de concentration.

« Qui était Jefferson Cartwright?

— La seule autre personne qui était au courant de la disparition des valeurs.

— Oh! mon Dieu, fit Canfield dans un soupir.

— Croyez-vous vraiment qu'il a été tué pour les raisons invoquées?

— Je ne connais pas ces raisons.

— Des raisons indirectes. C'était un coureur notoire.

— Et vous dites qu'il était la seule autre personne au courant de l'absence des titres? demanda l'agent qui avait l'impression de voir un abîme s'ouvrir sous ses pas.

– Oui.

– Alors je pense que c'est pour cela qu'on l'a tué. Dans le monde où vous évoluez, on ne tue pas quelqu'un parce qu'il a couché avec votre femme. On se contente d'en faire une excuse pour lui rendre la pareille.

– Alors j'ai réellement besoin de vous, monsieur Canfield.

– Qu'aviez-vous prévu de faire en arrivant en Angleterre?

– Ce que je vous ai dit. Commencer par les banques...

– Que vous apprendraient-elles?

– Je n'en suis pas certaine, mais il me semble que ces sommes étaient considérables. Cet argent a bien dû aller quelque part. Peut-être à des comptes bancaires sous de faux noms, peut-être à de petites affaires vite montées, je n'en sais rien. Mais je sais que c'est l'argent qui va servir jusqu'à ce que le paiement des valeurs soit effectué.

– Bon sang! Il a trente millions de dollars à Stockholm!

– Oui, mais des comptes pourraient être ouverts en Suisse, pour un total de trente millions de dollars – probablement versés sous forme de lingots – mais pas utilisés avant très longtemps.

– Combien de temps?

– Autant qu'il en faut pour certifier l'authenticité de chaque titre. Puisqu'ils ont été vendus sur un marché étranger, cela pourrait prendre des mois.

– Donc vous allez suivre les mouvements de cet argent dans ces banques?

– Cela me semble le seul point de départ valable. »

Elizabeth Scarlatti ouvrit le tiroir d'un secrétaire

et en sortit un petit coffret. Elle en fit jouer la serrure et prit une seule feuille de papier.

« Je présume que vous possédez une copie de ceci. J'aimerais vous la relire pour vous rafraîchir la mémoire. »

Elle lui tendit la feuille. C'était la liste des banques étrangères où l'argent d'Ulster Scarlett avait été viré par Waterman Trust. Canfield se souvenait l'avoir vue dans les dossiers du ministère de la Justice.

« Oui, je l'ai vue. Mais on ne m'a pas donné de copie... Un peu moins d'un million de dollars.

— Avez-vous remarqué les dates de retraits?

— Je me souviens que le dernier a eu lieu environ deux semaines avant que votre fils et sa femme ne rentrent à New York. Il reste deux comptes ouverts, n'est-ce pas? Oui, ils sont ici...

— Londres et La Haye », coupa la vieille dame, puis elle poursuivit d'un trait : « Ce n'est pas ce à quoi je pense. Je fais référence au dessin géographique.

— Quel dessin géographique?

— Cela commence à Londres, puis va vers le Nord jusqu'en Norvège, puis au Sud à nouveau jusqu'à Manchester. Ensuite vers l'Est à Paris. Au Nord encore jusqu'au Danemark, au Sud jusqu'à Marseille, à l'Ouest vers l'Espagne puis le Portugal. Et au Nord-Est vers Berlin. Encore au Sud jusqu'au Caire, puis le Nord-Ouest jusqu'en Italie, à Rome. Ensuite les Balkans. Demi-tour jusqu'en Suisse, et ça continue. On dirait un patchwork.

— Où voulez-vous en venir, madame Scarlatti?

— Rien ne vous frappe là-dedans?

— Votre fils était en voyage de noces. Je ne sais pas comment les gens comme vous passent leur lune de miel. Moi je ne connais que les chutes du Niagara.

– Ce n'est pas un itinéraire normal.

– Je n'en sais rien.

– Je vais vous donner un exemple... Vous ne partiriez pas en vacances de Washington à New York, disons, pour revenir à Baltimore quand votre prochain arrêt serait Boston.

– Je suppose que non.

– Mon fils a traversé un demi-cercle en tous sens. Le dernier retrait a été effectué, et il était le plus considérable, en un point qu'il aurait dû logiquement avoir atteint des mois auparavant. »

Canfield était un peu perdu entre les banques, les pays et les dates.

« Ne cherchez pas, monsieur Canfield. C'était en Allemagne. Un petit bourg perdu dans l'Allemagne du Sud. Cette ville s'appelle Tassing...

– Pourquoi? »

Deuxième partie

22

Le deuxième et le troisième jour du voyage du *Calpurnia* furent calmes, à la fois en ce qui concernait la météorologie et la vie des passagers de première classe. La nouvelle de la noyade d'un passager avait quasiment revêtu d'un drap mortuaire les voyageurs. Mme Charles Boothroyd restait enfermée dans sa cabine sous la surveillance constante du médecin de bord et d'une équipe d'infirmières. Elle avait eu une crise de nerfs terrible à l'annonce de la mort de son mari et il avait fallu lui administrer des doses massives de sédatifs.

A la fin du troisième jour, l'optimisme des passagers revint.

Elizabeth Wyckman Scarlatti et le jeune homme qui l'escortait à table se séparaient chaque soir après le dîner. Pourtant, vers dix heures trente, tous les soirs, Matthew Canfield se rendait dans la suite double AA pour prendre son tour de garde au cas où une seconde tentative du type de celle de Boothroyd aurait lieu. C'était un arrangement très peu commode.

« Si j'étais cent ans moins vieille, vous pourriez vous faire passer pour un de ces hommes dénués de goût qui rendent service à des aventurières entre deux âges, disait Elizabeth.

— Si vous vous serviez de votre fortune si bien gérée pour acheter votre propre paquebot, je pourrais enfin dormir la nuit », répliquait Matthew Canfield.

Ces conversations nocturnes leur étaient bien utiles pourtant. Leurs plans commençaient à prendre forme. Les responsabilités de Canfield en tant qu'employé d'Elizabeth étaient également discutées avec diplomatie.

« Vous comprenez, disait Elizabeth, je ne tiens pas à ce que vous fassiez quoi que ce soit qui aille à l'encontre des buts du gouvernement. Ni contre votre propre conscience, car je crois que les hommes ont une conscience.

— Mais je devine que vous aimeriez avoir à décider de ce qui va à l'encontre de celle-ci.

— Dans un sens oui. Je crois que je suis qualifiée pour cela.

— Et que se passerait-il si nous n'étions pas d'accord?

— Nous nous occuperons de ce genre de problèmes quand ils se poseront.

— Oh! c'est génial! »

En gros, Matthew Canfield continuerait à soumettre ses rapports au Groupe Vingt avec une seule altération : ils devraient d'abord obtenir l'approbation d'Elizabeth Scarlatti. Ensemble, par l'intermédiaire de l'agent, ils effectueraient les requêtes qu'ils jugeraient tous deux nécessaires. Dans tout ce qui concernait la sécurité et le bien-être physique, la vieille dame suivrait les instructions du jeune homme sans discuter.

Matthew Canfield recevrait dix paiements de dix

mille dollars, le premier s'effectuerait à Londres. Tout en petites coupures américaines.

« Vous vous rendez bien compte qu'on pourrait envisager notre accord d'une tout autre façon, monsieur Canfield ?

– Comment cela ?

– Votre agence profite de mes incommensurables talents gratuitement. C'est tout au bénéfice des contribuables.

– Je l'indiquerai dans mon prochain rapport. »

Le principal problème de leur arrangement n'avait pas encore été résolu. Il fallait trouver une raison à l'association de l'agent avec Mme Scarlatti pour qu'il puisse s'acquitter de sa mission envers ses deux employeurs. Cela deviendrait évident dans les semaines à venir et il serait stupide d'essayer de faire passer cela sous l'excuse de l'amitié ou de relations d'affaires. Les deux excuses seraient suspectes.

Avec des sous-entendus qu'il était le seul à percevoir parce qu'ils allaient dans son intérêt profondément personnel, Matthew Canfield demanda :

« Comment vous entendez-vous avec votre belle-fille ?

– Je présume que vous parlez de la femme d'Ulster ? Personne ne supporterait celle de Chancellor.

– Oui.

– Je l'aime bien. Pourtant, si vous pensiez l'adjoindre à notre équipe, je dois vous avertir qu'elle me méprise. Elle a beaucoup de raisons pour le faire et dont la plupart sont valables. Pour obtenir ce dont j'avais besoin, j'ai dû la menacer durement. Ma seule défense, si je pensais en avoir besoin d'une – et ce n'est pas le cas –, serait que ce que j'ai fait était pour son bien.

– Vous m'en voyez très ému, mais pensez-vous

que nous pourrions obtenir sa collaboration? Je l'ai déjà rencontrée plusieurs fois.

– Ce n'est pas une personne très responsable. Mais je suppose que vous le savez.

– Oui. Je sais aussi qu'elle vous soupçonne d'aller en Europe pour votre fils.

– Je m'en suis rendu compte. Cela nous aiderait de l'avoir de notre côté, j'imagine. Mais je ne crois pas parvenir à la convaincre à coups de télégramme, ni qu'il soit intelligent de mettre ça dans une lettre.

– J'ai un meilleur moyen. Je retournerai la chercher et je lui apporterai une... explication de votre main. Ni trop détaillée ni trop vague. Je me charge du reste.

– Vous devez la connaître très bien...

– Pas tant que ça. Je pense simplement que si j'arrive à la convaincre que vous – et moi – nous sommes de son côté, elle nous aidera.

– C'est possible. Elle pourrait nous indiquer certains endroits...

– Elle pourrait reconnaître des gens...

– Mais, attendez une minute, dit Elizabeth d'un air inquiet, qu'est-ce que je ferai pendant que vous retournerez en Amérique? Je serai morte quand vous reviendrez! »

Canfield avait pensé à ça.

« Quand nous atteindrons l'Angleterre, vous entrerez en retraite.

– Je vous demande pardon?

– Pour votre âme immortelle. Et celle de votre fils aussi, bien sûr.

– Je ne vous suis pas!

– Un couvent. Le monde entier est au courant de votre profonde affliction. C'est une chose logique à faire. Nous ferons un communiqué pour la presse disant que vous êtes partie vous recueillir dans un couvent isolé du nord de l'Angleterre. Puis nous vous enverrons quelque part dans le Sud.

– C'est parfaitement ridicule!

– Vous serez très attirante dans vos robes de nonne! »

On débarqua Mme Boothroyd, voilée de noir et chancelante, avec le premier contingent de passagers. A la douane, un chauffeur l'attendait qui l'emmena rapidement à travers le rideau des procédures jusqu'à une Rolls-Royce garée dans la rue. Canfield suivit le couple jusqu'à la voiture.

Quarante-cinq minutes plus tard, Canfield arriva à son hôtel. Il avait appelé son contact d'une cabine publique et ils avaient décidé de se retrouver dès que le Londonien pourrait descendre à Southampton. L'agent passa ensuite une demi-heure à jouir du plaisir d'un lit qui n'épousait pas les mouvements de la mer. Il était un peu déprimé à l'idée de reprendre immédiatement le bateau, mais il savait qu'il n'existait pas d'autre solution. Janet fournirait l'explication la plus logique au fait qu'il ait accompagné la vieille dame et il était également logique que la mère et la femme d'Ulster Scarlett voyagent de concert. De surcroît, Canfield n'était pas malheureux à la perspective d'une association continue avec Janet Scarlett. C'était une salope. Mais était-ce bien vrai? Il commençait à en douter, à réviser son jugement. Ce n'était pas une putain en tout cas.

Il allait s'endormir quand il regarda sa montre et constata qu'il allait être en retard à son rendez-vous. Il saisit le téléphone, ravi de l'accent britannique qui lui répondait.

« Mme Scarlatti est dans la suite cinq. Nous

avons pour instruction de l'appeler avant de lui passer toute communication, monsieur.

— Faites exactement ça, merci. Je monte. »

Canfield dit son nom très fort avant qu'elle ne daigne ouvrir la porte. La vieille dame lui fit signe d'entrer et de prendre une chaise tandis qu'elle s'asseyait sur un énorme sofa victorien près de la fenêtre.

« Eh bien, que faisons-nous maintenant?

— J'ai appelé notre contact londonien il y a à peine une heure. Il sera là incessamment.

— Qui est-ce?

— Il m'a dit s'appeler James Derek.

— Vous ne le connaissez pas?

— Non. On nous donne un numéro à appeler et on nous assigne un contact. C'est un arrangement réciproque.

— N'est-ce pas du dernier pratique, dit-elle moitié ironique...

— On est payés pour ça.

— Que voudra-t-il savoir?

— Seulement ce que nous voudrons bien lui dire. Il ne posera aucune question, à moins que nous ne demandions quelque chose de très méchant pour le gouvernement britannique ou de si onéreux qu'il aurait à le justifier. Voilà les points qui l'inquiéteront le plus.

— Je trouve cela très amusant.

— C'est l'argent des contribuables. Je lui ai demandé aussi de me procurer une liste des couvents catholiques.

— Vous êtes vraiment sérieux, n'est-ce pas?

— Oui. A moins qu'il n'ait une meilleure idée. Je serai absent deux semaines et demie. Avez-vous fait la lettre pour votre bru?

– Oui », répondit Elizabeth en lui tendant une enveloppe.

Le téléphone, posé sur une table à l'autre bout de la pièce, se mit à sonner. Elizabeth traversa le salon pour répondre.

« C'était Derek? demanda Canfield quand elle eut raccroché.

– Oui.

– Bien. Maintenant, s'il vous plaît, madame Scarlatti, laissez-moi mener cette conversation. Mais si je vous pose une question, sachez que j'attends une réponse honnête.

– Oh! nous n'utilisons pas de codes?

– Non. Il ne tient pas à tout savoir. Croyez-le. En fait, nous sommes plutôt une source d'ennuis réciproques.

– Devrai-je lui offrir un verre, ou du thé, ou bien est-ce interdit?

– Je crois qu'il appréciera un verre. »

Elizabeth prit le téléphone et commanda un assortiment complet de vins et d'alcools. Canfield souriait en contemplant cette manière d'être des gens très riches. Il alluma un de ses fins cigares.

James Derek était un homme d'aspect plaisant, qui avait dépassé la quarantaine, un peu enveloppé, l'air d'un marchand prospère. Il était d'une politesse redoutable et d'un calme absolu. Un sourire perpétuel avait tendance à se changer en une ligne horizontale quand il parlait.

« Nous avons cherché l'identité du propriétaire de la Rolls. Elle appartient à un marquis, Jacques Louis Bertholde, résident français. On fait des recherches sur lui en ce moment.

– Bien. Et alors, ces lieux de retraite? »

L'Anglais prit un papier dans sa poche intérieure.

« Il y en a plusieurs. Tout dépend des désirs de Mme Scarlatti quant à ses possibilités de communiquer avec l'extérieur.

– En existe-t-il d'où le contact est impossible?

– Dans les deux sens? demanda l'agent.

– Ce serait des retraites catholiques, bien sûr...

– Dites donc! interrompit l'imposante vieille dame.

– Quels ordres? demanda Canfield.

– Il y a les bénédictines et les carmélites. C'est dans le Sud-Ouest. Près de Cardiff.

– Il y a des limites, monsieur Canfield! Je refuse de me joindre à de telles gens!

– Quel est le couvent le plus recherché, le plus à la mode d'Angleterre, monsieur Derek? demanda l'agent.

– Eh bien, la duchesse de Gloucester fait un voyage annuel à l'abbaye d'York. C'est une institution anglicane bien sûr.

– Très bien. Nous allons annoncer dans la presse que Mme Scarlatti est entrée à l'abbaye d'York pour un mois.

– Voilà qui est mieux, dit la vieille dame.

– Ce n'est pas fini. » Il se tourna vers le Londonien qui commençait à s'amuser. « Puis vous escorterez Mme Scarlatti jusqu'à Cardiff, chez les carmélites.

– Très bien.

– Une minute, messieurs, je ne suis pas d'accord! Je suis certaine que M. Derek comprendra mes souhaits.

– Je suis tout à fait désolé, madame. Mes instructions sont de prendre mes ordres de M. Canfield.

– Et nous avons passé un accord, madame Scarlatti, ou bien voulez-vous que nous l'annulions?

272

– Que puis-je dire à des gens pareils? Je ne peux tout simplement pas supporter cette espèce de grotesque empoté vaudou qui vient de Rome!

– Cet inconfort vous sera épargné, madame, dit M. Derek. Les carmélites ont fait vœu de silence. Vous n'entendrez parler de personne!

– La contemplation, ajouta l'agent, voilà qui est excellent pour le salut de votre âme! »

23

York, Angleterre, *12 août 1926 – La célèbre abbaye d'York a été le théâtre d'une dramatique explosion, suivie d'un incendie, à l'aube, ce matin dans l'aile ouest, quartier résidentiel de cet ordre religieux. Un nombre encore non précisé de sœurs et de novices ont été tuées lors de ce tragique accident. On pense pouvoir affirmer que l'explosion serait due à un défaut de fonction du système de chauffage récemment installé dans le couvent.*

Canfield lut cette nouvelle dans le journal du bateau, la veille de son arrivée à New York.

Ils font bien leur travail, pensa-t-il. Et bien que le prix soit horriblement élevé, deux choses venaient d'être prouvées, et définitivement : les annonces à la presse étaient bien lues et Mme Scarlatti était bien menacée de mort.

Canfield posa son journal et prit la lettre destinée à Janet Scarlett. Il l'avait déjà lue et relue et la trouvait très efficace. Il laissa encore une fois ses yeux parcourir ces lignes.

Ma chère enfant,
Je sais bien que tu ne m'aimes pas particulièrement,

et j'accepte ce fait, qui est une perte pour moi. Tu as tous les droits de ressentir ce que tu ressens. Les Scarlatti n'ont pas été des gens très plaisants avec qui partager sa vie. Pourtant, quelle que puisse être la douleur qui t'a été infligée, tu es maintenant une Scarlatti et tu as mis un Scarlatti au monde. Peut-être es-tu celle qui nous rendra meilleurs que nous ne sommes ?

Je n'affirme pas ceci légèrement ou avec indifférence. L'histoire a prouvé que les moins expérimentés d'entre nous se révèlent extraordinaires à cause des graves responsabilités auxquelles ils ont à faire face. Je te demande d'envisager cette possibilité.

Ensuite, je te demanderai d'accorder la plus grande considération à ce que M. Canfield va te dire. J'ai confiance en lui. J'ai confiance en lui parce qu'il m'a sauvé la vie au péril de la sienne. Ses intérêts et les nôtres sont maintenant inextricablement liés. Il te dira ce qu'il peut te dire et te demandera beaucoup.

Je suis une très, très vieille dame, ma chérie, et j'ai très peu de temps. Ce qu'il me reste de mois ou d'années (qui ne sont peut-être précieux qu'à mes yeux) pourrait très bien être considéralement raccourci d'une manière dont je crois pas que Dieu ait décidé. Naturellement, j'accepte ce risque, en tant que chef de la maison Scarlatti, et si je peux passer ce qui me reste de temps à empêcher le déshonneur de s'abattre sur notre famille, je pourrai rejoindre mon époux le cœur ravi.

J'attends ta réponse par l'intermédiaire de M. Canfield. Si elle est bien celle que je suppose, nous nous retrouverons bientôt, et tu auras réjoui mon âme bien au-delà de ce que je mérite. Dans le cas contraire, sache que tu auras toujours mon affection et, crois-moi quand je le dis, ma compréhension.

Elizabeth Wyckham Scarlatti.

Canfield remit la lettre dans son enveloppe. Elle était parfaite, pensa-t-il à nouveau. Elle n'expliquait rien et demandait une confiance implicite en laissant soupçonner que derrière chaque demi-mot se cachait une nécessité urgente, voire vitale. S'il réussissait, la jeune femme reviendrait en Angleterre avec lui. S'il ne parvenait pas à la persuader, il faudrait trouver une autre solution.

L'hôtel particulier d'Ulster Scarlett sur la 54e Rue était en plein ravalement. Des échafaudages descendaient du toit, des ouvriers travaillaient avec diligence. Le taxi s'arrêta devant l'entrée et Matthew Canfield escalada le perron. Il sonna. La gouvernante obèse lui ouvrit.

« Bon après-midi, Hannah. Je ne sais pas si vous vous souvenez de moi, je m'appelle Canfield, Matthew Canfield. Je désire voir Mme Scarlett. »

Hannah ne bougea pas, et ne lui offrit pas d'entrer.

« Est-ce que Mme Scarlett vous attend ?

– Pas réellement, mais je suis certain qu'elle me recevra. »

Il n'avait nullement eu l'intention de téléphoner avant. Il aurait été trop facile à Janet de refuser.

« Je ne sais pas si madame est là, monsieur.

– Alors j'attendrai. Vous allez me laisser attendre devant la porte ? »

Hannah s'écarta avec réticence pour laisser entrer l'agent. Canfield fut à nouveau choqué par les couleurs hideuses du hall, le papier rouge sang et le velours noir.

« Je vais me renseigner, monsieur », dit la gouvernante en s'en allant vers les escaliers.

Au bout de quelques minutes, Janet descendit

l'imposante volée de marches, suivie par Hannah qui se dandinait. Janet semblait aller beaucoup mieux. Ses yeux, son regard étaient clairs, attentifs, et la panique qu'il y avait lue avait disparu. Elle avait repris les commandes et c'était indiscutablement une belle femme.

Canfield se sentit soudain pris d'une impression d'infériorité. Il était dépassé.

« Eh bien, monsieur Canfield, pour une surprise... »

Il ne parvenait pas à déterminer si cette forme d'accueil était une plaisanterie ou pas. Elle était amicale, mais froide et réservée. Cette femme avait bien appris les vieilles leçons de l'argent.

« J'espère que ce n'est pas une surprise désagréable, dit-il.

– Pas du tout. »

Hannah se dirigeait vers les portes de la salle à manger. Canfield enchaîna rapidement.

« Pendant mon voyage j'ai rencontré un type dont la firme fabrique des dirigeables. J'étais certain que cela vous intéresserait. »

Canfield regardait Hannah du coin de l'œil sans tourner la tête. Elle avait fait demi-tour brutalement et prêtait l'oreille aux propos de l'agent.

« Vraiment, monsieur Canfield? En quoi cela me concernerait-il? demanda Janet un peu éberluée.

– J'avais cru comprendre que vos amis d'Oyster Bay étaient prêts à en acheter un pour leur club. Voilà, j'ai apporté toutes les informations. Prix d'achat, de location, aménagements nécessaires... Laissez-moi vous montrer... »

L'agent prit Janet Scarlett par le coude et la conduisit rapidement vers le living-room. Hannah hésita un instant, mais, croisant le regard de Can-

277

field, elle battit en retraite vers la salle à manger. Canfield referma les portes du salon derrière eux.

« Qu'est-ce que vous racontez? Je ne veux pas acheter de dirigeable! »

L'agent était immobile devant les portes. Il fit signe à Janet de cesser de parler...

« Quoi?

– Taisez-vous, juste une minute s'il vous plaît », dit-il doucement.

Canfield attendit dix secondes puis ouvrit les portes d'un seul coup.

Juste en face, de l'autre côté du hall d'entrée, près de la table de la salle à manger, Hannah discutait avec un homme en tenue de peintre. Ils regardaient vers le salon. Pris sur le fait, ils se séparèrent et disparurent.

Canfield referma la porte et se tourna vers Janet Scarlett.

« Intéressant, n'est-ce pas?

– Que faites-vous?

– Je trouve simplement intéressant que votre gouvernante soit aussi curieuse.

– Oh! ce n'est que ça? (Janet se pencha pour prendre une cigarette dans une boîte posée sur une table basse.) Tous les domestiques vont avoir un bon sujet de conversation grâce à vous. »

Canfield lui alluma sa cigarette.

« Y compris les peintres?

– Hannah a les amis qu'elle peut. Je m'en fiche royalement. De toute façon, elle ne m'intéresse vraiment pas...

– Vous ne trouvez pas bizarre qu'elle ait presque sursauté quand j'ai mentionné ce dirigeable?

– Je ne vous suis absolument pas...

– J'admets que je vais un peu vite dans mes raisonnements.

278

– Pourquoi n'avez-vous pas téléphoné avant de venir?

– Si je l'avais fait, m'auriez-vous reçu? »

Janet réfléchit.

« Probablement... Quelles que puissent être mes raisons de me plaindre à propos de votre dernière visite, ce n'est pas un motif pour vous insulter.

– Je ne voulais pas prendre ce risque. Et j'aimerais que nous nous tutoyions à nouveau.

– C'est charmant de votre part. Pourquoi ce comportement si bizarre? »

Il ne servait à rien d'attendre. Il sortit l'enveloppe de sa poche.

« On m'a demandé de te remettre ça. Puis-je m'asseoir pendant que tu le lis? »

Janet, étonnée, prit l'enveloppe et reconnut immédiatement l'écriture de sa belle-mère. Elle l'ouvrit et se mit à lire.

Si elle était étonnée ou choquée, elle cachait très bien ses sentiments.

Elle s'assit lentement sur un divan et posa sa cigarette dans un cendrier. Ses yeux allaient de la lettre à Canfield, puis de nouveau à la lettre. Sans plus le regarder, elle lui demanda tranquillement.

« Qui êtes-vous?

– Je travaille pour le gouvernement. Je suis un... un agent du département de l'Intérieur.

– Le gouvernement? Vous n'êtes pas un homme d'affaires, donc?

– Non, c'est vrai.

– Vous vouliez me rencontrer et me parler pour le gouvernement?

– Oui.

– Pourquoi m'avoir dit que vous vendiez des courts de tennis?

– Parfois nous avons besoin de cacher notre métier. C'est aussi simple que ça.

– Je vois.

– Je présume que tu désires savoir ce que ta belle-mère veut dire dans cette lettre?

– Ne présumez rien, dit-elle d'un ton glacial. C'était votre travail de venir me voir et de me poser toutes ces questions si drôles?

– Franchement, oui. »

La jeune femme se leva, fit les deux pas nécessaires pour se trouver face à Canfield et le gifla de toutes ses forces. Une claque sèche et douloureuse.

« Salopard! Sortez d'ici immédiatement! »

Elle n'avait pas encore crié.

« Sortez d'ici ou j'appelle la police!

– Mon Dieu, Janet, arrête ça tout de suite! »

Il la saisit par les épaules. Elle essayait de se dégager.

« Ecoute-moi, je te dis, sinon je te rends ta gifle! »

Ses yeux luisaient de haine, songea Canfield, mais au fond de son regard, on sentait une certaine tristesse. Il la tenait serrée tout en parlant.

« Ecoute-moi! Oui, on m'a ordonné de te rencontrer. Oui, de te voir et d'obtenir toutes les informations nécessaires! »

Elle lui cracha au visage. Il ne s'essuya même pas.

« J'ai obtenu les informations que je voulais et je m'en suis servi parce qu'on me paie pour ça! En ce qui concerne mes patrons, j'ai quitté cette maison à neuf heures du soir après avoir bu deux verres avec toi. S'ils le veulent, ils peuvent te coffrer pour possession illégale d'alcool, voilà ce qu'ils peuvent faire!

– Je ne vous crois pas!

– Je m'en fous que tu me croies ou pas! Et pour ta gouverne, sache que je t'ai fait surveiller pendant des semaines! Toi et tous tes petits amis... Ça t'intéressera peut-être de savoir que j'ai omis dans mes rapports les détails les plus... intimes de tes activités journalières. »

Les yeux de la jeune femme s'emplissaient de larmes.

« Je fais mon boulot du mieux que je peux et je ne suis pas certain que tu es exactement le genre de femme qui peut hurler comme une vierge violée! Tu n'as pas l'air de t'en rendre compte mais ton mari peut très bien être encore en vie! Beaucoup de gens, des jeunes femmes qui n'avaient même jamais entendu prononcer son nom, sont mortes brûlées vives à cause de lui! D'autres sont morts aussi, mais peut-être le méritaient-ils!

– De quoi parlez-vous? »

Il la lâcha, mais posa ses mains sur ses épaules.

« Je sais que j'ai laissé ta belle-mère il y a une semaine en Angleterre. On a fait un très beau voyage tous les deux! Quelqu'un a tenté de la tuer pendant la traversée. Et tu peux parier ta fortune que ç'aurait été un suicide! Ils auraient dit que son chagrin l'avait poussée par-dessus bord! Sans bavures... Il y a une semaine, nous avons annoncé dans la presse qu'elle se retirait dans une abbaye, à York, en Angleterre, pour se reposer. Deux jours plus tard, le système de chauffage explosait et tuait je ne sais combien d'innocents! C'était un accident, bien sûr!

– Je ne sais pas quoi dire.

– Tu veux que je finisse ou tu veux toujours me foutre à la porte? »

La femme d'Ulster Scarlett esquissa un sourire, un sourire d'une tristesse infinie.

« Je crois que... tu ferais mieux de rester et de continuer... »

Ils s'assirent sur le divan et Canfield se mit à parler.

Il parla comme jamais il n'avait parlé de sa vie.

24

Benjamin Reynolds était assis dans son bureau et contemplait un article découpé dans le supplément du dimanche du *New York Herald*. C'était une photo de Janet Saxon Scarlett escortée par « le directeur d'une firme d'articles de sports, M. Canfield », se rendant à une exposition canine à Madison Square Garden. Reynolds sourit en se remémorant le commentaire de Canfield au téléphone.

« Je supporte n'importe quoi, mais pas ces satanées expositions canines. Les chiens, c'est pour les gens très riches ou les gens très pauvres. Pas pour ceux entre les deux. »

Peu importe, songea le patron du Groupe Vingt. Les journaux faisaient un excellent travail. Washington avait ordonné à Canfield de passer une dizaine de jours de plus à Manhattan pour établir clairement et aux yeux de tous sa liaison avec Janet Scarlett avant de retourner en Angleterre.

Personne ne pouvait ignorer cette liaison et Benjamin Reynolds se demandait si c'était seulement une façade. Ou bien y avait-il quelque chose ? Canfield était-il sur le point de se faire piéger ? La facilité avec laquelle il avait enclenché cette collaboration avec Elizabeth Scarlatti méritait plus d'attention.

« Ben, dit Glover en entrant brusquement dans son bureau. Je crois que nous avons trouvé ce que nous cherchions! »

Il claqua quasiment la porte du bureau et prit une chaise en face de Reynolds.

« Qu'est-ce que vous avez trouvé, à propos de quoi?

– Un lien avec les affaires Scarlatti. J'en suis certain.

– Faites-moi voir... »

Glover disposa plusieurs pages sur le journal étalé sur le bureau.

« Bel article, ajouta-t-il en désignant la photo de Canfield et de Janet Scarlett.

– Il fait exactement ce que les vieux dégoûtants lui ont ordonné de faire. Il va finir coqueluche de la haute société s'il ne crache pas dans la soupe.

– Il fait du bon boulot, Ben. Ils sont partis, non?

– Pris le bateau hier... Alors?

– C'est le bureau des statistiques qui a remarqué quelque chose. Ça vient de Suisse, dans la région de Zurich. Quatorze terrains achetés dans le courant de l'année. Regarde les relevés topographiques. Toutes les propriétés sont adjacentes les unes aux autres. La A jouxte la B, la B la C, etc. Des centaines d'hectares qui forment une propriété gigantesque.

– Un des acheteurs est Scarlatti?

– Non... Mais un des terrains a été acheté au nom de Boothroyd. Charles Boothroyd.

– C'est certain? Que signifie « au nom de »?

– Le beau-père a acheté ça pour sa fille et son mari. Il s'appelle Rawlins. Thomas Rawlins. Partenaire associé de Godwin et Rawlins. Le prénom de sa fille est Cecily, mariée à Boothroyd. »

Reynolds souleva la page qui portait cette liste de noms.

« Qui sont ces gens? Quel est le rapport?

– C'est écrit ici, dit Glover en prenant les deux autres pages. Quatre Américains, deux Suédois, trois Anglais, deux Français et trois Allemands. Quatorze en tout.

– Vous avez des renseignements sur eux?

– Seulement sur les Américains. On a demandé des informations sur les autres.

– Qui sont-ils, à part Rawlins?

– Un Howard Thornton, de San Francisco. Il est dans la construction. Deux pétroliers du Texas : Louis Gibson et Avery Landor. A eux deux ils possèdent plus de puits que cinquante de leurs concurrents rassemblés.

– Quelle relation entre eux?

– Rien pour l'instant. On s'en occupe en ce moment.

– Et les autres? Les Suédois, les Français, les Anglais et les Allemands?

– On n'a que leurs noms.

– Des inconnus?

– Non. Il y a un certain Innes-Bowen, il est Anglais, dans les textiles je pense. Et j'ai reconnu un des Français : Daudet, propriétaire de compagnies maritimes. Deux des Allemands : Kindorf – il est dans la Ruhr, dans le charbon, von Schritzler, lui, c'est I. G. Farben. On ne connaît pas les autres. Jamais entendu parler des Suédois.

– Dans un sens ils se ressemblent tous.

– Ah! oui. Ils sont tous riches comme Crésus. On n'achète pas des terrains comme ça avec un emprunt foncier! Faut-il avertir Canfield?

– Oui. Envoyez la liste par courrier. On lui télégraphiera de rester à Londres jusqu'à ce qu'elle arrive.

– Mme Scarlatti en connaît peut-être quelques-uns...

– Je compte bien là-dessus... Mais j'entrevois un problème.

– Ça va être très tentant pour cette vieille dame. Elle va vouloir foncer tout droit à Zurich... Si elle fait ça, elle est morte. Ainsi que Canfield et la femme de Scarlett.

– C'est une supposition plutôt dramatique.

– Pas vraiment. Nous supposons qu'un groupe d'hommes très riches a acheté quatorze terrains à Zurich pour servir un intérêt commun. Et Boothroyd, grâce à son généreux beau-père, est l'un des propriétaires.

– Ce qui relie Zurich à Scarlatti.

– C'est ce que nous pensons. Parce que Boothroyd a tenté de la tuer, bien sûr?

– Bien sûr.

– Mais Mme Scarlatti est vivante. Boothroyd a échoué.

– Selon toute évidence!

– Et les propriétés ont été achetées avant cela?

– Certainement.

– Alors si Zurich est lié à Boothroyd, Zurich veut la mort de Mme Scarlatti. Ils veulent l'arrêter dans ses recherches. Zurich avait seulement envisagé qu'il réussirait.

– Et maintenant qu'il est mort, interrompit Glover, Zurich va se figurer que la vieille dame a découvert qui il était. Et peut-être davantage... Ben. On est allés trop loin. On ferait mieux de les rappeler et de donner le rapport à la Justice. Que Canfield revienne.

– Pas encore. Nous approchons de quelque chose. La clef, c'est Elizabeth Scarlatti, maintenant. Nous allons leur assurer une protection complète.

– Je ne veux pas avoir l'air de me construire un alibi à l'avance, mais vous prenez ça sous votre entière responsabilité.

– Je comprends. Dans nos instructions à Canfield enjoignez-lui de se tenir loin de Zurich. Il ne doit, à aucune condition, se rendre en Suisse.

– Ce sera fait. »

Reynolds se tourna vers la fenêtre et contempla le ciel lourd de nuages. Il s'adressa à son subordonné sans le regarder.

« Et... gardez quelqu'un sur ce Rawlins, le beau-père de Boothroyd. C'est peut-être lui qui a commis l'erreur. »

25

A UNE trentaine de kilomètres des limites de Cardiff, dissimulé dans une combe perdue dans la forêt galloise, dort le couvent de la Vierge, résidence des carmélites. Des murs s'élèvent d'une pureté d'albâtre, comme une jeune mariée attendant religieusement dans un éden luxuriant et dénué de serpent.

Canfield et Janet Scarlett arrivèrent en voiture devant l'entrée. Canfield sortit de la voiture et s'approcha d'une petite porte sous une voûte placée dans le mur munie d'un judas grillagé. Un marteau de fer forgé noir lui servit à frapper et il attendit plusieurs minutes avant qu'une nonne ne vînt répondre.

« Puis-je vous aider? »

L'agent sortit ses papiers et les tendit à la bonne sœur.

« Je m'appelle Canfield, ma sœur, et je viens chercher Mme Scarlatti. Sa bru est avec moi.

– Si vous voulez bien attendre. Puis-je emporter cela? » ajouta-t-elle en désignant ses papiers d'identité.

Il acquiesça.

Le judas se ferma sur un claquement de verrous. Canfield revint vers la voiture.

« Elles font très attention, dit-il à Janet.

— Qu'est-ce qui se passe?

— Elle m'a pris mes papiers pour être certaine que c'est bien moi qui suis sur la photo.

— C'est joli ici, tu ne trouves pas? C'est si tranquille.

— Ça l'est pour l'instant. Je ne te promets rien quand nous allons enfin voir ta belle-mère! »

« Votre mépris et votre insensibilité en ce qui concerne mon bien-être, pour ne pas parler du simple confort, dépassent toute qualification! Avez-vous la moindre idée de ce que ces idiotes utilisent comme matelas? Je vais vous le dire? Des paillasses de l'armée!

— Je suis désolé, dit Canfield en essayant de ne pas éclater de rire.

— Et vous savez quelles saletés elles mangent? Des choses que j'interdirais dans mes propres étables!

— On m'a dit qu'elles cultivent elles-mêmes leurs légumes, contra gentiment l'agent.

— Elles ramassent l'engrais et elles laissent les légumes, oui! »

A cet instant on entendit les cloches annonçant l'Angélus.

« Et c'est comme ça nuit et jour! J'ai demandé à cette vieille folle, mère MacCree, ou quelque chose comme ça, pourquoi ça sonnait si tôt le matin! Et vous savez ce qu'elle m'a répondu?

— Quoi, mère? demanda Janet.

— Les voies du Seigneur sont impénétrables! Voilà ce qu'elle m'a répondu!... C'était intolérable!

Comme comptez-vous m'expliquer votre retard? M. Derek disait que vous seriez là il y a quatre jours!

— Il fallait que j'attende un courrier de Washington. Allons-y, je vous raconterai en chemin. »

Elizabeth s'assit à l'arrière de la Bentley et lut la liste de Zurich.

« Vous connaissez ces gens? demanda Canfield.

— Pas personnellement. Mais, pour la plupart, de réputation.

— Par exemple?

— Les Américains, Louis Gibson et Avery Landor, sont deux Texans assez particuliers. Ils croient qu'ils ont construit les champs pétrolifères. Landor est un porc, dit-on. Harold Leacock, l'un des Anglais, est un des grands de la Bourse de Londres. Très brillant. Myrdal, le Suédois, est aussi dans le marché européen des changes. A Stockholm... »

Elizabeth s'arrêta pour croiser le regard de Canfield dans le rétroviseur.

« Personne d'autre?

— Si. Thyssen, en Allemagne. Fritz Thyssen. Aciéries, hauts fourneaux... Tout le monde connaît Kindorf. C'est lui I.G. Farben maintenant... Un des Français, d'Almeida, est propriétaire de compagnies de chemin de fer, je crois. Je ne connais pas Daudet, mais son nom me dit quelque chose.

— Il possède des cargos.

— Ah! oui. Et Masterson, Sydney Masterson, Anglais, importations d'Extrême-Orient. Je ne connais pas Innes-Bowen mais c'est aussi un nom familier.

— Vous n'avez pas mentionné Rawlins.

« – Je ne pensais pas que c'était nécessaire. C'est le beau-père de Boothroyd.

– Vous ne connaissez pas le quatrième Américain, Howard Thornton ? Il est de San Francisco.

– Jamais entendu parler.

– Janet m'a dit que votre fils connaissait un Thornton de San Francisco.

– Cela ne me surprend pas du tout. »

Sur la route, après Pontypridd, aux abords de Rhondda Valley, Canfield s'aperçut qu'une voiture apparaissait régulièrement dans son rétroviseur. Elle était loin derrière eux, à peine un point blanc dans le miroir, mais elle ne disparaissait jamais, sauf dans les virages. Et à chaque fois que Canfield négociait une courbe, la voiture réapparaissait un peu plus près qu'auparavant. Dans les lignes droites, elle restait à distance et laissait même quelques voitures s'intercaler entre eux.

« Qu'y a-t-il, monsieur Canfield ? demanda Elizabeth qui voyait l'agent regarder son rétroviseur de plus en plus souvent.

– Rien.

– Quelqu'un nous suit ?

– Probablement pas. Il n'y a pas beaucoup de grandes routes qui vont dans cette direction. »

Vingt minutes plus tard, Canfield remarqua que la voiture s'était encore rapprochée. Cinq minutes après, il comprit. Il n'y avait plus de véhicules entre eux maintenant. La route faisait une longue courbe, bordée d'un côté par une légère inclinaison rocheuse et de l'autre par une pente aiguë qui descendait de trente mètres vers les eaux d'un lac.

Au bout de cette longue courbe, Canfield apercevait un champ. Il voulait l'atteindre. Il accéléra, lança la Bentley à toute allure.

La voiture derrière suivit le même mouvement, réduisant encore la distance. Elle passa sur la droite de la route, du côté du surplomb rocheux. Canfield savait qu'une fois à leur hauteur, leur poursuivant pourrait aisément leur faire quitter la route, les faire plonger dans le ravin jusqu'au lac. L'agent écrasa l'accélérateur et colla la Bentley au milieu de la route pour empêcher leur poursuivant de les doubler.

« Qu'est-ce qu'il y a? Qu'est-ce que tu fais? cria Janet en s'agrippant au tableau de bord.

– Roulez-vous en boule! Toutes les deux! Vite! »

Canfield maintenait la Bentley au milieu, coupait vers la droite chaque fois que l'autre essayait de s'intercaler entre lui et les rochers. Le champ n'était plus loin maintenant. Encore cent mètres.

Il y eut deux craquements terribles et la Bentley fit une embardée sous la pression de l'autre voiture.

Janet Scarlett hurla. Sa belle-mère restait silencieuse.

Elle lui tenait les épaules par-dessus le siège.

La Bentley avait maintenant dépassé le lac et à sa gauche s'étendait un grand champ d'herbes en friche. Canfield jeta subitement la voiture dans le champ, quittant la route et faisant cogner la suspension sur le remblai de terre avec un bruit mou.

La voiture qui les poursuivait passa en trombe. Canfield fixait la plaque minéralogique qui s'éloignait à toute vitesse. Il cria : E...B...I ou L! Sept! Sept ou neuf! Un, un, trois! Il répéta à nouveau les numéros. Il ralentit et arrêta la Bentley.

Janet était recroquevillée sur le siège. Elle tenait

les deux mains de sa belle-mère. La vieille dame se pencha en avant, lui effleura la tête du menton.

« Les lettres que vous avez dites étaient E,B,I ou L. Les numéros sept ou neuf, un, un, trois.

— Je ne saurai pas quelle était la marque de la voiture, dit Canfield.

— C'était une Mercedes-Benz », dit Elizabeth en ôtant ses mains des épaules de Janet.

26

« L'automobile en question est un coupé Mercedes-Benz. Modèle 1925. Le numéro est EBI 9113. Cette voiture appartient au marquis Jacques Louis de Bertholde, encore une fois. »

James Derek était debout devant Elizabeth et Janet, comme Canfield. Les deux femmes étaient assises sur un divan. Derek lisait ces notes dans son calepin et se demandait si ces Américains bizarres se rendaient bien compte de la personnalité du marquis. Bertholde, aussi, descendait souvent au Savoy et il était probablement aussi riche que Elizabeth Scarlatti.

« C'est le même homme que celui qui est venu chercher Mme Boothroyd au bateau? demanda Canfield.

— Oui. Ou plutôt, je devrais dire non. Nous supposons que c'était Bertholde d'après votre description. Hier, ce ne pouvait pas être lui. Il était à Londres, de source sûre. Mais l'automobile lui appartient.

— Qu'en pensez-vous, monsieur Derek? demanda Elizabeth en passant distraitement une main sur sa robe et en évitant soigneusement de regarder l'Anglais qui avait quelque chose qu'elle ne pouvait pas préciser mais qui la dérangeait.

– Je ne sais quoi penser... Mais je dois vous dire que le marquis de Bertholde est un résident étranger qui a une influence considérable...

– C'est le propriétaire de Bertholde & Fils, si je me souviens bien », dit Elizabeth en se levant.

Elle tendit son verre de sherry vide à Canfield. Non qu'elle désirât réellement le faire à nouveau remplir. Simplement elle n'arrivait pas à tenir en place.

« Bertholde & Fils, une vieille firme bien établie. »

L'agent se dirigea vers la table et remplit le verre d'Elizabeth.

« Vous connaissez peut-être le marquis, madame Scarlatti? »

Elizabeth n'apprécia pas les sous-entendus de Derek.

« Non, je ne le connais pas. J'ai peut-être connu son père, mais je n'en suis pas certaine. Les Bertholde sont une vieille famille. »

Canfield tendit son verre à Elizabeth, conscient que l'agent britannique et elle se livraient mentalement une partie de ping-pong. Il se lança dans la conversation.

« D'où tire-t-il ses revenus?

– De toutes sortes d'affaires. Du pétrole du Moyen-Orient, des mines en Afrique, des importations d'Australie et d'Amérique du Sud...

– Pourquoi est-ce un résident étranger?

– Cela, je peux y répondre, dit Elizabeth en se rasseyant. Ses bureaux, la tête de ses entreprises, sont sans doute installés sur des territoires britanniques.

– Exact, madame, dit Derek. Puisque la majorité

de ses intérêts se trouvent en territoire britannique ou dans le Commonwealth, il est sans cesse en relation avec Whitehall. Et avec profit.

– Le gouvernement a-t-il un dossier sur Bertholde?

– En tant que résident étranger, très certainement.

– Pourriez-vous me le procurer?

– Il me faudrait une très, très bonne raison pour ça. Vous le savez.

– Monsieur Derek! coupa Elizabeth, on a attenté à ma vie sur le *Calpurnia!* Hier, dans le pays de Galles, une automobile a tenté de nous faire disparaître. Le marquis de Bertholde se trouve impliqué dans les deux affaires. Je crois qu'on peut appeler cela de très bonnes raisons!

– J'ai peur de ne pas être d'accord avec vous. Ce que vous me décrivez relève de la police britannique. Au contraire, ce que vous me demandez se trouve être des informations privilégiées. Et je leur dois le respect. Je vous accorde que ceci est un peu flou, mais Canfield sait de quoi je parle. »

L'Américain regarda la vieille dame et elle sut qu'il était temps d'employer sa ruse. Il lui avait expliqué qu'éventuellement ils seraient obligés d'en arriver là. Il avait appelé cela « partie de la vérité ». La raison était simple. Les services britanniques ne pouvaient en aucun cas être utilisés comme une force de police personnelle. Il leur fallait d'autres justifications. Justifications que Washington pourrait confirmer. Canfield se mit à parler doucement, en fixant le Britannique dans les yeux.

« Le gouvernement des Etats-Unis n'impliquerait aucun service de renseignements, à moins que ce ne soit pour des raisons dépassant les affaires de simple police. Quand le fils de Mme Scarlatti –

Ulster Scarlett – était en Europe avec sa femme, ici présente, l'an dernier, des sommes considérables, sous la forme de valeurs américaines négociables, lui avaient été remises. Nous pensons qu'elles ont été vendues secrètement sur les marchés européens. Y compris à la Bourse de Londres.

– Etes-vous en train de me dire que quelqu'un se fabrique un monopole américain de ce côté de l'Atlantique?

– Le Département d'Etat pense que cette manipulation a été effectuée par quelqu'un de notre propre ambassade, et que ce ou ces personnes sont ici à Londres, maintenant.

– Votre propre ambassade! Et vous pensez que Scarlett était leur complice?

– Nous pensons qu'il a été manipulé, dit Elizabeth d'une voix perçante, utilisé puis éliminé.

– Il naviguait dans ces eaux-là, Derek. Le marquis de Bertholde également », ajouta Canfield.

James Derek remit son petit calepin dans la poche intérieure de sa veste. Soudain l'explication lui semblait évidente, largement suffisante. Mais le Britannique était également un homme très curieux.

« Je vous obtiendrai une copie du dossier d'ici demain, Canfield... Bonsoir, mesdames. »

Il sortit.

« Je vous félicite, jeune homme, lança Elizabeth. Le personnel de l'ambassade... C'était très intelligent.

– Je trouve qu'il a été remarquable, dit Janet Scarlett en lui souriant.

– Ça va marcher, murmura Canfield en avalant une rasade de son scotch. Maintenant, puis-je vous suggérer que nous prenions tous un peu de repos? Personnellement, je suis fatigué de réfléchir, et je vous dispense de tout commentaire, madame Scarlatti. Si nous allions dîner dans un de ces endroits où vous allez toujours, vous les gens de la haute? Je déteste danser, mais je vous promets que je danserai avec vous deux jusqu'à ce que vous demandiez grâce! »

Elizabeth et Janet éclatèrent de rire.

« Non, je vous remercie, dit Elizabeth. Allez-y tous les deux. » Puis elle regarda l'agent avec une sympathie profonde.

« Une vieille dame qui vous remercie de tout cœur vous l'ordonne, dit-elle.

— Vous fermerez les portes et les fenêtres? demanda Canfield.

— Au septième étage? Bon, si vous y tenez...

— J'y tiens », répondit Canfield.

27

« C'est le paradis! s'écria Janet d'une voix qui perça au-dessus du brouhaha du Claridge. Allons, Matthew, ne prends pas cet air revêche!

– Je ne suis pas revêche, je suis sourd!

– Oui, tu es sourd! Tu n'aimes pas ça. Laisse-moi au moins en profiter!

– D'accord, d'accord! Tu veux danser?

– Non, dit-elle. Tu détestes danser. Je veux juste regarder.

– Pas de problème, regarde. C'est gratuit et le whisky est bon.

– Qu'est-ce qui est bon?

– Le whisky, cria-t-il.

– Non, merci, répondit-elle. Tu vois, hein, je sais me tenir? Tu en as deux d'avance sur moi, tu sais? cria-t-elle.

– Je vais en avoir soixante d'avance, si ça continue!

– Qu'est-ce que tu dis, chéri?

– Je dis que je vais en avoir soixante d'avance quand on partira!

– Oh! arrête! Amuse-toi! »

Canfield regardait cette femme en face de lui et il se sentait submergé de joie. Il n'existait pas d'autre mot pour qualifier ce qu'il ressentait. De la joie. Elle était un délice qui l'emplissait de plaisir, de chaleur. Ses yeux dégageaient cette complicité immédiate que seuls des amants peuvent connaître. Et pourtant Canfield tentait sans cesse de dissocier, d'isoler, d'analyser, pour s'apercevoir qu'il n'y parvenait pas.

« Je t'aime énormément », dit-il.

Ces mots-là, elle les entendit, par-dessus la musique, les rires, le murmure continu et général.

« Je sais, répondit-elle, presque les larmes aux yeux.

— Nous nous aimons... N'est-ce pas extraordinaire?

— Tu veux danser maintenant? »

La jeune femme jeta sa tête en arrière très doucement, très gracieusement.

« Oh! Matthew! Mon amour, non... Tu n'es pas obligé de danser!

— Ecoute, si tu veux, maintenant je danse. »

Elle lui prit la main.

« Nous danserons, tout seuls, plus tard ce soir... »

Matthew décida qu'il vivrait avec cette femme pour le reste de ses jours. C'était simple et définitif.

Mais c'était un professionnel et ses pensées se tournèrent un instant vers la vieille dame, seule, au Savoy.

A cet instant précis, Elizabeth Wyckham Scarlatti se levait et enfilait une robe de chambre. Elle venait de passer de longues minutes à lire le *Manchester Guardian*, feuilletant les fines pages. Soudain, elle avait entendu deux claquements métalliques aigus accompagnés d'un son étouffé, le bruit d'un mouvement provenant du salon. Au début, elle n'avait pas sursauté à ce bruit. Elle avait verrouillé la porte d'entrée et elle supposa un instant que sa bru tentait d'entrer sans pouvoir y parvenir. Après tout, il était deux heures du matin et elle aurait déjà dû être de retour. Elle appela.

« Juste une minute, chérie. Je me lève. »

Elle avait laissé une lampe allumée sur un guéridon et les ombres mouvantes de son passage se découpèrent sur le mur, comme des images diaboliques.

Elle atteignit la porte et commença à tourner le verrou. Se souvenant des angoisses de Canfield, elle s'arrêta.

« C'est toi, n'est-ce pas, ma chérie ? »

Pas de réponse.

Elle remit instantanément le verrou en place.

« Janet ? Monsieur Canfield ? C'est vous ? »

Silence complet.

La peur saisit Elizabeth. Elle avait bien entendu quelque chose. L'âge n'avait pas altéré son ouïe.

Peut-être avait-elle confondu, pris le froissement de son journal pour un cliquetis métallique ? Ce n'était pas impossible et, tout en essayant de s'en convaincre, elle savait que ce n'était pas vrai.

Y avait-il quelqu'un d'autre dans la pièce ?

Quand cette idée la submergea, elle déclencha une intense douleur au fond de son estomac.

Comme elle faisait demi-tour pour retourner vers sa chambre, elle vit qu'une des grandes fenêtres était partiellement ouverte, de quelques centimètres à peine, mais assez pour que les rideaux de soie s'agitent légèrement sous la brise.

Complètement déroutée, elle tenta de se souvenir si elle l'avait bien fermée auparavant. Elle pensait l'avoir fait, mais si elle l'avait fait c'était sans réfléchir puisqu'elle n'avait pas pris les avertissements de Canfield au sérieux. Pourquoi l'aurait-elle fait? Après tout, ils étaient au septième étage...

Bien sûr, elle n'avait pas fermé cette fenêtre. Et même si elle l'avait fait, elle n'avait pas dû bien tourner l'espagnolette. Le vent l'avait poussée. Elle avança jusqu'à la fenêtre et la referma.

Puis elle entendit :

« Bonjour, mère. »

Sorti de l'ombre, tout au bout de la pièce, un homme imposant s'avançait, vêtu de noir. Il avait le crâne rasé et sa peau était plus que bronzée, tannée.

Pendant trois secondes, elle ne le reconnut pas. L'unique lumière provenant du guéridon était insuffisante et la présence restait au milieu de la pièce.

Elle le regardait sans comprendre. Quand ses yeux se furent habitués à l'obscurité, elle comprit pourquoi il avait l'air d'un parfait étranger. Son visage avait changé... Ses cheveux d'un noir brillant avaient été rasés. Son nez était transformé, réduit, et les narines étaient plus écartées. Ses oreilles étaient différentes, plus aplaties contre son crâne. Même ses yeux avaient été modifiés. Là où existait cet abaissement des paupières typiquement napolitain, hérité de son père, se trouvaient maintenant des yeux larges, grands ouverts comme s'il n'avait pas eu de paupières. Il avait des taches rouges autour de la bouche et sur le front. Ce n'était plus un visage, c'était un masque, un semblant de visage, frappant, monstrueux. Et c'était le visage de son propre fils.

« Ulster, mon Dieu!

– Si tu meurs maintenant d'une attaque cardiaque, il va y avoir toute une équipe d'assassins professionnels qui vont se retrouver au chômage! »

Elizabeth essaya de penser, tentant de toutes ses forces de résister à la panique incommensurable qui l'envahissait. Elle saisit le dossier d'une chaise et s'y cramponna jusqu'à ce que ses veines, bleuies par les ans, semblent prêtes à éclater sous sa peau.

« Si tu es venu pour me tuer, je ne peux pas faire grand-chose, dit-elle.

– Cela t'intéressera sûrement de savoir que celui qui voulait ta mort ne va pas tarder à y passer! Il était particulièrement stupide. »

Son fils s'avança vers les fenêtres et regarda l'espagnolette de celle qui était ouverte. Puis il jeta un coup d'œil à travers la vitre et parut satisfait. Sa mère remarqua que la grâce qui avait toujours présidé au moindre de ses mouvements demeurait, mais que la douceur, la relaxation, la nonchalance aristocratique avaient complètement disparu. Ses gestes étaient durs, mécaniques, accentués par les mouvements de ses mains enserrées dans une paire de gants de cuir noir. Ses doigts étaient tendus, ou courbés, mais toujours rigides.

Peu à peu, lentement, Elizabeth finit par trouver ses mots.

« Pourquoi es-tu venu?

– A cause de ta curiosité obstinée », répondit-il en traversant rapidement la pièce jusqu'au téléphone comme pour vérifier que tout était tranquille.

Il se retourna alors vers sa mère, et la vue de son visage obligea la vieille dame à fermer les yeux. Elle l'avait capté en pleine lumière, hideux, méconnaissable. Quand elle souleva à nouveau ses paupières, il était en train de se frotter l'arcade sourcilière droite, qui était un peu irritée. Il soutint son regard douloureux.

« Les cicatrices ne sont pas encore complètement fermées. Elles me démangent souvent. Est-ce là un regard empreint de sollicitude maternelle?

– Qu'as-tu fait? Que t'es-tu fait?

– Une nouvelle vie! Un nouveau monde pour moi! Voilà ce que je me suis fait. Un monde qui n'a rien à voir avec le tien. Du moins pas encore!

– Je t'ai demandé ce que tu avais fait?

– Tu sais ce que j'ai fait, sinon tu ne serais pas ici à Londres. Ce que tu dois comprendre maintenant, c'est qu'Ulster Scarlett n'existe plus.

– Si c'est ce que tu veux que le monde entier croie, pourquoi viens-tu me voir, moi?

– Parce que tu as supposé, avec raison, que ce n'était pas vrai et que ton acharnement pourrait s'avérer néfaste pour moi. »

La vieille dame se figea avant de continuer à s'exprimer, raide comme une barre de métal.

« Alors il est très possible que celui qui avait décidé de ma mort ne soit pas aussi stupide que tu le prétends.

– Voilà qui est très brave de ta part. Je me demande pourtant si tu as songé aux autres...

– Quels autres? »

Scarlett abandonna l'anglais pour un dialecte italien sec et mordant.

« La Famiglia Scarlatti! C'est comme ça qu'on dit, non?... Onze membres pour être exact. Deux adultes, une grand-mère, une femme ivrogne et sept enfants! La tribu tout entière! Terminée! La lignée des Scarlatti s'arrête brusquement dans un unique bain de sang!

– Tu es fou! Je t'arrêterai! Ne t'attaque pas à eux, mon garçon!

– Tu n'es qu'une vieille idiote! Nous sommes au-delà de ce que tu peux imaginer, même financièrement. Il faut voir maintenant comment l'argent est employé. Et c'est toi qui m'as appris tout ça!

– Je les mettrai hors de ton atteinte! Je te ferai traquer et détruire!

– On perd du temps. Tu te préoccupes de choses qui te dépassent. C'est touchant, mais soyons clairs. Je n'ai qu'un coup de téléphone à donner et l'ordre parvient à New York. Sous quarante-huit heures, les Scarlatti sont rayés de la carte! Eteints! Ah! ce sera un enterrement très cher! La Fondation fera dans le grandiose!

– Ton propre fils aussi bien?

– Lui le premier. Tous morts, et sans raisons apparentes. Le mystère des Scarlatti! Une histoire de fous!

– Tu es dément, dit-elle d'une voix à peine audible.

– Parle plus fort, mère! Tu penses à ces petites têtes bouclées qui s'ébattent sur la plage de Newport sans savoir qu'ils vont mourir? Tragique, n'est-ce pas? Un seul, un seul survivra peut-être dans le tas et la tribu Scarlatti poursuivra sa route vers la gloire! Dois-je passer ce coup de téléphone? Personnellement, cela m'est tout à fait indifférent. »

Elizabeth, qui n'avait pas encore bougé, pétrifiée, se déplaça lentement vers un fauteuil.

« Ce que tu désires a-t-il tant de valeur qu'il faille que les vies de la famille en dépendent?

– Aucune valeur pour toi. Seulement pour moi. Et les choses pourraient être pires, je pourrais exiger une centaine de millions en plus.

– Pourquoi ne le fais-tu pas? Dans les circonstances présentes, tu sais bien que je paierais! »

L'homme éclata de rire.

« Bien sûr que tu paierais! Tu le puiserais à un endroit qui paniquerait la Bourse. Non merci. Je n'en ai pas besoin. Souviens-toi, nous sommes au-delà de l'argent.

– Que veux-tu? demanda Elizabeth en se laissant tomber dans le fauteuil, écrasée.

– D'abord les lettres de la banque. Elles ne te serviraient à rien, de toute façon. Donc pas de problème de conscience à avoir. »

Elizabeth avait eu raison! Cette pensée jaillit comme un éclair. L'idée avait été bonne. Toujours chercher l'aspect pratique, chercher l'argent!

« Les lettres de la banque?

– Les lettres que Cartwright t'a remises!

– Tu l'as éliminé! Tu étais au courant de notre accord!

– Allons, mère! Un crétin sudiste est nommé vice-président de Waterman Trust! On lui donne même des responsabilités! On l'a suivi pendant trois jours. Nous possédons ton accord. Ou du moins les copies que Cartwright avait. Ne jouons pas au plus fin, c'est inutile. Donne-moi les lettres, s'il te plaît. »

La vieille dame se leva et se rendit dans sa chambre. Elle revint peu après et lui tendit des enveloppes qu'il s'empressa d'ouvrir, sortant les lettres qu'il disposa sur le divan pour les compter.

« Cartwright avait mérité son argent. »

Il rassembla à nouveau les lettres et s'assit sans façon sur le divan.

« Je ne savais pas qu'elles étaient si importantes, murmura Elizabeth.

– Elles ne le sont pas, en réalité. Elles n'auraient servi à rien. Tous les comptes sont clos et l'argent... dispersé, disons.

– Alors pourquoi étais-tu si anxieux de les avoir?

– Si on les montrait aux banques, cela aurait été le début de toutes sortes de spéculations, d'hypothèses. Nous ne souhaitons pas trop la publicité en ce moment. »

La vieille dame fouillait le regard confiant de son fils. Il était détaché, content de lui, presque relaxé.

« Qui est-ce "nous"? Dans quoi es-tu impliqué? »

Une fois de plus sa bouche se déforma en un sourire grotesque sous ses narines refaites.

« Tu le sauras en temps utile. Tu ne sauras pas leurs noms, bien sûr, mais tu comprendras. Tu seras même peut-être fière mais tu ne l'admettras jamais. »

Il regarda sa montre.

« Continuons...

– Que veux-tu d'autre?

– Que s'est-il passé sur le *Calpurnia*? Et pas de mensonges! »

Il riva son regard sur elle.

Elizabeth sentit les muscles de son ventre se contracter, comme pour l'aider à dissimuler une quelconque réaction à la question. Elle savait que la vérité était peut-être la seule chose qui lui restait.

« Je ne comprends pas, dit-elle.

– Tu mens!

– A quel propos? J'ai reçu un télégramme d'un homme nommé Boutier concernant la mort de Cartwright.

– Assez! Tu n'aurais pas pris toutes ces précautions ultérieures s'il ne s'était rien passé! Je veux savoir où il est.

– Où est qui? Cartwright?

– Je t'avertis!

– Je n'ai pas la moindre idée de ce que tu veux dire!

– Un homme a disparu sur ce bateau! On dit qu'il est tombé par-dessus bord.

– Oh! oui, je m'en souviens... Qu'est-ce que cela a à voir avec moi? » demanda-t-elle, personnification parfaite de l'innocence.

Il resta pétrifié.

« Tu ne sais rien de cet incident?

– Je n'ai pas dit ça.

– Qu'as-tu dit alors?

– Il courait certaines rumeurs.

– Quel genre de rumeurs? »

Elizabeth soupesait les avantages des différentes réponses possibles. Elle savait que. sa réponse devait paraître authentique sans erreur évidente dans le rôle ou dans le caractère. D'un autre côté, ce qu'elle devait dire devrait refléter le côté exagéré de toute rumeur.

« Que l'homme était ivre et agressif. Qu'il y a eu une bagarre au bar... Qu'il avait fallu l'assommer et le porter dans sa cabine. Qu'il a voulu revenir au bar et qu'il est tombé par-dessus bord. Tu le connaissais? »

Un nuage d'indifférence sembla couvrir la réponse de Scarlett.

« Il ne faisait pas partie de nous. »

Ulster Scarlett avait l'air insatisfait, mais il ne le montrait pas trop. Pour la première fois depuis qu'ils parlaient, il détourna son regard d'elle, perdu dans ses pensées. Enfin, il se remit à parler.

« Dernière chose... Tu es à la recherche de ton fils disparu...

– Je suis à la recherche d'un voleur! coupa sèchement Elizabeth.

– Question de point de vue... On peut aussi considérer que je n'ai fait qu'avancer le calendrier.

– C'est faux! Tu as volé la propriété des Scarlatti! Ce qui t'était réservé devait être utilisé conjointement avec les Industries Scarlatti!

– Encore une fois, nous perdons du temps.

– Je tenais à éclaircir ce point.

– Le point est que tu me cherchais et que tu m'as trouvé! Es-tu d'accord avec ce fait?

– Oui.

– Maintenant je t'ordonne de ne rien dire, de ne rien faire, et de retourner à New York. De surcroît, tu devras détruire toutes lettres ou instructions me concernant que tu peux avoir en ta possession!

– Ce sont des exigences impossibles!

– Dans ce cas, mes ordres vont partir! Les Scarlatti sont morts! Va dans ton église, ils t'expliqueront comment coule le sang des agneaux! »

Ulster Scarlett bondit du divan, et, avant même que la vieille dame puisse suivre du regard ses mouvements, il avait atteint le téléphone, sans la moindre hésitation. Sans la regarder il décrocha et attendit que la standardiste réponde.

« Non, cria-t-elle, chancelante.

– Pourquoi non? répondit-il d'un ton presque ironique.

– Je ferai ce que tu demandes!

– Tu en es certaine? demanda-t-il en reposant le combiné.

– Certaine. »

Il avait gagné. Il souriait, maintenant, de ses lèvres difformes.

« Bon, notre conversation est terminée.

– Pas tout à fait, fit Elizabeth qui maintenant

allait tenter quelque chose, quelque chose qui pouvait lui coûter la vie.

– Ah bon?

– J'aimerais que nous réfléchissions quelques instants.

– A quoi?

– Imaginons un moment que je décide de ne pas respecter notre accord...

– Tu connais les conséquences. Tu ne pourrais pas, vous ne pourriez pas vous cacher, vous ne vous échapperiez pas longtemps.

– Pourtant, le facteur temps est de mon côté.

– On a déjà disposé des titres. Inutile d'y songer.

– C'est bien ce que je pensais. Sinon, tu ne serais jamais venu dans cet hôtel.

– Intéressante conversation, continue...

– Je suis certaine que si tu n'y avais pas pensé toi-même quelqu'un t'aurait dit que la meilleure façon de vendre ces titres serait en argent liquide, à un moindre prix.

– Personne n'a eu à me le dire.

– A mon tour de te poser une question.

– Vas-y.

– Crois-tu qu'il est difficile de suivre des dépôts à la trace, en or ou en n'importe quoi, surtout quand il s'agit de dépôts de cette ampleur? »

Suit immédiatement une deuxième question :

« Où sont les seules banques du monde désireuses, ou même simplement capables de telles transactions?

– Nous connaissons tous deux la réponse. Codés, chiffrés, les dépôts ne peuvent être qu'en Suisse.

– Et dans quelle grande banque de Suisse se trouve l'homme incorruptible?

– C'est toi qui es démente, dit tranquillement son fils en plissant les yeux.

– Pas du tout. Tu penses par bribes, Ulster. Tu jongles avec des fortunes, mais tu penses petit... Imagine qu'un bruit coure dans les halls de marbre de Zurich et de Berne que la somme d'un million de dollars américains peut être remise en échange de quelques informations confidentielles...

– Et qu'obtiendrais-tu comme ça ?

– La connaissance !... Des noms ! Des gens !

– Tu me fais rire !

– Rira bien qui rira le dernier !... Il est évident que tu as des associés ; tu en as besoin. Tes menaces rendent ce fait doublement clair, et je suis sûre que tu paies bien... La question est – une fois que je les connaîtrai pourront-ils résister à mon prix ? Et tu ne pourras rien y faire. Ici, nous ne sommes plus au-delà de l'argent ! »

Le visage grotesque se tordit davantage et un rire épais et affecté s'échappa de la bouche difforme.

« J'ai attendu des années pour te dire que tes théories du pouvoir puent ! Tes petites manipulations, tes petits « achète-moi, vends-moi », tout ça c'est fini ! Tes méthodes ! évaporées ! Mort, tout ça !... Pour qui te prends-tu ? Avec tes petits banquiers ! Tes sales juifs puants ! Vous êtes finis ! Je vous ai bien observés ! Votre espèce est éteinte ! Ne me parle pas de mes associés. Ils ne toucheraient même pas à ton argent ! »

L'homme en noir était enragé.

« Tu crois ? demanda Elizabeth d'un ton calme et innocent, comme si elle posait une simple question.

– Absolument ! »

La peau d'Ulster Scarlett était envahie de plaques rouges sous l'effet de sa colère.

« Nous avons autre chose! Nous sommes autrement! Et tu ne peux nous atteindre! Aucun d'entre nous! *Nous n'avons pas de prix!*

– Pourtant, tu m'accorderas que – comme avec les lettres des banques – je pourrais te mettre des bâtons dans les roues. Tu prendrais ce risque?

– Tu signerais onze arrêts de mort! Un enterrement familial de masse! C'est cela que tu veux, mère?

– La réponse à nos deux questions est non. Il doit y avoir une forme d'accord beaucoup plus raisonnable. »

Ulster reprit son ton précis et calme.

« Tu n'es pas mon égale. Ne pense pas que tu l'es une seule seconde!

– Qu'est-il arrivé, Ulster? Qu'est-il arrivé?... Pourquoi?

– Rien et tout! Je fais ce qu'aucun de vous n'était capable de faire! Ce qu'il *faut* faire! Mais tu ne peux pas!

– Aurions-nous... voulu le faire?

– Plus que tout au monde! Mais vous n'avez pas l'estomac qu'il faut! Vous êtes des faibles! »

Le téléphone sonna subitement.

« Inutile de répondre, dit Ulster, il ne sonnera qu'une fois. C'est juste un signal pour m'avertir que ma femme – cette putain dévouée – et son dernier compagnon de lit viennent de quitter le Claridge.

– Je suppose que notre discussion s'achève là. »

Elle constata avec soulagement que c'était effectivement le cas. Elle sentait que, dans la situation actuelle, il devenait très dangereux. Un tic secouait son arcade sourcilière droite. Une fois de plus, il fit claquer ses doigts gantés en un mouvement délibérément ralenti.

« Souviens-toi de ce que j'ai dit. Si tu commets une seule erreur... »

Elle l'interrompit.

« Souviens-toi qui je suis, jeune homme! Tu parles à la femme de Giovanni Merighi Scarlatti! Inutile de te le répéter. Nous sommes d'accord. Vaque à tes sales affaires. Tu ne m'intéresses plus! »

L'homme en noir se dirigea rapidement vers la porte.

« Mère, je te hais!

— J'espère que tu récolteras ce que tu sèmes, mon cher fils.

— D'une manière que tu ne peux pas comprendre! »

Il ouvrit la porte et se glissa dehors, non sans claquer sèchement le battant derrière lui.

Elizabeth Scarlatti était devant la fenêtre. Elle écarta les rideaux et appuya son visage contre le carreau froid, comme si elle y cherchait un réconfort. Londres était endormi et seules quelques lumières éparses illuminaient les pierres.

Au nom du Ciel qu'avait-il fait?

Beaucoup plus important : qui lui prêtait attention?

Ce qui aurait pu rester simplement horrible devenait proprement terrifiant. Il possédait l'arme – l'arme du pouvoir – que Giovanni et elle lui avaient innocemment fournie.

Ils étaient bien au-delà de l'argent.

Des larmes tombèrent de ses yeux vieillis et elle fut stupéfaite de ce chagrin brutal qui l'envahissait, irrésistiblement. Elle n'avait pas pleuré depuis trente ans.

Elizabeth Scarlatti s'éloigna de la fenêtre et se mit à faire les cent pas dans sa chambre, machinalement. Elle avait à penser, énormément.

28

Dans un bureau du Home Office, James Derek contemplait un dossier. « Jacques Louis de Bertholde, marquis de Châtellerault. »

Le responsable du fichier entra à cet instant dans la pièce.

« Hello! James, on fait des heures supplémentaires?

– Tu as tout à fait raison, Charles. Je prends une copie. Tu as eu mon bon de demande?

– Il est là. Explique-moi de quoi il s'agit et je te le signe. Sois bref, j'ai une partie de cartes qui a commencé dans mon bureau.

– Bref et simple. Les Américains soupçonnent leur personnel d'ambassade de vendre des valeurs yankees sous le manteau, ici. Ce Bertholde navigue dans les milieux diplomatiques. Il pourrait y avoir une relation avec l'histoire Scarlatti. »

Le responsable des dossiers prenait des notes.

« Quand tout ceci a-t-il commencé?

– Il y a un an, je pense. »

Le responsable cessa d'écrire et leva un nez étonné vers Derek.

« Il y a un an?

– Oui.

– Et cet Américain veut s'attaquer au personnel de son ambassade *maintenant*? *ici*?

– C'est ça.

– Il est du mauvais côté de l'Atlantique! Tout le personnel de l'ambassade américaine a été transféré il y a quatre mois. Il n'y a personne – même pas une secrétaire – qui ait été présent il y a quatre mois. Ils sont tous retournés aux U.S.A.

– Voilà qui est étrange, dit Derek calmement.

– Je dirais que ton ami américain a de bien piètres relations avec son ministère des Affaires étrangères.

– Ce qui signifie qu'il ment.

– Ce qui signifie qu'il ment, oui. »

Janet et Matthew sortirent de l'ascenseur en riant et traversèrent le couloir du septième étage vers la suite d'Elizabeth. Ils avaïent une trentaine de mètres environ à parcourir qu'ils mirent à profit pour s'arrêter quatre fois et s'embrasser.

La jeune femme prit une clef dans son sac et la tendit à l'agent.

Il l'inséra dans la serrure et tourna en même temps la poignée, avant de donner un tour de clef. La porte s'ouvrit brutalement, et en une fraction de seconde, l'agent passa de l'ébriété à la sobriété. Il manqua s'étaler sur le tapis de l'entrée.

Elizabeth Scarlatti était assise sur le divan victorien sous la pâle lumière émanant d'une seule lampe. Elle ne bougea pas, se contenta de regarder Canfield et sa bru.

« Je vous ai entendus dans le couloir.

– Je vous avais dit de boucler cette porte! s'écria Canfield.

– Désolée, j'avais oublié.

– Bon Dieu, non! J'ai attendu en partant de vous entendre le faire!

– J'ai commandé un peu de café tout à l'heure.

– Où est le plateau?

– Dans ma chambre qui, je suppose, est encore privée!

– N'en croyez rien! dit Canfield en courant vers la chambre.

– Excusez-moi encore! J'ai appelé pour qu'ils reprennent le plateau. Je suis un peu fatiguée, excusez-moi.

– Pourquoi? Qu'est-ce qu'il y a? »

Elizabeth Scarlatti réfléchissait à toute vitesse. Elle regarda sa bru tout en parlant.

« J'ai reçu un coup de téléphone très désagréable. Une histoire d'argent qui n'a rien à voir avec vous. Cela met en jeu une somme énorme et je dois prendre ma décision avant l'ouverture de la Bourse de Londres demain matin.

– Puis-je vous demander ce qu'est cette affaire si importante qu'elle vous fait ne pas obéir à mes instructions?

– Plusieurs millions de dollars. Vous pourriez peut-être m'aider. Les Industries Scarlatti doivent-elles acheter les obligations convertibles restantes dans Sheffield Cutlery et, en effectuant leur conversion en actions contrôler la société? »

Avec une certaine hésitation, l'agent demanda :

« Pourquoi cette décision est-elle si douloureuse?

– Parce que cette compagnie perd sans cesse de l'argent.

– Alors n'achetez pas. Cela ne devrait pas vous donner de telles insomnies! »

La vieille dame lui jeta un regard froid.

« Sheffield Cutlery est une des sociétés anglaises des plus anciennes et des plus réputées. Leurs produits sont superbes. Le problème n'a rien à voir avec la gestion ou les conditions de travail, mais il est dû à un afflux d'imitations japonaises. La question est de savoir si les acheteurs le sauront à temps pour inverser la tendance. »

Elizabeth Scarlatti se leva et disparut dans sa chambre, fermant la porte derrière elle. Canfield se tourna vers Janet.

« Est-ce que c'est tout le temps comme ça? Elle n'a pas de conseillers? »

Janet fixait la porte fermée de la chambre. Elle ôta son étole et s'approcha.

« Elle ne dit pas la vérité, fit-elle doucement.

— Comment le sais-tu?

— C'est la manière dont elle me regardait quand nous sommes arrivés. Elle essayait de me faire comprendre quelque chose.

— Comme quoi, par exemple? »

La jeune femme haussa les épaules avec impatience, puis reprit, toujours en chuchotant.

« Oh! je ne sais pas, mais tu vois ce que je veux dire, non? Tu es avec un groupe de gens et tu commences à débiter une fable, une histoire qui sonne faux et, tout en parlant, tu regardes ton mari, ou un ami qui sait que tu racontes des histoires... Et dans ton regard tu lui fais comprendre qu'il ne doit pas le contredire.

— Elle mentait, alors, à propos de cette compagnie?

— Oh! non, c'est la vérité. Cela fait des mois que Chancellor Drew essaie de la persuader de l'acheter.

— Comment le sais-tu?

– Elle a déjà refusé.

– Alors pourquoi a-t-elle menti? »

Au moment où il allait s'asseoir, Canfield remarqua que la pièce de lin qui couvrait le haut du fauteuil avait un aspect étrange. Il n'y prêta pas vraiment attention dans l'instant mais il se mit à la regarder de plus près quand il s'aperçut qu'elle était quasiment déchirée tant on l'avait triturée. Ce détail jurait dans un tel décor. Il constata que certains fils étaient déchirés et qu'on discernait la marque de doigts. La personne qui avait serré le dossier de ce fauteuil l'avait fait avec une force considérable.

« Qu'y a-t-il, Matthew?

– Rien. Sers-moi un verre, veux-tu?

– Bien sûr, chéri... »

Elle se rendit jusqu'au bar tandis que Canfield s'approchait de la fenêtre. Sans raison apparente, il ouvrit les doubles rideaux et inspecta la fenêtre elle-même. Il tourna l'espagnolette et l'ouvrit en grand. Il vit ce qu'il commençait à chercher. Le bois autour du verrou était à moitié arraché. Sur l'appui couvert de peinture blanche, il distinguait nettement l'endroit où un corps lourd s'était posé, probablement la trace d'une botte à semelle de crêpe. Pas de cuir. La peinture n'était pas arrachée. Il se pencha vers le vide. En dessous : six étages, verticaux jusqu'au trottoir. Au-dessus : deux étages qui menaient à un toit très incliné, si ses souvenirs étaient exacts. Il referma la fenêtre.

« Mais que diable fais-tu?

– Nous avons eu un visiteur. Un hôte indésirable, pourrait-on dire.

– Mon Dieu! fit Janet soudain paralysée.

– N'aie pas peur. Ta belle-mère ne ferait rien de stupide. Crois-moi.

– J'essaie de te croire. Qu'allons-nous faire?

– D'abord découvrir qui c'était. Maintenant, contrôle-toi. J'aurai besoin de toi.

– Pourquoi n'a-t-elle rien dit?

– Je ne sais pas, mais tu peux peut-être le découvrir.

– Comment?

– Demain matin, elle ramènera sans doute cette histoire de Sheffield sur le tapis. Si c'est le cas, dis-lui que tu te rappelles qu'elle avait refusé de l'acheter pour Chancellor. Elle sera obligée de te fournir une explication.

– Si mère refuse de parler, elle ne parlera pas. C'est tout.

– Alors vas-y discrètement. Mais il faudra bien qu'elle dise quelque chose. »

Bien qu'il fût près de trois heures du matin, le hall était encore très animé, parcouru de gens revenant de soirées tardives. La plupart étaient en tenue de soirée, beaucoup titubaient ou riaient, tous étaient fatigués.

Canfield s'approcha du réceptionniste et l'aborda d'un air familier, sympathique.

« Dites, mon vieux, j'ai un léger problème...

– Oui, monsieur. Puis-je vous aider?

– Eh bien, c'est un peu... délicat... Je voyage avec Mme Elizabeth Scarlatti et sa bru...

– Oh! oui, bien sûr, monsieur Canfield... N'est-ce pas?

– Exact. Eh bien, cette vieille dame se couche tôt, hein, et les voisins d'au-dessus, eux, n'ont pas exactement les mêmes horaires... »

Le réceptionniste, au courant de la légende de la

fortune des Scarlatti, s'abaissa grotesquement aux plus plates excuses.

« Je suis terriblement désolé, monsieur Canfield. Je vais y aller moi-même immédiatement. C'est très embarrassant.

– Oh! non, je vous en prie, tout est calme maintenant.

– Je vous assure que cela ne se reproduira plus. Ils doivent effectivement être bruyants, car le Savoy est un bâtiment très solide, très insonorisé...

– Eh bien, ils doivent faire ça fenêtres ouvertes, alors. Mais, encore une fois ne dites rien. Elle m'en voudrait si elle apprenait que je vous en ai parlé...

– Je ne comprends pas, monsieur.

– Dites-moi juste de qui il s'agit et j'irai leur parler moi-même. Vous savez, gentiment, devant un verre... »

Le réceptionniste était fou de joie d'une telle solution à cet épineux problème.

« Si vous insistez, monsieur... La suite 801 est celle du vicomte et de la vicomtesse de Roxbury, un couple âgé charmant. C'est très inhabituel. Peut-être reçoivent-ils ce soir...

– Et qui est au-dessus d'eux?

– Au-dessus?... Monsieur Canfield je ne pense pas que...

– Dites-moi juste le nom, s'il vous plaît...

– Eh bien, le 901 est... (Le réceptionniste tourna une page de son registre...) N'est pas occupé, monsieur.

– Pas occupé? C'est inhabituel à cette époque de l'année, non?

– Je dirais plutôt indisponible, monsieur. Le 901 a été loué pour le mois à des fins de conférences commerciales.

– Vous voulez dire que personne n'y passe la nuit?

– Oh! ils en auraient certainement la possibilité, monsieur, mais pour l'instant cela n'a pas été le cas.

– Et qui la loue?

– La firme Bertholde & Fils. »

29

Le téléphone posé à la tête du lit de James Derek
sonna sèchement, le réveillant en sursaut.

« C'est Canfield. J'ai besoin d'aide et très rapidement.

– Ça c'est votre opinion. De quoi s'agit-il?

– On a pénétré cette nuit dans la suite Scarlatti.

– Quoi? Que disent les gens de l'hôtel?

– Ils ne le savent pas.

– Je crois vraiment que vous devriez le leur
dire.

– Ce n'est pas si simple. Elle va refuser de l'admettre.

– Elle, c'est votre problème. Pourquoi m'appelez-
vous?

– Je crois qu'elle a peur... Ils sont entrés par la
fenêtre.

– Mon cher ami, sa suite est au septième étage!
Vous exagérez un peu! Les « méchants » ont des
ailes qui leur poussent maintenant? »

L'Américain se tut assez longtemps pour que
l'Anglais comprenne qu'il ne plaisantait pas du
tout.

« Ils se sont dit qu'elle n'ouvrirait pas la porte,

dit-il, ce qui est déjà assez intéressant. La personne qui est entrée est descendue des étages supérieurs avec une corde et a forcé la fenêtre à coups de couteau. Avez-vous appris quelque chose sur Bertholde?

– Une seule chose à la fois, fit Derek qui commençait à prendre Canfield au sérieux.

– Non, justement. Je crois que les deux sont liés. C'est la firme de Bertholde qui a loué la suite deux étages au-dessus de chez elle.

– Je vous demande pardon?

– J'ai vérifié. Depuis un mois. Des conférences commerciales, pas moins.

– Je crois que nous ferions mieux d'avoir une conversation approfondie.

– La jeune femme est au courant et elle a peur. Pourriez-vous mettre deux hommes pour la protéger?

– Vous pensez que c'est nécessaire?

– Pas vraiment, mais je détesterais me tromper.

– Très bien. Nous allons inventer une histoire de vol probable de bijoux. Les deux hommes seront en civil, bien sûr. Un dans le couloir et un dans la rue.

– J'apprécie votre compréhension. Vous commencez à vous réveiller?

– Grâce à vous! Je vous rejoins d'ici une demi-heure avec tout ce que j'ai pu rassembler sur Bertholde. Et je pense que nous devrions aller jeter un coup d'œil dans leur suite. »

Canfield quitta la cabine téléphonique et revint vers l'hôtel. Le manque de sommeil commençait à se faire sentir et il aurait aimé être dans une ville américaine où les cafés, ouverts toute la nuit, vous servent de quoi vous remonter. Les Anglais, songea-t-il, se trompent en se prenant pour des gens civilisés. La civilisation, c'est de pouvoir boire un café bien corsé n'importe où, à n'importe quelle heure de la nuit.

Il pénétra dans le hall et remarqua que la pendule au-dessus du bureau du réceptionniste marquait quatre heures moins le quart. Il s'avançait vers les vieux ascenseurs quand le réceptionniste le héla.

« Oh! monsieur Canfield!

– Qu'y a-t-il? »

Canfield avait soudain pensé à Janet et son cœur s'était arrêté de battre.

« Juste après votre départ, monsieur, on a apporté ceci pour vous... C'est tout à fait inhabituel à cette heure de la nuit...

– Mais de quoi diable parlez-vous?

– De ce câble, monsieur, dit le réceptionniste en lui tendant une enveloppe.

– Merci », fit Canfield en soupirant de soulagement.

Il prit le câble et entra dans l'ascenseur qui ressemblait à un gril ouvert.

En montant, il tâtait l'enveloppe du bout des doigts. C'était épais. Benjamin Reynolds avait envoyé une longue missive où il allait avoir à décoder pendant des heures. Il espéra soudain en finir avant l'arrivée de Derek.

Canfield, une fois dans sa chambre, s'assit sur son fauteuil près d'une lampe et ouvrit l'enveloppe.

Il n'y avait pas besoin de décodage. Tout était inscrit en langage d'affaires aisément compréhensible si on l'appliquait à la situation présente. Il compta les pages, il y en avait trois.

DÉSOLÉ VOUS APPRENDRE QUE RAWLINS THOMAS ET LILIAN MORTS DANS ACCIDENT AUTOMOBILE JE RÉPÈTE ACCIDENT POCONO MOUNTAINS STOP TOUS DEUX MORTS STOP SAIS QUE CELA ATTRISTERA VOS CHÈRES AMIES STOP SUGGÈRE VOUS LES CONSOLIEZ STOP POUR AFFAIRES WIMBLEDON STOP NOUS NE REGARDONS PAS À LA DÉPENSE ENCORE REGARDONS PAS À LA DÉPENSE CHEZ NOS FOURNISSEURS ANGLAIS POUR OBTENIR QUOTA MAXIMUM DE MARCHANDISES STOP ILS COMPRENNENT NOTRE PROBLÈME AVEC LES IMPORTS SCANDINAVES STOP ILS SONT PRÊTS À VOUS AIDER DANS VOS NÉGOCIATIONS POUR RÉDUCTION DES TAUX D'ACHAT MAXIMUM STOP ON LEUR A PARLÉ DE NOS CONCURRENTS EN SUISSE ENCORE EN SUISSE ET DES COMPAGNIES JE RÉPÈTE DES COMPAGNIES IMPLIQUÉES STOP ILS SONT AU COURANT DES TROIS COMPAGNIES ANGLAISES CONCUR-RENTES STOP ILS VOUS APPORTERONT TOUTE ASSISTANCE ET NOUS VOUDRIONS QUE VOUS CONCENTRIEZ ENCORE CONCEN-TRIEZ SUR NOS INTÉRÊTS EN ANGLETERRE STOP N'ESSAYEZ PAS ENCORE N'ESSAYEZ PAS DE PROPOSER DES CONDITIONS PLUS AVANTAGEUSES QUE NOS CONCURRENTS SUISSES STOP RESTEZ EN DEHORS DE CELA STOP ON NE PEUT RIEN FAIRE STOP

J. HAMMER WIMBLEDON NEW YORK

Canfield alluma un cigare et posa les trois feuilles par terre. Il les contemplait, jambes étendues, confortablement installé.

« Hammer » était le nom de code de Reynolds pour les messages dont il considérait le contenu comme de la plus haute importance. Le mot *encore* était là pour insister sur certains points. Le mot *je répète* une simple inversion. Il servait à supprimer le négatif dans ce à quoi il se référait.

Ainsi les Rawlins – il dut réfléchir une minute avant de se souvenir que les Rawlins étaient la belle-famille de Boothroyd – avaient été assassinés. Pas un accident. Et Reynolds craignait pour la vie d'Elizabeth Scarlatti. Washington avait passé un accord avec le gouvernement britannique pour obtenir une coopération inhabituelle – ne regardant pas à la dépense... – et, en échange, avait prévenu les Anglais de l'histoire des valeurs en Suède et de celle des terrains achetés en Suisse, qu'on supposait liées. Pourtant Reynolds ne précisait pas qui étaient les hommes de Zurich. Il mentionnait seulement qu'ils existaient et que trois Anglais très haut placés en faisaient partie. Canfield se souvenait de leurs noms : Masterson, rendu célèbre par ses séjours aux Indes; Leacock, de la Bourse de Londres, et Innes-Bowen, un magnat du textile.

« Hammer » insistait surtout sur le fait qu'il devait protéger Elizabeth et ne pas se rendre en Suisse.

On frappa doucement à sa porte. Canfield ramassa les pages étalées sur le tapis et les enfouit dans une de ses poches.

« Qui est-ce?

– C'est " boucle d'or "... Je cherche un lit pour y dormir. »

Cet accent anglais appartenait à Derek, bien évidemment. Canfield lui ouvrit et l'Anglais entra sans autre forme de politesse. Il jeta une enveloppe cartonnée sur le lit, posa son melon sur le bureau et se laissa tomber dans le premier fauteuil venu.

« J'aime bien votre chapeau, James.

– Je prie seulement pour qu'il m'empêche de me faire arrêter. Un Londonien rôdant autour du Savoy à cette heure de la nuit se doit d'avoir l'air totalement respectable.

– Ce qui est votre cas, ma parole!

– Je ne croirai jamais à votre parole, espèce d'insomniaque.

– Voulez-vous un whisky?

– Mon Dieu, non!... Mme Scarlatti ne vous a rien raconté, alors?

– Rien. Moins que rien. Elle a essayé de détourner mon attention. Et puis elle s'est tue et elle s'est enfermée dans sa chambre.

– Je n'arrive pas à y croire. Je croyais que vous travailliez ensemble, dit Derek étonné en sortant une clef de sa poche. J'ai eu une petite conversation avec le flic de l'hôtel.

– Vous avez confiance en lui?

– Cela n'a aucune importance. C'est un passe-partout et il croit que je m'occupe d'une soirée qui a lieu au deuxième étage.

– Bon, eh bien j'y vais. Attendez-moi, s'il vous plaît. Essayez de récupérer un peu de sommeil.

– Attendez. C'est vous qui êtes lié à Mme Scarlatti, selon toute évidence. C'est à moi d'aller faire cette reconnaissance. »

Canfield réfléchit. Il y avait du vrai dans ce que disait Derek. Il supposait, de plus, que l'Anglais était bien plus habile dans ce genre de boulot de détective. D'un autre côté il n'avait pas entièrement confiance en lui. Il n'était pas non plus prêt à lui faire des confidences et à laisser le gouvernement britannique prendre des décisions.

« C'est très courageux de votre part, Derek, mais je ne vous en demande pas tant.

– Ce n'est pas du courage. Je pourrais vous fournir de nombreuses explications.

– Je préfère quand même y aller moi-même. Franchement, je ne veux pas vous impliquer là-dedans. Je vous ai demandé de m'aider, pas de faire mon travail à ma place.

– Coupons la poire en deux.

– Pourquoi?

– C'est plus sûr.

– Très bien.

– J'entrerai d'abord et vous attendrez dans le couloir. Je verrai s'il n'y a personne et je vous appellerai.

– Comment?

– En gaspillant le moins d'énergie possible. Un court sifflement peut-être... »

Canfield entendit le sifflement strident et bref et s'élança rapidement vers la porte de la suite 901.

Il ferma la porte et se dirigea vers la lampe torche que tenait Derek.

« Tout va bien?

– Voilà une suite bien tenue. Le décor n'est pas aussi ostentatoire que dans celles que vous occupez, vous, les Américains, mais on s'y sent infiniment plus chez soi.

– C'est rassurant.

– Plus que vous ne le pensez. Je n'aime vraiment pas ce genre de travail.

– Je pensais que vous, les Anglais, vous étiez très célèbres pour cela, justement. »

Ces répliques sans importance couvraient le début de leurs recherches, rapides mais en profondeur. L'agencement des pièces était le même que dans la suite des Scarlatti, deux étages plus bas. Pourtant le mobilier était différent. Au centre de la pièce principale, une grande table était entourée d'une douzaine de chaises.

« Une table de conférence, je suppose, dit Derek.

– Regardons la fenêtre.

– Laquelle? »

Canfield réfléchit.

« Celle-ci. »

Il s'approcha de la fenêtre qui surplombait celle d'Elizabeth Scarlatti.

« Un point pour vous », dit l'Anglais en dirigeant sa lampe sur l'appui de la fenêtre où le bois était creusé d'un sillon noir qui avait entamé profondément la peinture. Là où le bois rencontrait la pierre du mur, une marque semblable indiquait sans méprise possible qu'on avait placé une corde, corde dont la friction avait même entamé la pierre.

« Je ne sais pas qui c'est, mais il est agile comme un chat, dit Canfield.

– Jetons un coup d'œil ailleurs. »

Les deux hommes pénétrèrent d'abord dans la chambre de gauche et y trouvèrent un lit à deux places impeccablement fait. Le bureau était vide, mis à part l'habituel papier à lettres et les crayons fournis par l'hôtel. Les placards ne renfermaient que des portemanteaux nus et des formes à chaussures. La salle de bain était immaculée, les cuivres de la robinetterie étincelaient. La deuxième chambre, sur la droite, était dans le même état, à part le couvre-lit un peu chiffonné. Quelqu'un avait dormi, ou s'était reposé dessus.

« Un type grand, probablement au moins un mètre quatre-vingt-cinq, dit l'Anglais.

– A quoi voyez-vous ça?

– L'empreinte de ses fesses, là, au milieu du lit.

– Je n'aurais pas pensé à ça.

– Pas de commentaires.

– Il a pu s'asseoir.

– J'ai dit, probablement. »

L'agent ouvrit un placard.

« Envoyez la lumière par ici.

– Voilà.

– Ça y est! »

Sur le plancher, au fond du placard, un tas de

corde. On apercevait en dessous trois larges attaches de métal qui reliaient des boucles de cuir à la corde.

« Du matériel d'alpiniste, fit l'Anglais.

– De quel genre?

– Très précis, très pratique. Les vrais mordus de la varappe ne s'en serviraient pas, ce ne serait pas fair-play. Ça sert surtout pour les secours en montagne.

– Dieu les bénisse! Est-ce que ça grimperait un mur du Savoy?

– Sans problème, et très vite. Vous aviez raison.

– Sortons d'ici, dit Canfield.

– Je crois que je vais accepter votre verre de whisky maintenant, fit Derek.

– Avec plaisir, enchaîna Canfield en se levant péniblement de son lit. Scotch et soda, cher ami?

– Merci. »

L'Américain s'approcha d'une table près de la fenêtre, table qui lui servit de bar, et versa deux whiskies bien tassés. Il en tendit un à James Derek et leva à moitié le sien comme pour porter un toast.

« Vous travaillez bien, James.

– Vous n'êtes pas incompétent, vous-même. Et plus j'y réfléchis, plus je pense que vous avez eu raison d'emporter ce matériel d'alpiniste.

– Cela ne peut que créer une confusion.

– C'est bien ce que je veux dire. Cela peut servir... C'est un appareil tellement américain.

– Je ne comprends pas.

– Ne le prenez pas pour vous personnellement. C'est simplement que vous, les Américains, vous êtes tellement obsédés par l'équipement, si vous voyez ce que je veux dire... Quand vous chassez le canard en Ecosse, vous emportez un obusier avec

330

vous... Si vous pêchez au pays de Galles, vous emmenez cent différentes sortes d'appâts artificiels dans votre besace. Le sens sportif des Américains est égal à son pouvoir d'achat. Rien à voir avec l'habileté.

– Si c'est votre heure d'antiaméricanisme, je vais mettre la radio.

– Non, Matthew, j'essaie juste de vous dire que je pense que vous aviez raison. La personne qui est entrée dans la suite de Mme Scarlatti était un Américain. Nous pouvons à partir de ce matériel d'alpiniste remonter jusqu'à l'un des hommes de votre ambassade. Cela ne vous a pas frappé?

– Nous pouvons faire quoi?

– Votre ambassade... Cela peut être quelqu'un du personnel qui connaîtrait Bertholde. L'homme que vous soupçonnez avoir été impliqué dans la disparition de ces titres... Même un matériel comme celui-ci ne peut être employé que par un alpiniste chevronné. Combien de ce genre de sportifs votre ambassade compte-t-elle? Scotland Yard pourrait vous le dire en quelques heures?

– Non... Nous nous en occuperons nous-mêmes.

– C'est une perte de temps, vous savez. Après tout, les employés d'ambassade ont des fiches, exactement comme Bertholde. Combien d'entre eux font de l'alpinisme? »

L'Américain tourna le dos à James Derek et emplit à nouveau son verre.

« Cela nous met dans un travail de simple police. Nous ne le voulons pas. Nous mènerons l'enquête nous-mêmes.

– Comme vous voudrez. Cela ne devrait pas être bien difficile. Vingt ou trente personnes à tout casser. Vous n'aurez pas de mal à trouver le bon.

– Sans aucun doute, dit Canfield en retournant s'asseoir sur son lit.

– Dites-moi, fit l'Anglais en finissant son whisky, vous avez une liste du personnel de l'ambassade, une liste récente, je veux dire?

– Bien sûr.

– Et vous êtes absolument certain que des membres du personnel qui y travaillent en ce moment étaient impliqués dans cette histoire de titres l'année dernière?

– Oui, je vous l'ai dit. Du moins, le ministère des Affaires étrangères le pense. J'aimerais que vous arrêtiez de rabâcher.

– Je cesse tout de suite. Il est tard et j'ai un paquet de dossiers sur mon bureau que j'ai un peu négligés ces derniers jours. »

L'agent anglais se leva et ramassa son chapeau sur le bureau.

« Bonne nuit, Canfield.

– Ah! vous partez?... Y avait-il quelque chose d'intéressant dans le dossier Bertholde? Je vais le lire, mais pas maintenant, je suis épuisé. »

James Derek était dans l'encadrement de la porte, il regarda Canfield d'un air amusé.

« Il y a une chose qui va sûrement vous intéresser... Plusieurs même peut-être, mais celle-ci tombe à pic, c'est le cas de le dire.

– C'est quoi?

– Parmi les différentes activités sportives du marquis, on trouve l'alpinisme. Cet éminent sportif est, de surcroît, membre du Matterhorn Club. Il est aussi l'un des quelque cent bonshommes qui ont escaladé la Jungfrau par la face nord. Ce n'est pas un mince exploit, je pense. »

Canfield se releva, subitement réveillé, et se mit à crier :

« Pourquoi ne pas l'avoir dit plus tôt, bon sang?

– Franchement, je croyais que vous étiez beaucoup plus intéressé par ses relations avec votre ambassade. C'était surtout ça que je cherchais dans son dossier. »

L'agent fixait Derek.

« Ainsi, c'était Bertholde. Mais pourquoi?... A moins qu'il n'ait su qu'elle n'ouvrirait à personne...

– Peut-être. Je n'en sais rien. Bonne lecture, Canfield. Ce dossier est fascinant, vous verrez... Pourtant, je ne crois pas que vous y trouverez grand-chose qui soit relié à l'ambassade américaine... Mais ce n'était pas pour cela que vous le vouliez, n'est-ce pas? »

L'Anglais sortit et referma vivement la porte derrière lui. Canfield contemplait cette porte close, troublé mais trop fatigué pour réfléchir.

30

Le téléphone le réveilla.

« Matthew?

– Oui, Jan? »

Il était appuyé sur un coude et cela lui coupait la circulation. Son bras lui fit mal.

« Je suis à la réception. J'ai dit à mère que j'avais des courses à faire. »

L'agent regarda sa montre. Il était onze heures trente. Il avait eu besoin de ce sommeil tardif.

« Qu'est-ce qui s'est passé?

– Je ne l'ai jamais vue comme ça, Matthew. Elle a l'air complètement terrorisée.

– C'est nouveau. A-t-elle parlé de cette affaire de Sheffield?

– Non. J'ai été obligée d'en parler moi-même. Elle a changé de conversation en disant que les choses avaient évolué et que cela n'avait plus d'importance.

– Rien d'autre? Que ça?

– Oui... Ah! si, autre chose. Elle a dit qu'elle te parlerait cet après-midi. Elle prétend qu'il y a des problèmes à New York dont il faut s'occuper. Je crois qu'elle a l'intention de quitter Londres et de rentrer à la maison.

– C'est impossible! Qu'a-t-elle dit exactement?

– Elle est restée dans le vague. Que Chancellor était stupide et que c'était insensé de perdre son temps à la chasse aux canards sauvages.

– Elle ne croit pas à ce qu'elle dit!

– Je le sais bien. Elle n'était pas convaincante non plus. Mais c'est ce qu'elle dit. Que comptes-tu faire?

– La prendre par surprise, j'espère. Reste absente au moins deux heures, s'il te plaît... »

Ils tombèrent d'accord pour déjeuner ensemble assez tard et se dirent au revoir.

Trente minutes plus tard, Matthew traversait la réception du Savoy et se dirigeait vers le gril où il commanda son petit déjeuner. Il fallait aller à la bataille l'estomac plein.

Il avait emmené le dossier Bertholde et s'était promis d'en lire le plus possible à table. Il l'ouvrit et le posa à gauche de son assiette.

Jacques Louis Aumont de Bertholde, quatrième marquis de Châtellerault.

C'était un dossier qui ressemblait à tous les dossiers concernant les gens très riches. Détails significatifs sur la lignée familiale. Positions et titres de chaque membre sur plusieurs générations, dans les affaires, le gouvernement, et la société – à la fois très impressionnant et insignifiant pour qui n'y connaissait pas grand-chose. Les avoirs Bertholde – énormes – principalement localisés en territoire britannique. L'éducation reçue par le sujet et son ascension progressive dans le monde des affaires. Ses clubs, tous très corrects. Ses hobbies – automobiles, élevage de chevaux et de chiens – également très corrects. Les sports où il excellait – polo, yachting, alpinisme (Matterhorn et Jungfrau) – non seulement corrects, mais ajoutant une note colorée à l'ensemble, un signe distinctif. Et pour finir, les appréciations de quelques-uns de ses contemporains sur son caractère. C'était la partie la plus intéressante mais souvent par trop négligée, malheureusement, par les professionnels. Ces contributions, en général flatteuses, étaient fournies par des amis ou des associés avides de gain. D'autres, moins flatteuses, étaient fournies par les ennemis ou les concurrents cherchant à saper l'édifice à travers l'homme.

Canfield prit son stylo et fit deux annotations sur le dossier.

La première, page 18, paragraphe 5.

Sans autre raison que le fait ne semblait pas à sa place – à cause de son côté déplaisant – et que ce paragraphe faisait mention d'une ville dont Canfield se souvenait parce qu'elle était sur l'itinéraire du voyage d'Ulster Scarlett en Europe.

La famille Bertholde avait des intérêts considérables dans la Ruhr, qui furent vendus au ministère des Finances allemand quelques semaines avant l'assassinat de Sarajevo. Les bureaux de Bertholde situés à Stuttgart et Tassing furent fermés. Cette vente provoqua des remous considérables dans les cercles financiers français et la famille Bertholde fut critiquée par l'état-major de son pays ainsi que dans de nombreux éditoriaux. Il n'y eut pas accusation de collusion, étant donné le prix exorbitant payé par le ministère des Finances allemand. L'explication vint plus tard, après la guerre, lorsque les intérêts dans la Ruhr furent rachetés au gouvernement de Weimar. Les bureaux de Stuttgart et Tassing rouvrirent alors.

La seconde, page 23, paragraphe 2, faisait référence à l'une des compagnies créées plus récemment par Bertholde et contenait l'information suivante :

Les partenaires du marquis de Bertholde dans cette firme d'import-export sont MM. Sydney Masterson et Harold Leacock...

Masterson et Leacock.

Ils faisaient tous deux partie de la liste de Zurich et possédaient chacun un des quatorze terrains achetés en Suisse.

Ce n'était pas étonnant. Ils faisaient ainsi le lien entre Bertholde et le groupe de Zurich.

Non, ce n'était pas étonnant, simplement rassurant – professionnellement parlant – de voir une autre pièce du puzzle se poser à sa juste place.

Alors qu'il finissait son café, un employé du Savoy s'approcha de lui.

« J'ai deux messages de la réception, monsieur. »

Canfield s'alarma. Il ramassa les notes étalées sur la table.

« Vous auriez pu m'envoyer un chasseur.

– Les deux expéditeurs ne le souhaitaient pas, monsieur.

– Je vois. Merci. »

Le premier message venait de Derek : « Impératif, me contacter. »

Le second était d'Elizabeth Scarlatti : « S'il vous plaît, venez dans ma suite à quatorze heures trente. C'est très urgent et je ne peux pas vous voir avant. »

Canfield alluma un cigare et se rencogna dans le fauteuil de la salle à manger. Derek pouvait attendre. L'Anglais avait probablement eu vent des nouveaux accords passés entre Benjamin Reynolds et le gouvernement britannique. Il était soit furieux, soit prêt à s'excuser. Canfield décida de remettre Derek à plus tard.

Elizabeth Scarlatti, elle, avait sûrement pris une décision. Si Janet avait raison, elle se repliait. Oubliant pour l'instant sa propre perte potentielle, il songea qu'il ne pourrait jamais expliquer ce revirement à Reynolds ou Glover ou à n'importe qui du Groupe Vingt. Il avait dépensé des milliers de dollars en comptant sur la coopération d'Elizabeth.

L'agent se mit à penser au visiteur nocturne de la vieille dame, le quatrième marquis de Châtellerault, vétéran du Matterhorn et de la Jungfrau, Jacques Louis de Bertholde. Pourquoi était-il entré dans la suite Scarlatti de cette manière? Etait-ce simplement parce qu'il savait qu'elle n'ouvrirait à personne? Etait-ce pour la terrifier? Ou bien cherchait-il quelque chose?

Comme Derek et lui avaient été fouiller l'obscurité, deux étages au-dessus...

Une fois en face d'elle, qu'avait pu dire Bertholde pour la faire plier, pour annihiler sa volonté? Que pouvait-il avoir dit qui terrorisât Elizabeth?

Il pouvait lui promettre la mort pour son fils, s'il était encore vivant. Oui, cela pouvait être ça... Mais cela suffirait-il? Son fils l'avait trahie, elle et les Industries Scarlatti. Canfield avait l'étrange sentiment qu'Elizabeth préférerait voir son fils mort que poursuivant cette trahison.

Pourtant elle battait en retraite maintenant.

Canfield sentait la même ambiguïté qu'il avait ressentie sur le *Calpurnia*. Une inadéquation des faits. Un homme qui avait eu l'air d'un cambrioleur pour se révéler être beaucoup plus complexe, noyé dans un brouillard de circonstances et de gens totalement extraordinaires.

Il se força à repenser à Elizabeth Scarlatti. Il était persuadé qu'elle ne « pouvait pas le voir » avant quatorze heures trente parce qu'elle prenait ses dispositions pour rentrer chez elle.

Eh bien, il avait une surprise en réserve pour elle. Il savait qu'elle avait eu un visiteur nocturne et il avait également le dossier Bertholde.

Elle pouvait récuser le dossier en bloc. Le matériel d'alpiniste était irréfutable.

« Mon message disait que je ne pouvais pas vous voir avant quatorze heures trente! Voudriez-vous respecter mes désirs, s'il vous plaît?

– Cela ne peut pas attendre! Laissez-moi entrer, vite! »

Elle ouvrit la porte d'un air dégoûté, la laissant entrouverte et lui tournant carrément le dos pour revenir vers le centre de la pièce. Canfield ferma, insistant lourdement sur le verrou. Avant qu'elle puisse se retourner, il se mit à parler.

« J'ai lu le dossier. Je sais pourquoi votre visiteur n'a pas eu besoin d'ouvrir la porte. »

C'était comme si on lui avait tiré un coup de revolver en pleine figure. La vieille dame se tourna et se plia en deux, le cou tordu en arrière. Si elle avait eu trente ans de moins, elle se serait jetée sur lui, prise d'une fureur homicide. Elle se mit à parler et les mots sortaient de sa bouche avec une intensité qu'il ne lui avait jamais connue.

« Espèce de bâtard sans scrupule! Menteur! Voleur! Menteur! Menteur! Je vous ferai jeter en prison pour le restant de vos jours!

– Très bien! Attaque pour attaque! Vous vous en

êtes tirée auparavant, mais pas cette fois-ci. Derek était avec moi. Nous avons trouvé la corde. Tout un matériel d'alpiniste, que votre visiteur a employé pour faire de la varappe le long de la façade de l'immeuble! »

La vieille dame tombait vers lui, les jambes molles.

« Pour l'amour du Ciel, calmez-vous! Je suis de votre côté! dit-il en la soutenant par ses frêles épaules.

– Il faut l'acheter! Oh! mon Dieu! Il faut que vous l'achetiez! Faites-le venir ici!

– Pourquoi? L'acheter? Comment? Qui?

– Derek! Depuis quand savez-vous? Canfield, je vous le demande, au nom du Ciel, depuis combien de temps êtes-vous au courant?

– Depuis environ cinq heures ce matin.

– Alors il en a parlé à d'autres! Oh! mon Dieu, il a tout raconté! »

Elle était dans tous ses états et Canfield commençait à craindre pour elle.

« C'est certain. Mais seulement à ses supérieurs immédiats et je crois que Derek est assez haut placé lui-même. A quoi vous attendiez-vous? »

Avec le peu de forces qui lui restait, la vieille dame essayait de se contrôler.

« Vous avez peut-être causé l'assassinat de la famille Scarlatti tout entière. Si tel est le cas, je vous ferai tuer!

– Vous ne mâchez pas vos mots! Vous avez intérêt à vous expliquer!

– Je ne vous dirai rien, tant que vous n'aurez pas fait venir Derek. »

L'agent traversa la pièce, s'empara du téléphone et donna à la standardiste le numéro de Derek. Il parla d'un ton où perçait l'urgence, mais le plus calmement possible, pendant un moment, puis se tourna vers la vieille dame.

« Il a un rendez-vous dans vingt minutes. Il doit faire un rapport complet. Il en a pour un bon moment, quelques heures... »

La vieille dame se précipita sur le téléphone.

« Donnez-moi ça! » dit-elle à Canfield.

Il lui tendit le combiné.

« Monsieur Derek? Elizabeth Scarlatti. Quel que soit ce rendez-vous, n'y allez pas! Je n'ai pas l'habitude de supplier, mais je vous implore, n'y allez pas! S'il vous plaît, ne parlez à personne de la nuit dernière! Pas à âme qui vive! Si vous le faites, vous serez responsable de la mort de gens innocents. Je ne peux rien vous dire maintenant... Oui, oui, comme vous voudrez... Bien sûr... Dans une heure. Merci. Merci. »

Elle reposa le téléphone sur la table. Ses gestes étaient lents, comme soulagés. Elle regarda l'agent d'une manière différente.

« Dieu, merci! » souffla-t-elle.

Canfield aussi la regardait d'une manière différente.

« Bon sang! Je commence à comprendre! s'écriat-il. Ce matériel d'escalade, ce n'était pas seulement pour vous faire peur en faisant l'acrobate à trois heures du matin! C'était une nécessité!

— De quoi parlez-vous?

— Depuis ce matin, je pensais que c'était Bertholde! Et il serait venu, suspendu dans les airs, pour vous flanquer une trouille bleue! Mais ça me chiffonnait, ça ne collait pas. Il aurait pu vous arrêter dans le hall, vous aborder au restaurant, dans un magasin, n'importe où. Il fallait que ce soit quelqu'un qui ne pouvait pas se permettre ça!

Quelqu'un qui ne pouvait prendre le moindre risque!

— Vous bredouillez! Vous êtes parfaitement incohérent!

— Bien sûr, vous voulez tout arrêter! C'est évident! Vous avez accompli ce que vous vouliez réaliser! Vous avez retrouvé votre fils disparu!

— C'est un mensonge!

— Oh! non, ce n'est pas un mensonge! C'est même si clair que je me demande pourquoi je n'y ai pas songé avant. Tout ce satané truc était tellement bizarre que je cherchais des explications démentes. Je pensais qu'il s'agissait d'une persuasion par la terreur. Un procédé qui a beaucoup servi ces dernières années. Mais ce n'était pas ça du tout! C'était votre célèbre héros de la guerre revenant dans le monde des vivants! Le seul qui ne pouvait pas risquer de vous arrêter à l'extérieur au vu et au su de tout le monde!

— Conjectures! Je nie tout ceci!

— Niez ce que vous voudrez! Maintenant je vous offre un choix très simple! Derek sera ici dans moins d'une heure. Soit nous arrangeons ceci entre nous avant, soit je télégraphie à mon bureau que, selon mon opinion professionnelle grandement appréciée, nous avons trouvé Ulster Scarlett! Et, incidemment, j'emmène votre bru avec moi. »

La voix de la vieille dame se mua en un chuchotement à peine audible.

« Si vous avez le moindre sentiment pour cette fille, vous allez faire exactement ce que je vous demande. Sinon, elle sera tuée. »

Canfield haussa subitement le ton. Ce n'était plus la passion du débat, c'était la fureur d'un homme hors de lui.

« Vous n'avez pas d'ordres à me donner! Ni vous

ni votre salopard de fils ne pouvez me menacer!
Vous pouvez acheter une partie de moi, mais vous
ne pouvez pas m'acheter, MOI! Dites-lui que s'il
touche à un cheveu de Janet, je le supprime! »

Implorante, mais sans honte, Elizabeth Scarlatti
le prit par le bras. Il s'arracha à sa main.

« Ce n'est pas moi qui vous menace. Par pitié,
écoutez-moi, dit-elle, essayez de comprendre... Je
suis sans espoir et personne ne peut m'aider! »

L'agent vit des larmes couler sur ses joues ridées.
Son visage était blanc et ses yeux cernés de noir,
épuisés. Il songea – avec un sens de l'à-propos un
peu décalé – qu'elle ressemblait à un cadavre en
pleurs. Sa colère tomba.

« Personne n'est sans espoir. Personne ne doit en
arriver là, surtout pas vous.

– Vous l'aimez, n'est-ce pas? demanda-t-elle.

– Oui. Et parce que je l'aime vous n'avez pas à
avoir peur. Je suis un agent au service du public,
mais beaucoup plus à votre service qu'à celui du
public.

– Votre confiance ne change en rien la situation.

– Vous n'en savez rien tant que vous ne m'avez
rien dit.

– Vous ne me laissez pas le choix? Pas d'alternative?

– Non.

– Alors que Dieu vous protège. Vous allez avoir la
plus lourde des responsabilités. Vous allez être
responsable de nos vies. »

Elle lui raconta tout.

Et Matthew Canfield sut exactement ce qu'il allait
faire. Il était temps d'affronter le marquis de Bertholde.

31

A QUATRE-VINGTS kilomètres au sud-est de Londres se trouve la station balnéaire de Ramsgate. Près de la ville, dans un champ éloigné des routes principales, se dressait une cabane de bois de trente mètres carrés à peine. A travers ses deux petites fenêtres, dans la brume matinale, on pouvait apercevoir une pâle lueur provenant de l'intérieur. A une centaine de mètres, vers le nord, se trouvait un bâtiment plus important, autrefois une grange, maintenant un hangar, qui contenait deux petits monoplans. Trois hommes en cotte grise sortaient l'un des avions de la grange.

Dans la cabane, l'homme au crâne rasé était assis à table, buvant du café et grignotant du pain. La tache rouge au-dessus de son œil droit était douloureuse et enflammée, aussi la grattait-il sans cesse.

Il regarda le message posé devant lui et leva les yeux vers celui qui le lui avait apporté, un homme en livrée de chauffeur. Le contenu du message semblait le mettre hors de lui.

« Le marquis a été trop loin. Les instructions de Munich étaient claires. Les Rawlins ne devaient *pas* être tués aux Etats-Unis. On devait les amener à Zurich! Ils devaient être exécutés à *Zurich*!

– Il n'y a pas lieu de vous inquiéter. Leurs morts ont été organisées pour paraître parfaitement naturelles. Le marquis tenait à ce que vous le sachiez. Cela ne peut pas être envisagé autrement que comme un accident de voiture.

– Par qui? Bon Dieu! Par *qui*? Allez tous vous faire voir! Munich ne veut courir aucun risque! A Zurich il n'y aurait pas eu le moindre risque! »

Ulster Scarlett se leva et s'approcha de la petite fenêtre qui donnait sur le terrain d'atterrissage. Son avion était presque prêt. Il espérait que sa fureur aurait disparu avant le décollage. Il avait horreur de tenir le manche quand il était en colère. Il commettait des erreurs de pilotage quand il se laissait emporter. Cela lui était arrivé de plus en plus souvent depuis que la pression montait, ces derniers temps.

Satané Bertholde! Bien évidemment il fallait tuer Rawlins. Dans sa panique provoquée par la découverte de Cartwright, Rawlins avait ordonné à son gendre de tuer Elizabeth Scarlatti. Une erreur monumentale! C'est drôle, songea soudain Ulster Scarlett... Il ne pensait plus à la vieille dame comme à sa mère. Elle était simplement Elizabeth Scarlatti... Mais avoir fait assassiner Rawlins à dix mille kilomètres d'ici, c'était de la folie pure! Comment pouvaient-ils savoir qui menait l'enquête? Quelles questions allaient être posées? Et avec quelle facilité on pouvait remonter à l'instigateur, à Bertholde!

« Sans tenir compte de ce qui s'est produit, commença Labishe...

– Quoi? » fit Scarlett en se retournant. Il venait de prendre sa décision.

« Le marquis veut également que vous sachiez que, sans tenir compte de ce qui est arrivé à

Boothroyd, toutes les associations possibles avec lui sont enterrées avec la mort des Rawlins.

— Pas tout à fait, Labishe, pas tout à fait. » Scarlett parlait doucement, mais sa voix était très dure. « On a ordonné au marquis de Bertholde... Munich lui avait ordonné d'amener les Rawlins à Zurich. Il a désobéi. C'est malheureux pour lui.

— Pardon, monsieur? »

Scarlett s'empara de son blouson d'aviateur qui pendait sur le dossier de sa chaise. Il continua, de la même voix calme, terriblement claire. Cela tenait en deux mots :

« Tuez-le.

— Monsieur!

— Tuez-le! Tuez le marquis de Bertholde et aujourd'hui même!

— Monsieur, je ne peux pas croire à ce que je viens d'entendre!

— Ecoutez-moi! Je n'ai pas d'explications à fournir! Je veux qu'au moment où j'atteindrai Zurich un télégramme m'y attende m'annonçant la mort de ce stupide fils de putain!... Hé, Labishe! Qu'il n'y ait pas d'erreur sur l'identité de son assassin. Ce doit être *vous*! Nous ne pouvons pas nous permettre qu'ait lieu la moindre enquête maintenant!... Revenez immédiatement ici, après nous vous ferons quitter l'Angleterre immédiatement.

— Monsieur! Je suis avec le marquis depuis quinze ans! Il a toujours été bon pour moi!... Je ne peux...

— Vous quoi?

— Monsieur, dit le Français en tombant à genoux. Ne me demandez pas de...

— Je ne demande pas. J'ordonne! Munich ordonne! »

Le hall du troisième étage de Bertholde & Fils était immense. Au fond, on apercevait des portes Louis XIV, très impressionnantes, qui menaient selon toute évidence au bureau, au saint des saints du marquis de Bertholde. Sur la droite, six gros fauteuils de cuir encerclaient une table basse en chêne épais. Sur la table, bien empilés, des magazines de luxe, socialement et industriellement chic. Sur la gauche, un grand bureau blanc aux moulures dorées. Derrière le bureau, une brune ravissante aux bouclettes tombant sur le front. Tout cet ensemble n'était que la deuxième impression ressentie par Canfield.

Son impression première, en sortant de l'ascenseur, avait été d'être écrasé par les couleurs des murs.

Ils étaient rouge magenta et, suspendues aux moulures d'angle de la pièce, pendaient des tentures de velours noir.

Dieu du Ciel! se dit-il. Je me retrouve dans un hall situé à six mille kilomètres d'ici!

Assis dans deux fauteuils, deux gentlemen habillés à Savile Row lisaient pour tromper leur attente. Sur la droite, un homme en livrée de chauffeur se tenait debout serrant sa casquette dans ses mains derrière son dos.

Canfield s'approcha du bureau. La secrétaire bouclée l'accueillit avant même qu'il ne se présente.

« Monsieur Canfield?

– Oui.

– Le marquis désire que vous entriez immédiatement, monsieur », dit la fille en se levant pour le conduire vers les grandes portes Louis XIV.

Canfield remarqua que l'un des deux gentlemen semblait furieux. Il marmonnait des « bon sang » à peine audibles. Puis il se replongea dans son magazine.

« Bon après-midi, monsieur Čanfield. »

Le marquis de Châtellerault était debout derrière son gigantesque bureau et lui tendait la main.

« Nous ne nous sommes jamais rencontrés, mais un émissaire de Mme Scarlatti est toujours le bienvenu. Asseyez-vous donc. »

Bertholde ressemblait presque à l'image que Canfield s'en était fait. Il était peut-être un peu plus petit. Il était impeccablement mis, relativement beau garçon, très viril, avec une voix de baryton assez forte pour emplir une scène d'opéra. Pourtant, malgré cette apparente virilité, il y avait quelque chose d'artificiel. Peut-être ses vêtements? Ils étaient presque trop à la mode...

« Comment allez-vous? dit Canfield en serrant la main du Français. Doit-on dire monsieur de Bertholde, ou monsieur le marquis? Je ne suis pas certain d'employer la bonne formule.

— Je pourrais vous dire plusieurs noms peu flatteurs employés par vos compatriotes, plaisanta le marquis. Mais je vous en prie, utilisez la coutume française, monsieur Bertholde suffira. Marquis date un peu! »

Le Français souriait ingénument et attendait que Canfield s'asseye. Il retourna ensuite derrière son bureau. Jacques Louis Aumont de Bertholde, quatrième marquis de Châtellerault, était un homme remarquable et Canfield en était conscient.

« J'apprécie infiniment que vous ayez accepté de bousculer votre emploi du temps pour moi, dit-il.

— Les emplois du temps sont faits pour être changés. Sinon l'existence serait d'un morne, n'est-ce pas?

– Je ne perdrai pas de temps, monsieur. Elizabeth Scarlatti veut négocier. »

Jacques de Bertholde se pencha en arrière, l'air étonné.

« Négocier?... J'ai peur de ne pas vous comprendre, monsieur... Négocier quoi?

– Elle sait, Bertholde... Elle en sait autant que faire se peut. Elle veut vous rencontrer.

– Je serais enchanté – à n'importe quel moment – de rencontrer Mme Scarlatti, mais je ne vois vraiment pas de quoi nous pourrions parler. En tout cas pas dans le registre des affaires, monsieur, qui est je pense la raison de votre... venue.

– Peut-être la clef est-elle son fils. Ulster Scarlett. »

Bertholde regarda l'agent droit dans les yeux.

« C'est une clef pour laquelle je ne possède aucune serrure, monsieur. Je n'ai pas eu le plaisir... Je sais, comme beaucoup de gens qui lisent les journaux, qu'il a disparu il y a quelques mois. Mais c'est tout ce que je sais.

– Et vous ne savez rien de Zurich non plus? »

Jacques de Bertholde se redressa soudain sur son fauteuil.

« Quoi? Zurich?

– Nous sommes au courant pour Zurich, poursuivit Canfield.

– Est-ce une plaisanterie?

– Non. Quatorze hommes à Zurich. Vous pourriez en avoir un quinzième peut-être? Elizabeth Scarlatti... »

Canfield pouvait entendre distinctement la respiration de Bertholde.

« D'où tenez-vous cette information? A quoi faites-vous référence?

« – Ulster Scarlett! Pourquoi croyez-vous que je suis ici?

– Je ne vous crois pas! Je ne sais de quoi vous parlez! »

Bertholde se leva.

« Bon sang! Elizabeth Scarlatti est intéressée... Pas à cause de lui! A cause de vous! Et des autres! Elle a quelque chose à offrir, et si j'étais vous, je l'écouterais, cria Canfield.

– Mais vous n'êtes pas moi, monsieur! J'ai peur d'être obligé de vous demander de partir. Il n'y a aucune relation d'affaires entre Mme Scarlatti et moi-même. »

Canfield ne bougea pas d'un pouce. Il resta assis dans son fauteuil et continua d'une voix calme.

« Alors je crois qu'il va falloir que j'aborde les choses autrement. Je crois que vous allez devoir la rencontrer. Lui parler... Pour votre propre bien. Pour la sauvegarde de Zurich.

– Est-ce une menace?

– Si vous ne le faites pas, j'ai l'impression qu'elle va commettre l'irréparable. Inutile, je pense, de vous dire que c'est une femme extrêmement puissante... Vous êtes lié à son fils... Et elle a vu son fils hier soir! »

Bertholde était parfaitement immobile, sans expression. Canfield ne parvenait pas à décider si son air incrédule provenait de la révélation de la visite de Scarlett ou bien du fait que l'agent soit, lui, au courant.

Au bout d'un moment, Bertholde répliqua.

« Je ne sais rien de ce dont vous parlez. Cela n'a rien à voir avec moi.

– Allons! J'ai trouvé la corde, le matériel d'alpiniste! Je l'ai trouvé au fond d'un placard dans votre suite au Savoy!

– Vous quoi?

– Vous m'avez très bien entendu! Arrêtez de jouer à l'innocent!

– Vous êtes entré dans la salle de conférences que ma firme loue au Savoy?

– Oui! et ce n'est qu'un début. Nous avons une liste dont vous connaissez certainement certains noms... Daudet et d'Almeida, deux de vos compatriotes. Je crois... Olaffsen, Landor, Thyssen, von Schnitzler, Kindorf... Et, oh! oui, M. Masterson et M. Leacock! Ce sont deux de vos associés, paraît-il! Il y en a d'autres, mais je suis sûr que vous connaissez leurs noms mieux que moi!

– Assez! Assez, monsieur! dit le marquis en s'asseyant, lentement, délibérément. (Il fixait Canfield.) Je vais me débarrasser des gens qui m'attendent et nous reprendrons cette conversation après. Attendez-moi dehors, nous serons plus tranquilles. »

Canfield se leva tandis que Bertholde appelait sa secrétaire au téléphone.

« M. Canfield va rester. Je voudrais en avoir fini avec les affaires courantes de cet après-midi le plus rapidement possible. Avec chacune des personnes qui m'attendent, veuillez m'interrompre au bout de cinq minutes si je n'en ai pas fini. Qui? Labishe? Très bien, faites-le entrer. Je vais les lui remettre. »

Le Français fouilla dans sa poche et en sortit un trousseau de clefs.

Canfield repassa les grandes portes tandis que le type en uniforme qui attendait le croisait. Ils faillirent se heurter.

« Je suis désolé, monsieur, dit le chauffeur.

– Voici les clefs, Labishe.

– Merci, monsieur le marquis! Je regrette... J'ai un billet... »

Le chauffeur ferma les portes et Canfield sourit à la secrétaire.

Il se dirigea jusqu'au demi-cercle de fauteuils, et comme les deux gentlemen assis le regardaient, il leur sourit d'un air amusé. Il se posa au bout de la rangée, sur le siège le plus proche du bureau de Bertholde et prit sur la table le *London Illustrated News*. Il remarqua que son voisin ne tenait pas en place, semblait irritable, tout à fait impatient. Il tournait les pages de *Punch*, mais il ne lisait pas. L'autre homme était plongé dans un article du *Quarterly Review*.

Soudain, un détail insignifiant attira l'attention de Canfield sur ce voisin impatient. L'homme étendit le bras et fit ainsi apparaître sa manche de chemise. Il regarda sa montre. Ce qui pouvait paraître normal vu son état d'énervement. Mais l'agent sursauta en apercevant le bouton de manchette. Il était en tissu et fait de deux rayures diagonales rouges sur fond noir. C'était la réplique de ceux de Boothroyd sur le *Calpurnia*. Les couleurs étaient les mêmes que celles des murs du hall dans lequel ils étaient maintenant assis!

L'homme impatient vit que Canfield l'observait. Il tira sur sa manche et posa son bras sur le côté.

« J'essayais de lire l'heure sur votre montre, dit Canfield. La mienne avance.

– Quatre heures vingt.

– Merci. »

L'individu croisa les bras et se redressa en arrière, l'air complètement exaspéré. L'autre homme se mit à parler.

« Basil, tu vas avoir une attaque si tu ne te détends pas.

– Garde tes réflexions pour toi, Arthur! Je vais être en retard à un rendez-vous! J'avais dit à Jacques que j'avais une journée très chargée, mais il a insisté pour que je vienne et maintenant j'attends!

– Il sait se faire désirer.

– Il sait aussi agacer les gens! »

Cinq minutes de silence s'ensuivirent, seulement troublées par les bruits de papiers feuilletés par la secrétaire.

La partie gauche des doubles portes blanches s'ouvrit et le chauffeur apparut. Il referma la porte et Canfield remarqua qu'il s'assurait que le pêne était bien engagé. Curieuse réaction, songea l'agent.

L'homme en uniforme s'approcha de la secrétaire et, penché au-dessus de son bureau, lui chuchota quelque chose à l'oreille. Elle réagit en prenant un air ennuyé. Il haussa les épaules et s'en alla rapidement par une porte à droite des ascenseurs. Canfield eut le temps de voir dans l'entrebâillement de cette porte des escaliers dont il avait soupçonné la présence.

La secrétaire mit quelques papiers dans une grande enveloppe et s'adressa aux trois personnes qui attendaient.

« Je suis infiniment désolée, messieurs, mais le marquis de Bertholde ne peut recevoir personne cet après-midi. Nous nous excusons des inconvénients que cela vous occasionne.

– Ecoutez, mademoiselle! rugit l'homme impatient en bondissant sur ses pieds. Ceci est inadmissible! Cela fait trois quarts d'heure que j'attends et je suis ici à la demande expresse du marquis! Que dis-je sa demande? Ses instructions!

– Je suis désolée, monsieur, je compatis, mais je n'y peux rien.

– Vous allez faire mieux que compatir! Vous allez

dire à M. de Bertholde que je ne bougerai pas tant qu'il ne m'aura pas reçu! »

Puis il se rassit d'un air satisfait.

Le dénommé Arthur se leva et se dirigea vers les ascenseurs.

« Bon sang, mon vieux, tu ne pourras pas changer les manières des Français. Des gens ont essayé en vain depuis des siècles. Viens donc, Basil. On va s'arrêter au Dorchester commencer la soirée.

– Impossible, Arthur. Je reste ici!

– Fais comme tu veux. A bientôt. »

Canfield restait assis à côté de l'homme exaspéré. Il savait qu'il ne partirait pas avant que Bertholde ne sorte. Basil était sa meilleure arme.

« Appelez le marquis, s'il vous plaît, mademoiselle », dit Basil.

Elle s'exécuta.

Plusieurs fois et toujours sans réponse.

L'agent commença à s'inquiéter. Il se leva et avança jusqu'aux portes blanches. Il frappa. Pas de réponse. Il essaya d'ouvrir. Les deux portes étaient fermées à clef.

Basil décroisa les bras et se leva à son tour. La secrétaire bouclée s'était également levée derrière son bureau blanc. Elle prit le téléphone et pressa un bouton avant de l'écraser carrément.

« Ouvrez la porte, demanda l'agent.

– Oh! non, je ne sais pas si...

– Je sais, moi. Donnez-moi la clef », commanda-t-il.

La fille ouvrit le tiroir du haut de son bureau et dit, avant de donner la clef à l'Américain.

« Nous devrions peut-être attendre...

– Bon sang! donnez-moi cette clef!

– Oui, monsieur! »

Elle sépara une clef du trousseau et la remit à

Canfield. Il déverrouilla rapidement les portes et entra en vitesse.

Devant eux, le marquis de Bertholde était affalé sur son grand bureau blanc, du sang coulant lentement de sa bouche. Sa langue pendait toute gonflée. Ses yeux sortaient de leurs orbites. Son cou était enflé et lacéré juste sous la ligne du menton. Il avait été garrotté de main experte.

La secrétaire n'arrêtait pas de hurler mais elle ne s'évanouissait pas. Canfield se demandait si cela n'aurait pas mieux valu. Basil tremblait de tout son corps et répétait : « Oh! mon Dieu! » encore et encore. L'agent s'approcha du bureau et souleva le poignet du Français. Il le laissa retomber.

Les cris de la fille montaient dans les aigus et deux cadres d'âge moyen firent irruption par la porte des escaliers. Même d'aussi loin, la scène était parfaitement claire pour les deux hommes. L'un d'eux repartit dans les escaliers en criant, pendant que l'autre, lentement, peureusement, entrait dans le bureau de Bertholde.

« Bon Dieu! »

En une minute, un flot d'employés courait en tous sens, se croisait, se heurtait dans l'escalier, hurlant à qui mieux mieux des ordres contradictoires. En deux minutes, vingt-cinq personnes se donnaient réciproquement des ordres. La panique était totale.

Canfield secoua la secrétaire bouclée pour essayer d'arrêter ses cris. Il ne cessait de lui dire d'appeler la police, mais l'ordre n'atteignait pas son cerveau. Canfield ne voulait pas appeler lui-même parce que cela lui aurait demandé une concentration séparée et supplémentaire. Il souhaitait rester et pouvoir observer tout le monde, et spécialement Basil, si c'était possible.

Un homme grand et distingué, les cheveux grisonnants, en costume gris croisé à fines rayures blanches entra en trombe dans le hall et se fraya un passage dans la foule jusqu'à la secrétaire et Canfield.

« Mademoiselle Richards! Mademoiselle Richards, que se passe-t-il?

– Nous avons ouvert sa porte, répondit Canfield en hurlant pour se faire entendre, et nous l'avons trouvé comme ça. Voilà ce qui se passe! »

Puis il regarda l'homme attentivement. Où l'avait-il déjà vu? L'avait-il même déjà vu? Il ressemblait tellement à tous ceux qui évoluaient dans l'univers des Scarlatti. Jusqu'à sa moustache parfaitement dessinée.

« Avez-vous appelé la police? » demanda l'homme.

Canfield aperçut Basil qui tentait de traverser la foule rassemblée devant le bureau.

« Non. La police n'a pas été appelée, cria l'Américain qui voyait maintenant Basil parvenir à ses fins. Appelez-la, dit-il... Et ce serait une bonne idée de fermer ces portes. »

Il partit derrière Basil comme s'il allait le faire. Le gentleman à l'air si distingué le saisit par le revers.

« Vous dites que vous l'avez trouvé?

– Oui. Laissez-moi!

– Quel est votre nom, jeune homme?

– Quoi?

– Je vous ai demandé votre nom!

– Derek, James Derek! Maintenant, appelez la police! »

Canfield saisit le poignet de son interpellateur et serra entre son pouce et son index. L'homme le lâcha en poussant un cri de douleur et Canfield fonça derrière Basil.

L'homme au complet gris grimaça et se tourna vers la secrétaire.

« Vous avez entendu son nom, Miss Richards?

– Oui, monsieur, répondit la fille entre deux sanglots. C'était Derren ou Derrick. Son prénom, James. »

L'homme à la moustache impeccable regarda la secrétaire attentivement. Elle avait bien entendu.

« La police, mademoiselle Richards. Appelez la police!

– Oui, monsieur Poole. »

Le nommé Poole se fraya un passage à travers la foule. Il fallait qu'il atteigne son bureau, qu'il soit seul. *Ils* l'avaient fait! Les hommes de Zurich avaient ordonné la mort de Jacques! Son meilleur ami, son mentor, plus proche de lui que qui que ce soit au monde. L'homme qui lui avait tout donné, qui avait tout rendu possible.

L'homme pour qui il aurait tué – de plein gré.

Ils allaient le payer! Payer, payer, payer!

Lui, Poole, n'avait jamais déçu Bertholde durant sa vie. Il en serait de même après sa mort.

Mais tant de questions se posaient!

Ce Canfield qui avait menti et donné un autre nom. La vieille dame, Elizabeth Scarlatti. Et par-dessus tout, cet affreux Heinrich Kroeger. L'homme dont Poole savait, sans l'ombre d'un doute, qu'il était le fils d'Elizabeth. Il le savait car Bertholde le lui avait dit.

Il se demanda qui d'autre savait, si même quelqu'un d'autre savait.

Devant l'ascenseur au troisième étage, Canfield pouvait apercevoir, à travers une masse d'employés à tous les stades de l'hystérie, Basil qui disparaissait.

« Ecartez-vous! cria Canfield. Ecartez-vous! Le médecin arrive et il faut que je l'amène ici! »

La ruse fonctionna et il réussit à entrer dans l'ascenseur.

Quand il atteignit le rez-de-chaussée, Basil était invisible. Canfield se précipita vers la porte de sortie et jaillit sur le trottoir. Basil était à un pâté de maisons de là, au milieu de Vauxhall Road, essayant d'arrêter un taxi. Les jambes de son pantalon étaient maculées aux genoux. Il avait dû tomber dans sa précipitation.

On entendait encore des cris venus de différentes fenêtres de chez Bertholde & Fils, ce qui attirait des dizaines de badauds jusqu'au pied du bâtiment.

Canfield marchait à contre-courant vers la silhouette claudicante de Basil.

Un taxi s'arrêta à la hauteur de ce dernier qui saisit la poignée. Mais au moment où il allait ouvrir la porte et s'engouffrer dedans, Canfield atteignit le taxi et l'en empêcha. Il monta à côté de lui, en le poussant carrément pour se faire de la place.

« Mais que faites-vous? » gémit Basil mais sans oser élever la voix.

Le regard du chauffeur ne cessait de passer de la foule aux deux étranges clients assis derrière, ses yeux étaient écarquillés d'étonnement. Basil n'avait aucune envie d'attirer davantage l'attention.

Avant qu'il puisse réagir, l'Américain lui saisit l'avant-bras et le lui tordit pour révéler son bouton de manchette.

« Zurich, Basil! chuchota l'agent.

— De quoi parlez-vous?

— Espèce d'imbécile, je suis avec vous! Ou je vais l'être, s'ils vous laissent vivre.

— Oh! mon Dieu, mon Dieu », balbutia Basil.

L'Américain le lâcha. Il parlait en regardant droit devant lui comme s'il ignorait l'Anglais.

« Vous êtes idiot. Vous vous en rendez compte, n'est-ce pas?

– Je ne vous connais pas, monsieur! Je ne vous connais pas! »

L'Anglais était au bord de la syncopè.

« Eh bien, nous ferions mieux d'y porter remède. Je suis peut-être votre unique et dernière chance.

– Ecoutez! Je n'ai rien à voir avec tout ça! J'étais en train d'attendre comme vous. Je n'ai rien à voir!

– Bien sûr! C'est évident que c'était le chauffeur! Mais un certain nombre de gens vont désirer savoir pourquoi vous vous êtes enfui en courant. Peut-être n'étiez-vous là que pour vous assurer que le travail était bien fait?

– Vous exagérez!

– Alors pourquoi êtes-vous parti en courant?

– Je... Je...

– Ne parlons pas maintenant. Où pourrions-nous aller discuter un petit quart d'heure? Je ne veux pas que nous ayons l'air d'avoir disparu.

– A mon club, je pense...

– Donnez l'adresse », fit Canfield.

32

« Qu'est-ce que vous racontez que j'étais là-bas ? criait James Derek dans le téléphone. Je n'ai pas bougé du Savoy depuis le début de l'après-midi !... Oui, bien sûr. Depuis trois heures environ... Non, elle est ici avec moi. »

Soudain, l'Anglais retint son souffle. Quand il se remit à parler, ses mots étaient à peine audibles, comme sous le coup de la surprise et de l'incrédulité.

« Mon Dieu !... C'est horrible... Oui. Oui, j'ai entendu... »

Elizabeth était assise en face de lui, sur le divan victorien, plongée dans le dossier Bertholde. Quand elle entendit le ton de la voix de Derek, elle leva les yeux vers lui. Il la regardait, atterré. Il reprit sa conversation téléphonique.

« Oui. Il est parti d'ici vers trois heures trente. Avec Ferguson, de nos bureaux. Ils devaient retrouver Mme Scarlett chez Tippin's et, de là, ils devaient aller chez Bertholde... Je ne sais pas. Les instructions étaient qu'elle demeure sous la responsabilité de Ferguson jusqu'à ce qu'il revienne. Ferguson doit rappeler... Je vois. Pour l'amour du Ciel, tenez-moi au courant. Je vous appelle s'il y a la moindre évolution ici. »

Il reposa le combiné et resta immobile devant la table.

« Bertholde a été tué, murmura-t-il.

— Mon Dieu! Où est ma belle-fille?

— Avec notre homme. Elle va bien. Il a appelé il y a une heure.

— Canfield? Où est Canfield?

— J'aimerais bien le savoir.

— Est-ce qu'il va bien?

— Comment puis-je vous répondre alors que je ne sais même pas où il est? On peut supposer qu'il est encore en vie. Il s'est fait passer pour moi et il a disparu du théâtre des opérations!

— Comment est-ce arrivé?

— Il a été garrotté. Un fil autour du cou.

— Oh! » s'écria Elizabeth qui se remémora, soudain d'une façon presque intolérable, l'image de Matthew Canfield lui jetant au visage la cordelette de Boothroyd après la tentative d'assassinat sur le *Calpurnia*.

« S'il l'a tué, dit-elle, il devait avoir une bonne raison.

— Quoi? fit Derek, surpris.

— Pour le tuer. Il a dû y être obligé.

— C'est très intéressant!

— Qu'est-ce qui est intéressant? demanda Elizabeth.

— Que vous pensiez que Canfield ait dû le tuer.

— Cela ne pourrait être autrement. Ce n'est pas quelqu'un qui a la mentalité d'un tueur!

— Il n'a pas tué Bertholde, vous le savez. Cela devrait vous rassurer. »

Son soulagement était visible.

« Sait-on qui l'a tué?

– Ils pensent le savoir. Apparemment, son chauffeur.

– C'est bizarre.

– Très bizarre. Il était à son service depuis quinze ans.

– Peut-être Canfield s'est-il lancé à sa poursuite?

– Apparemment non. L'homme était parti depuis dix minutes quand ils ont découvert le cadavre. »

James Derek se dirigea vers Elizabeth. Il était très énervé et cela se voyait.

« A la lumière de ce qui vient d'arriver, j'aimerais vous poser une question, madame Scarlatti. Mais vous n'êtes pas obligée d'y répondre...

– Quelle question?

– J'aimerais savoir comment – ou peut-être pourquoi – M. Canfield a reçu l'appui total du Foreign Office?

– Je ne sais pas de quoi il s'agit.

– Allons, madame. Si vous ne voulez pas répondre, je respecte votre silence. Mais puisque mon nom a été utilisé lors de l'assassinat d'une personnalité connue, je crois avoir droit à autre chose qu'une comédie.

– Une comédie? C'est une insulte, monsieur Derek!

– Vraiment? Et vous et M. Canfield vous allez continuer longtemps à tendre des pièges compliqués à des membres du personnel de l'ambassade américaine qui sont tous retournés aux Etats-Unis depuis quatre mois au moins? »

Elizabeth s'assit en poussant un soupir. Elle ne se préoccupait pas des lamentations de l'Anglais, mais elle aurait aimé que Canfield soit là pour lui répondre.

Ce qui la préoccupait le plus, c'était la mention que Derek avait fait du Foreign Office.

« Une nécessité malheureuse...

– Très malheureuse... J'en conclus, donc, que vous préférez ne pas répondre.

– Au contraire, je vous ai répondu, dit Elizabeth en fixant l'Anglais. J'aimerais que vous m'expliquiez ce que vous entendez par un appui total?

– Une coopération extraordinaire qui vient des plus hauts échelons de notre gouvernement. Et de telles décisions du Foreign Office sont en général réservées à des crises politiques majeures! Pas à de petites histoires de vols d'actions entre milliardaires chamailleurs... Ou, pardonnez-moi, à une tragédie privée n'impliquant que des citoyens, même richissimes. »

Elizabeth Scarlatti se figea.

Ce que venait de dire James Derek était insupportable pour le cerveau des Scarlatti. Plus que tout au monde, elle devait opérer en dehors de ces « plus hauts échelons ». Pour la sauvegarde de l'Empire Scarlatti lui-même. La petite agence de Canfield lui avait semblé être un don du Ciel. Son accord avec lui lui donnait les facilités d'une coopération officielle sans avoir à répondre à quiconque d'important. Si elle avait voulu qu'il en soit autrement, elle aurait donné des ordres à quelques membres haut placés de l'exécutif ou du législatif du gouvernement des Etats-Unis. Cela n'aurait pas été bien difficile... Maintenant, il semblait que l'agence, relativement obscure de Canfield, croissait démesurément. Ou peut-être son fils s'était-il embarqué dans une entreprise beaucoup plus inquiétante que ce qu'elle avait pu imaginer?

La réponse se trouvait-elle dans le dossier Bertholde? Elizabeth se le demandait... Bien sûr qu'elle devait y être! Même Matthew Canfield l'avait compris! Seulement sa perception avait été basée sur la découverte ou l'association de certains mots, de certains noms. Il avait même marqué des pages. Elizabeth prit le dossier.

Après la guerre, les intérêts de la Ruhr... Bureaux à Stuttgart et Tassing...

Tassing. En Allemagne. Une crise économique. La République de Weimar...

Une série de crises économiques! Une crise politique majeure et constante!

... Ses associés dans l'import-export sont MM. Masterson et Leacock...

Zurich! encore!

Tassing!

« Je déduis de vos remarques que cet appui total est un développement nouveau et inattendu pour vous, dit Elizabeth.

— J'en ai été informé ce matin.

— Est-ce que la ville de Tassing évoque en vous quoi que ce soit?

— Ce n'est pas une ville. C'est une banlieue de Munich, en Bavière. Pourquoi me demandez-vous cela?

— Mon fils y a dépensé du temps et de l'argent... Là autant qu'ailleurs... Est-ce que cela a une signification particulière pour vous?

— Munich?

— Oui...

— C'est le chaudron du radicalisme. La foire aux mécontents.

— Mécontents?... Communistes?

— Non... Ils tireraient un rouge à vue. Ou un juif. Ils se nomment *Schutzstaffel*. Ils se baladent en matraquant les gens. Se considèrent comme une race à part, supérieure au reste du monde. »

Une race à part, songea Elizabeth. Mon Dieu!

Elle regarda le dossier qu'elle avait entre les

mains. Soudain, elle le replaça dans son enveloppe et, sans un mot à Derek, elle se rendit dans sa chambre, ferma la porte derrière elle.

Derek était resté planté en plein milieu de la pièce, interdit.

Elizabeth se mit à fouiller dans les divers papiers qui couvraient la petite écritoire de sa chambre, jusqu'à ce qu'elle retrouve la liste de Zurich.

Elle regarda chaque nom avec une attention soutenue.

AVERY LANDON, U.S.A. – *Pétrole.*

LOUIS GIBSON, U.S.A. – *Pétrole.*

THOMAS RAWLINS, U.S.A. – *Finance.*

HOWARD THORNTON, U.S.A. – *Construction industrielle.*

SYDNEY MASTERSON, Grande-Bretagne. – *Import-export.*

DAVIS INNES-BOWEN, Grande-Bretagne. – *Textile.*

HAROLD LEACOCK, Grande-Bretagne. *Finance.*

LOUIS FRANÇOIS D'ALMEIDA, France. – *Chemins de fer.*

PIERRE DAUDET, France. – *Compagnie maritime.*

INGMAR MYRDAL, Suède. – *Finance.*

CHRISTIAN OLAFFSEN, Suède. – *Acier.*

OTTO VON SCHNITZLER, Allemagne. – *I.G. Farben.*

FRITZ THYSSEN, Allemange. – *Acier.*

ERICH KINDORF, Allemagne. – *Charbon.*

Cette liste de Zurich était une sorte de répertoire des hommes les plus puissants de l'hémisphère occidental.

Elizabeth mit la liste de côté et prit un agenda relié de cuir dans lequel elle notait adresses et numéros de téléphone. Elle s'arrêta sur la lettre O.

Ogilvie et Storm, Ltd, éditeurs, Bayswater Road, Londres.

Elle appellerait Thomas Ogilvie et lui demanderait qu'il lui envoie toute la documentation qu'il pourrait trouver sur les *Schutzstaffel*.

Elle en avait déjà entendu vaguement parler. Elle se souvenait avoir lu que leur doctrine politique s'appelait le National-Socialisme et qu'ils étaient dirigés par un nommé Adolf Hitler.

L'HOMME s'appelait Basil Hawkwood et, très vite, Canfield fit le rapprochement avec la société *Hawkwood* dont le sigle, un petit *h*, apparaissait sur bon nombre d'articles de maroquinerie. Hawkwood Leathers était une des plus importantes firmes d'Angleterre, juste derrière Mark Cross.

Basil Hawkwood, très nerveux, conduisit Canfield dans le fumoir de son club, le Knights. Ils choisirent deux fauteuils de cuir près de la fenêtre dominant Knightsbridge car il n'y avait personne pour les entendre.

La peur qu'éprouvait Basil le faisait bégayer, ses phrases se bousculaient les unes les autres. Il présumait, parce qu'il voulait le présumer, que son interlocuteur allait l'aider.

Canfield s'assit confortablement et écouta – incrédule – l'histoire d'Hawkwood.

Le président d'Hawkwood Leathers avait expédié, jour après jour, des chargements de maroquinerie diverse « endommagée » à une petite firme anonyme dans la banlieue de Munich.

Pendant un an, les directeurs d'Hawkwood acceptèrent les pertes en s'appuyant sur la rubrique « endommagé ». Maintenant, ils réclamaient un rapport complet sur le mauvais fonctionnement excessif des machines dans les ateliers. L'héritier Hawkwood était coincé. Il ne pouvait plus faire parvenir ses chargements à Munich. Il ne le pourrait plus avant longtemps.

Il suppliait Matthew Canfield de comprendre, d'aller rapporter à ses supérieurs qu'il restait loyal, mais que les bottes, les ceintures, les holsters, devraient venir de chez quelqu'un d'autre.

« Pourquoi portez-vous ces boutons de manchettes? demanda Canfield abruptement.

– Je les portais aujourd'hui pour rappeler ma contribution à Bertholde. C'est lui-même qui me les avait offerts... Vous ne portez pas les vôtres.

– Ma contribution ne m'y oblige pas.

– Eh bien la mienne, si! Je n'ai pas lésiné dans le passé, je ne lésinerai pas dans le futur! fit Hawkwood en se penchant en avant, le regard comme fou. Les circonstances présentes ne changent pas mes sentiments! Vous pouvez le leur dire. Saloperie de juifs! de radicaux! de bolcheviques! Ils sont partout en Europe! Une conspiration pour détruire tous les principes qui ont été les nôtres, nous les bons chrétiens, depuis des siècles! Ils vont nous égorger dans nos lits! Ils violeront nos filles! Ils pollueront la race! Je n'en ai jamais douté! J'aiderai encore! Vous avez ma parole! Bientôt il y aura des millions à notre disposition! »

Matthew Canfield se sentit soudain mal à l'aise. Ecœuré. Comme envahi par le mal de mer. Qu'avait-il fait? Il se leva et ses jambes manquèrent céder sous lui.

« Je rapporterai vos paroles, monsieur Hawkwood.

– Merci. Je savais que vous comprendriez.

– Je commence en effet à comprendre », conclut

Canfield en s'éloignant du milliardaire britannique.

Dehors, en attendant un taxi sous la marquise du Knights' Club, Canfield était paralysé par la terreur. Il n'avait plus affaire à un monde qu'il comprenait. Il avait affaire à des paranoïaques, à des concepts et des engagements qui étaient au-delà de sa compréhension.

34

ELIZABETH était assise sur le divan, entourée de coupures de presse et d'articles de magazines fournis par Ogilvie et Storm, qui avaient fait de l'excellent travail. Il y avait là plus de matériel que Canfield et elle n'auraient pu en digérer en une semaine.

Le Parti ouvrier national-socialiste allemand ressemblait à une poignée de fanatiques. Les *Schutzstaffel* étaient des brutes mais personne ne les prenait au sérieux. Les articles, les photographies et même les légendes étaient toujours tournés en plaisanteries, à la façon d'un opéra bouffe.

Canfield ramassa une page découpée dans un supplément dominical illustré et lut les noms des dirigeants : Adolf Hitler, Erich Ludendorff, Rudolf Hess, Gregor Strasser. On aurait dit une troupe de vaudeville. Adolf, Erich, Rudolf et Gregor. Pourtant, à la fin de l'article, son amusement s'évanouit. Il retomba sur les mêmes phrases :

« ... Conspiration des juifs et des communistes... »

« ... Filles violées par les terroristes bolcheviques... »

« ... Le sang aryen souillé par les sémites... »

« Un plan pour mille ans... »

Canfield voyait encore le visage de Basil Hawkwood, ce propriétaire d'une des plus grosses compagnies anglaises, chuchotant les mêmes mots avec une intensité dépassant toute mesure. Il pensa aux cargaisons de cuir sans le sigle de Hawkwood, livrées à Munich, et qui étaient maintenant devenues un équipement pour ces gens dont il voyait les photos. Il repensa aux manipulations de Bertholde qui était mort maintenant, il revit la route au bord du lac du Pays de Galles, il songea aux personnes tuées lors de l'explosion de l'abbaye d'York.

Elizabeth s'était assise devant son bureau et prenait quelques notes en lisant un article. Elle commençait à entrevoir le tableau général, mais il était encore incomplet, comme si une partie du fond manquait. Cela l'ennuyait, mais elle en avait déjà appris assez.

« Cela fait chanceler, non, quand on y pense? demanda-t-elle en se levant.

— Et qu'est-ce que vous en concluez?

— Cela me fait peur, terriblement peur. Une organisation politique obscure mais virulente est financée, tranquillement et lentement, par certains des gens les plus riches de cette terre, les hommes de Zurich, et mon fils en fait partie.

— Mais pourquoi?

— Je n'en suis pas encore certaine, dit Elizabeth en marchant jusqu'à la fenêtre. Il faut en apprendre davantage. Mais une chose est claire : si cette bande de fanatiques fait des progrès en Allemagne – au Parlement –, les hommes de Zurich pourraient contrôler une puissance économique qu'on ne peut même pas imaginer. C'est un plan à long terme, je pense, et qui pourrait s'avérer être une stratégie brillante.

– Alors il faut que je rentre à Washington!

– Ils doivent déjà être au courant ou au moins soupçonner ce qui se passe.

– Alors il faut intervenir!

– Nous ne pouvons pas intervenir! fit Elizabeth en haussant la voix. Aucun gouvernement n'a le droit de se mêler des affaires intérieures d'un autre pays. Pas d'ingérence. Il y a un autre moyen. Un moyen beaucoup plus efficace. Mais il y a un risque énorme et je dois bien y réfléchir.

– Quel risque? De quoi parlez-vous? » demanda Canfield.

Elizabeth ne l'entendit même pas. Elle était en train de se concentrer profondément. Au bout de quelques minutes elle reprit la parole, du fond de la pièce.

« Il existe une île perdue sur un lac retiré, quelque part au Canada. Mon mari, un jour, l'a achetée. Il y a quelques bâtiments dessus, très primitifs, mais habitables... Si je mettais à votre disposition les fonds nécessaires, pourriez-vous vous organiser pour que cette île soit imprenable?

– Je crois que oui.

– Cela ne me suffit pas. Il ne doit subsister aucun doute. Les vies de toute ma famille dépendraient de cet isolement total. Les fonds auxquels je fais allusion seraient, franchement, inépuisables.

– Très bien, je le pourrais.

– Pourriez-vous les faire transporter là-bas dans le plus grand secret?

– Oui.

– Pourriez-vous régler tout ceci en une semaine?

– Oui, encore.

– Très bien. Je vais vous tracer les grandes lignes

de ce que je propose. Croyez-moi si je vous dis que c'est la seule solution.

– Que proposez-vous?

– Pour parler simplement, disons que les Industries Scarlatti vont détruire économiquement chacun des investisseurs de Zurich. Les pousser à la ruine totale. »

Canfield regarda cette femme âgée et pourtant pleine de confiance en elle. Pendant quelques secondes il ne dit rien, comme s'il cherchait une réplique.

« Vous êtes cinglée, dit-il doucement. Vous êtes seule, ils sont quatorze, non treize maintenant. Treize requins bien gras et aux dents longues. Vous ne faites pas le poids.

– Ce n'est pas ce qu'on *vaut* financièrement qui compte, monsieur Canfield. C'est la rapidité avec laquelle on peut mobiliser ses fonds. Le facteur temps est l'arme ultime dans l'économie, et que personne ne vienne vous dire le contraire. Dans mon cas, un seul jugement prévaut.

– Qu'est-ce que cela veut dire? »

Elizabeth, immobile, dit d'une voix mesurée.

« Si je devais liquider les Industries Scarlatti, personne au monde ne pourrait m'arrêter. »

L'agent n'était pas bien sûr de comprendre ce qu'une telle phrase impliquait. Il resta muet une seconde.

« Ah bon? fit-il d'un air ironique.

– Idiot!... En dehors de quelques maharadjahs et des Rothschild, je crois qu'il n'existe personne qui occupe une position comparable à la mienne sur cette planète!

– Et alors? Les hommes de Zurich n'ont-ils pas les mêmes possibilités que vous? »

La vieille dame était exaspérée. Elle serra ses poings et appuya son menton dessus.

« Pour un homme dont l'imagination dépasse de loin l'intelligence, vous m'étonnez. Est-ce la peur qui arrive à vous faire réfléchir correctement ?

– Pas de questions ! Je veux une réponse.

– Tout est lié. La première raison qui empêche les hommes de Zurich de faire comme moi, c'est leur propre peur. Peur des lois qui limitent leurs pouvoirs. Peur des investissements, des bailleurs de fonds. Peur des décisions extraordinaires. Peur de la panique qui résulte toujours de telles décisions. Et peur la plus importante, celle de la banque-route.

– Et rien de tout ceci ne vous inquiète, vous ? C'est bien ce que vous dites ?

– Rien ne peut arrêter Scarlatti. Jusqu'à ma mort, il n'y a qu'une seule voix. La mienne. *Je suis* Scarlatti.

– Et le reste ? Les décisions, la panique, la ruine ?

– Comme à l'ordinaire, mes ordres seront exécutés avec précision et discernement. La panique sera évitée.

– Et la débâcle financière aussi, hein ?... Vous êtes la vieille dame la plus sûre d'elle que j'aie jamais vue !

– Vous ne comprenez pas, une fois de plus. A ce point, j'anticipe la chute de Scarlatti comme possible. Il n'y aura pas de quartiers dans cette bataille. »

Matthew Canfield commençait à comprendre.

« Bon sang !

– Il me faut réaliser des liquidités, poursuivit la vieille dame, des montants inconcevables pour vous et que j'aurai à ma disposition. Que je n'ai plus qu'un geste à faire. Cet argent pourra alors acheter instantanément des firmes entières, peser sur les marchés en créant des spirales à la hausse ou, au contraire, à la baisse. Une fois exercé ce type de manipulation, je doute que tout le capital de la terre puisse remettre Scarlatti sur pied. Plus personne n'aura confiance.

– Alors vous seriez finie?

– Irrévocablement. »

La vieille dame se rapprocha de Canfield. Elle le regardait, mais d'une manière différente, à laquelle il n'était pas accoutumé. On aurait dit une grand-mère des plaines du Kansas, morte d'inquiétude, en train de demander au pasteur si le bon Dieu allait enfin faire pleuvoir.

« Je n'ai plus rien à dire, s'il vous plaît, permettez-moi de livrer ma dernière bataille, un dernier geste.

– Vous demandez beaucoup.

– Pas si vous réfléchissez. Si vous rentrez, il va vous falloir une semaine pour atteindre Washington, une autre semaine pour étayer votre dossier, des jours avant d'atteindre ceux des membres du gouvernement qui devraient vous écouter, si vous arrivez même à ce qu'ils vous écoutent. D'après moi, cela vous prendrait trois ou quatre semaines. Vous êtes d'accord? »

Canfield se sentit stupide, planté devant la vieille dame. Il se dirigea vers le centre de la pièce.

« Bon Dieu, je ne sais plus avec quoi je suis d'accord!

– Donnez-moi ces quatre semaines. Seulement quatre semaines à partir d'aujourd'hui. Si j'échoue, nous ferons comme vous voudrez... Mieux encore, je rentrerai à Washington avec vous. Je témoignerai, si besoin est, devant l'un de ces comités. Je ferai tout ce que vous et vos associés jugerez bon. Et, en plus, je triplerai la somme dont nous étions convenus.

– Supposons que vous échouiez?

– Quelle différence cela fait-il pour qui que ce soit d'autre que moi? Ce monde a très peu de sympathie pour les milliardaires déchus.

– Et votre famille, alors? Ils ne vont pas passer le reste de leur vie cachés sur une île perdue du Canada!

– Cela ne sera plus nécessaire. En dehors du reste, je vais surtout détruire mon fils. Je montrerai Ulster Scarlett tel qu'il est. Il sera condamné à mort à Zurich. »

L'agent se tut un instant.

« Avez-vous envisagé le fait que vous pourriez vous faire tuer?

– Oui.

– Vous risqueriez même ça?... Vous allez vendre les Industries Scarlatti, détruire tout ce que vous avez bâti... Cela a-t-il autant d'importance pour vous? Vous le haïssez à ce point?

– Oui. Comme on peut haïr une maladie. En ajoutant que je me sens responsable de la croissance de cette maladie. »

Canfield reposa son verre, tenté de s'en servir immédiatement un autre.

« Vous allez un peu loin.

– Je n'ai pas dit que j'avais créé cette maladie. Je dis que je suis responsable de son extension. Pas simplement parce que j'ai fourni l'argent. Non, c'est beaucoup plus profond que cela. J'ai semé une idée, l'idée du pouvoir et cette idée arrive à maturité.

– Vous n'êtes pas une sainte, mais vous n'êtes pas responsable », répliqua Canfield en désignant toutes les coupures de journaux étalées un peu partout.

La vieille dame ferma ses yeux fatigués.

« Il existe un peu de... ça... en chacun de nous.

Cela fait partie de cette idée... L'idée tordue. Mon mari et moi avons consacré des années à construire un empire industriel. Depuis qu'il est mort, je n'ai cessé de lutter sur les marchés, doublant, redoublant, ajoutant, construisant... acquérant toujours... Cela a été un jeu stimulant et épuisant à la fois, et j'ai très bien joué. Et pendant toutes ces années, mon fils a appris ce que beaucoup d'observateurs ne voient pas clairement. Que ce n'est pas l'acquisition des profits ni les gains matériels qui comptent. Ce ne sont que des sous-produits. Les sous-produits du Pouvoir... Je voulais ce pouvoir parce que je pensais sincèrement être faite pour l'exercer. Plus je devenais convaincue de la justesse de cette responsabilité, plus je pensais que peu d'autres étaient faits pour cela... La quête du pouvoir devint ma croisade personnelle. Plus on a de succès, plus on devient solitaire. Qu'il l'ait compris ou non, mon fils est maintenant sur le point d'exercer son pouvoir... Il y a peut-être des ressemblances entre lui et moi, mais un gouffre nous sépare.

– Je vous donne vos quatre semaines, Dieu seul en sait la raison! Mais je ne comprends pas bien pourquoi vous allez risquer tout ça? Allez-y, balancez tout.

– C'est ce que j'essaie de faire... Vous êtes un peu lent par moments. Si je vous ai offensé, c'est parce que je croyais que vous compreniez. Vous me demandez de vous dépeindre une réalité très désagréable. »

Elle prit ses notes et les porta jusqu'à une table près de la porte de la chambre. Comme le jour baissait, elle alluma une lampe, faisant chatoyer les franges sous l'abat-jour. Elle sembla fascinée par ce scintillement.

« J'imagine que tous autant que nous sommes –

la Bible nous appelle les riches et les puissants –, nous souhaitons quitter cette terre en y laissant une empreinte. Plus les années passent, plus ce sentiment devient important. Combien d'entre nous ont joué avec les phrases de leurs propres notices nécrologiques ? »

Elle cessa de regarder la lampe et se tourna vers Canfield, scrutant son visage dans le clair-obscur.

« Considérant tout ce que nous savons désormais, cela vous amuserait de spéculer sur le contenu, pas si lointain que ça, de ma notice nécrologique ?

– Arrêtez. C'est encore une question.

– C'est comme un coup sec, vous savez... snap !... fit-elle en claquant des doigts... On considère la richesse comme quelque chose d'acquis. Chaque décision qui vous met à l'agonie, chaque risque pris comme devant une table de casino et qui vous ronge les nerfs. Tout devient simple, des réussites attendues, évidentes et normales. On méprise ce que j'accomplis, ma réussite, parce que je suis une femme et, de surcroît, un spéculateur extrêmement compétitif. Voilà une combinaison insupportable !... J'ai perdu un fils pendant la Grande Guerre. Un autre fils apparaît comme une sorte d'incompétent pompeux qui se trompe sans cesse et dont tout le monde rit derrière le décor. Et maintenant, ceci. Un dément dirige ou alimente une bande de révoltés psychopathes... Voilà ce que je lègue à la postérité. Ce que Scarlatti laissera comme empreinte, monsieur Canfield... Ce n'est pas très enviable, n'est-ce pas ?

– Non, pas vraiment.

– Par conséquent, rien ne m'arrêtera dans mon désir d'enrayer cette folie finale... »

Elle ramassa ses notes et entra dans sa chambre. Elle ferma la porte derrière elle, abandonnant Canfield dans le grand salon. Pendant un moment, il avait eu l'impression que la vieille dame était au bord des larmes...

35

Le vol du monoplace au-dessus de la Manche s'était passé sans histoire – un vent léger, une visibilité excellente. Heureusement pour Scarlett, car les démangeaisons suscitées par sa récente opération de chirurgie faciale, ajoutées à sa colère, auraient transformé ce voyage en désastre. Il avait un mal fou à garder les yeux fixés sur ses instruments et quand il aperçut enfin les côtes de Normandie, elles lui semblèrent inconnues. Pourtant, il avait fait la traversée une douzaine de fois.

Il fut accueilli sur le petit aéroport près de Lisieux par le groupe de Paris, composé de deux Allemands et d'un Français, natif de Gascogne, comme le prouvait son accent.

Les trois Européens s'attendaient à ce que cet homme, dont ils ignoraient même le nom, leur donne l'ordre de rentrer à Paris. Pour attendre d'autres ordres.

Mais l'inconnu avait d'autres intentions. Il insista pour qu'ils se tassent tous trois sur le siège avant pendant qu'il occupait tout seul le siège arrière de la voiture qu'il leur commanda de conduire jusqu'à Vernon où deux d'entre eux furent abandonnés devant la gare et contraints de regagner la capitale par leurs propres moyens. Seul le chauffeur resta.

Ce dernier protesta vaguement quand Scarlett lui ordonna de filer vers l'ouest, droit jusqu'à Montbéliard, près de la frontière suisse.

« *Mein Herr!* C'est un voyage de quatre cents kilomètres! Cela va nous prendre au moins dix heures sur ces routes perdues!

– Eh bien, nous y serons pour le dîner. Et silence!

– Cela aurait peut-être été plus simple, *mein Herr*, de remplir le réservoir de l'avion et de repartir...

– Je ne pilote pas quand je suis fatigué. Détendez-vous. Je vous trouverai même des fruits de mer à Montbéliard! Il faut varier vos menus, Kircher. Cela excite le palais.

– *Jawohl, mein Herr!* », fit Kircher en se disant que cet homme était vraiment un *Oberführer* parfait.

Scarlett réfléchissait. Les désaxés! Un jour il serait débarrassé des désaxés.

Montbéliard n'était guère plus qu'un village qui avait grandi trop vite. La principale activité de ses habitants reposait sur l'agriculture dont les produits partaient pour la Suisse ou l'Allemagne. Sa monnaie, comme dans beaucoup de villes frontières, était un mélange de marks, de francs et de francs suisses.

Scarlett et son chauffeur atteignirent la ville un peu après neuf heures du soir. Mais, sauf lors d'arrêts pour l'essence et d'un déjeuner rapide, ils n'avaient pas échangé un mot. Ce silence avait agi comme un calmant sur l'anxiété de Scarlett. Il parvenait à nouveau à réfléchir sans colère, même si celle-ci demeurait présente. Le chauffeur avait eu raison de suggérer de reprendre l'avion, solution nettement plus simple, mais Scarlett n'avait pas voulu risquer de laisser son irritation grandir et exploser en plein vol, à cause de son épuisement nerveux.

A un moment, ce soir sans doute, il allait rencontrer le Prussien, l'homme clef qui leur apporterait ce que bien peu pouvaient. Il fallait qu'il soit en forme pour cette rencontre, que chaque cellule de son cerveau fonctionne au meilleur de ses possibilités. Il ne pouvait pas laisser des problèmes récents distraire sa concentration. Cette conférence avec le Prussien était le point culminant de mois, d'années de travail. Depuis la rencontre macabre avec Gregor Strasser jusqu'à la conversion de ses millions en capitaux suisses, lui, Heinrich Kroeger, possédait les fonds dont les nationaux-socialistes avaient désespérément besoin. Ils devaient maintenant reconnaître son importance dans le parti.

Les problèmes. Des problèmes plus qu'irritants! Mais il avait pris ses décisions. Il ferait mettre Howard Thornton en quarantaine, peut-être même le ferait-il tuer. Ce natif de San Francisco les avait trahis. Si la manipulation qui avait eu lieu à Stockholm avait été découverte, on le devait sans aucun doute à Thornton. Ils avaient utilisé ses relations en Suède et, visiblement, il en avait profité pour ratisser un bon paquet de titres au prix le plus bas.

On s'occuperait de Thornton.

Comme il en avait été du dandy français, Jacques de Bertholde.

Thornton et Bertholde! Deux désaxés! Désaxés cupides et stupides.

Qu'était-il arrivé à Boothroyd? Il s'était apparemment fait tuer à bord du *Calpurnia*. Mais comment? Et pourquoi? De toute façon il méritait bien son sort! Son beau-père aussi. L'ordre de Rawlins d'exécuter Elizabeth Scarlatti était une bêtise! Ce n'était vraiment pas le moment! Rawlins ne pouvait-il donc pas comprendre qu'elle aurait laissé des lettres, des documents derrière elle? Elle était de loin bien plus dangereuse morte que vivante. Au moins jusqu'à ce qu'elle puisse être frappée comme il l'avait frappée, en menaçant ses précieux héritiers. Maintenant elle pouvait mourir! Cela n'aurait plus d'importance. Et avec la disparition de Bertholde, de Rawlins, et la mort imminente de Thornton, il n'existerait personne qui sache qui il était. Sa véritable identité. Personne! Il était Heinrich Kroeger, un des leaders de l'Ordre nouveau!

Ils s'arrêtèrent à l'auberge des Moineaux, un petit restaurant avec quelques chambres pour les voyageurs ou les personnes désirant être au calme et abritées des regards. C'était le lieu de rendez-vous d'Ulster Scarlett.

« Emmenez la voiture jusqu'au coin et garez-vous là, dit-il à Kircher. Je serai dans une des chambres. Allez dîner. Je vous ferai demander plus tard... Je n'ai pas oublié ma promesse. »

Kircher grimaça.

Ulster Scarlett sortit de la voiture et s'étira. Il se sentait mieux, sa peau le démangeait moins et la conférence imminente l'excitait, l'emplissait d'un souffle d'anticipation.

C'était le genre de travaux qu'il avait toujours voulu faire. Qu'il devrait toujours faire? Des affaires engendrant de vastes conséquences. Des affaires de pouvoir.

Il attendit que la voiture ait tourné le coin de la rue pour que Kircher ne puisse plus le voir dans son rétroviseur. Puis il fit demi-tour, s'éloigna de la porte de l'auberge et prit un sentier de graviers. On ne devait jamais dire aux inaptes des choses qui n'étaient pas essentielles à leur fonctionnement.

Il atteignit une porte sans lumière et frappa plusieurs fois.

La porte s'ouvrit, un homme assez grand aux cheveux noirs et aussi épais que ses sourcils se tenait au centre de l'encadrement comme s'il gardait une entrée, pas du tout comme s'il accueillait un hôte. Il était vêtu d'un loden et portait des knickers marron. Son visage avait quelque chose d'un chérubin brun, ses yeux étaient larges et attentifs. Il se nommait Rudolf Hess.

« Où étiez-vous ? » fit Hess en lui laissant le passage.

Puis il ferma la porte. La pièce était petite. Une table entourée de chaises, un tableau noir et deux plafonniers qui éclairaient le tout. Un autre homme, qui avait regardé par la fenêtre pour identifier leur visiteur, hocha la tête pour saluer Scarlett. C'était un petit homme sec, très laid, au visage d'oiseau, jusqu'au nez en bec d'aigle. Il boitait légèrement.

« Joseph ? lui dit Scarlett. Je ne m'attendais pas à vous voir ici. »

Joseph Goebbels regarda Hess. Ses connaissances en anglais étaient très limitées. Hess lui traduisit la remarque de Scarlett et Goebbels haussa les épaules.

« Je vous ai demandé où vous étiez ?

– J'ai eu des ennuis à Lisieux. Impossible de trouver un autre avion. Il a fallu venir en voiture. Le voyage a été long, alors n'aggravez pas ma fatigue, s'il vous plaît.

– *Ach!* Depuis Lisieux ? C'est un long voyage. Je vais vous commander à manger, mais il faudra vous presser. »

384

Scarlett ôta son blouson de pilote et le jeta sur une chaise.

« Comment est-il? »

Goebbels comprit assez pour l'interrompre.

« Rheinhart?... Im-pa-tient! »

Scarlett grimaça devant sa prononciation désastreuse. Goebbels, dans son for intérieur, pensait que ce géant était une créature monstrueuse au visage horrible. Cette opinion était d'ailleurs réciproque.

« Peu importe mon dîner. Rheinhart a déjà attendu trop longtemps... Où est-il?

– Dans sa chambre. Chambre 2, au fond du couloir. Il est allé se promener cet après-midi, mais il ne cesse de penser que quelqu'un risque de le reconnaître, alors il est revenu au bout de dix minutes! Je crois qu'il est agité.

– Allez le chercher... Et ramenez du whisky. »

Ulster Scarlett regardait Goebbels et souhaitait que ce petit bonhomme très laid quitte la pièce. Il n'était pas bon que Goebbels soit présent pendant que Hess et lui discutaient avec l'aristocrate prussien.

Goebbels avait l'air d'un petit comptable juif minable.

Mais Scarlett savait qu'il ne pouvait rien y faire. Goebbels, c'était Hitler.

Et Joseph Goebbels semblait lire dans les pensées du géant.

« *Ich werde dabei sitzen während Sie sprechen*[1] », dit-il en tirant une chaise à lui pour s'y asseoir.

Hess avait disparu dans le couloir et les deux hommes silencieux étaient seuls dans la pièce.

Cinq minutes plus tard, Hess revint. Derrière lui, un Allemand âgé et obèse, vêtu d'un costume com-

1. Je vais m'asseoir là pendant que vous parlez.

plet croisé noir avec un faux col. Son visage était bouffi par l'excès de graisse, ses cheveux courts coupés en brosse. Il se tenait parfaitement droit, et malgré son apparence imposante, Scarlett lui trouva quelque chose de mou, quelque chose qui ne s'accordait pas à l'ensemble. Il marchait d'un pas mesuré. Hess ferma la porte à clef.

« Messieurs, le général Rheinhart », dit Hess.

Goebbels se leva et claqua des talons en s'inclinant.

Rheinhart le contempla d'un air indifférent, pas le moins du monde impressionné.

Scarlett remarqua l'expression affichée par Rheinhart. Il s'approcha du vieux général et lui tendit la main.

« *Herr General...* »

Rheinhart fixa Scarlett, et bien qu'il tentât de la dissimuler, sa réaction à l'apparence physique de Scarlett fut évidente. Les deux hommes se serrèrent la main pour la forme.

« Asseyez-vous, mon général », dit Hess qui était terriblement impressionné par leur compagnie et ne s'en cachait pas.

Rheinhart se posa sur une chaise en bout de table. Cela agaça un moment Scarlett parce qu'il avait voulu s'asseoir justement sur cette chaise qui occupait une position centrale et stratégique.

Hess demanda à Rheinhart s'il préférait le whisky, le gin ou du vin. Le général refusa d'un geste.

« Rien pour moi non plus », dit Ulster Scarlett en s'asseyant sur la chaise à gauche de Rheinhart.

Hess laissa donc le plateau et s'assit également. Goebbels battit en retraite en boitillant jusqu'au coin du mur, traînant sa chaise.

Scarlett prit la parole.

« Excusez-moi de mon retard, impardonnable,

mais inévitable j'en ai peur. Il y avait des affaires pressantes à régler à Londres.

– Votre nom, s'il vous plaît? » coupa Rheinhart qui parlait l'anglais avec un fort accent teuton.

Scarlett jeta un coup d'œil à Hess avant de répondre.

« Kroeger, *Herr General*, Heinrich Kroeger. »

Rheinhart ne cessait de regarder Scarlett.

« Je ne crois pas que ce soit là votre nom, monsieur. Vous n'êtes pas allemand, dit-il d'une voix neutre.

– Mes sympathies vont à l'Allemagne. Elles y vont tellement que j'ai même choisi de m'appeler Heinrich Kroeger.

– *Herr* Kroeger nous a été plus que précieux, coupa Hess. Sans lui nous n'en serions pas là, mon général.

– *Amerikaner*... C'est pour lui que nous ne nous exprimons pas en allemand?

– Cela s'arrangera avec le temps », dit Scarlett.

En fait, il parlait presque couramment l'allemand, mais il ressentait encore un désavantage à ne pas employer sa langue maternelle.

« Je ne suis pas un Américain, général... fit Scarlett en rendant son regard au général sans sourciller. Je suis un citoyen de l'Ordre nouveau!... J'ai contribué, plus peut-être que qui que ce soit sur cette terre, à son avènement... S'il vous plaît, ne l'oubliez pas dans notre conversation.

– Je suis certain que vous avez vos raisons, comme j'ai les miennes, d'être assis à cette table, dit Rheinhart en haussant les épaules.

– Vous pouvez en être certain, dit Scarlett en se détendant un peu.

– Très bien, messieurs, abordons le sujet, il se

peut que je doive quitter Montbéliard ce soir. »

Rheinhart fouilla dans sa poche et en sortit une feuille de papier à lettres.

« Votre parti a fait des progrès considérables au Reichstag. Ce qui, après votre fiasco à Munich, est tout de même remarquable... »

Hess, plein d'enthousiasme, enchaîna :

« Nous ne faisons que commencer! Depuis l'ignominie de cette défaite traîtresse, l'Allemagne cherche à se relever. Nous serons les maîtres de l'Europe! »

Rheinhart tenait son papier plié à la main.

Il regardait Hess.

Il répliqua avec autorité, calmement, comme un homme qui a l'habitude de se faire obéir.

« Etre maîtres de l'Allemagne serait déjà suffisant pour nous. Tout ce que nous demandons, c'est d'être capables de défendre notre pays.

– C'est la première garantie que nous vous offrons, général, dit Scarlett dont la voix s'éleva aussi peu que celle de Rheinhart.

– C'est la seule garantie que nous attendons de vous. Nous ne sommes pas intéressés par les excès que prêche votre Adolf Hitler. »

En entendant mentionner le nom de Hitler, Goebbels s'approcha, se penchant en avant sur sa chaise. Il était furieux de ne pas saisir ce qu'ils disaient.

« *Was gibt's mit Hitler? Was sagen Sie über ihn?*[1] »

Rheinhart répondit à Goebbels dans sa propre langue.

« *Er ist ein sehr störischer Genosse*[2].

---

1. Qu'est-ce qui se passe avec Hitler? Qu'est-ce que vous dites à son sujet?
2. Qu'il est un camarade entêté.

388

– Hitler ist der Weg! Hitler ist die Hoffnung für Deutschland![1].

– Vielleich für Sie[2]. »

Ulster Scarlett regarda Goebbels. Les yeux du petit homme luisaient de haine et Scarlett songea qu'un jour Rheinhart paierait ces mots. Le général poursuivit en dépliant sa feuille de papier.

« L'époque que notre nation traverse nécessite des alliances inhabituelles... J'ai parlé avec von Schnitzler et Kindorf. Krupp ne veut pas évoquer le sujet et je suis sûr que vous êtes au courant... L'industrie allemande est dans un état aussi déplorable que notre armée. Nous ne sommes plus que des pions contrôlés par les commissions alliées. Les restrictions dues au traité de Versailles nous poussent vers l'inflation, puis nous ponctionnent le lendemain. Il n'existe aucune espèce de stabilité. Rien sur quoi nous puissions compter. Nous avons un objectif commun, gentlemen, détruire le traité de Versailles.

– Ce n'est qu'un de nos objectifs. Il y en a d'autres », dit Scarlett d'un ton enjoué.

Mais son enjouement fut de courte durée.

« C'est le seul objectif qui explique ma présence ici, à Montbéliard! De même que l'industrie allemande doit pouvoir respirer, exporter, produire, l'armée allemande doit être autorisée à maintenir une force adéquate. La limitation à cent mille hommes de troupe avec trois mille kilomètres de frontières à défendre est une aberration!... Ils nous font promesses sur promesses, puis ils nous menacent. On ne peut rien attendre. Ni compréhension,

1. Hitler c'est la voie! Hitler est l'espoir pour l'Allemagne !
2. Peut-être pour vous.

ni permission. Et pourtant cette croissance est nécessaire.

– Nous avons été trahis! Trahis vicieusement en 1918 et cette trahison continue! Il y a des traîtres partout en Allemagne! » fit Hess qui désirait plus que tout au monde compter parmi les amis de Rheinhart et ses officiers.

Rheinhart l'avait compris et n'en était pas impressionné.

« *Ja!* Ludendorff maintient toujours cette théorie. Il a du mal à digérer sa défaite en Argonne. »

Ulster Scarlett y alla de ses sourires défigurés.

« Pour certains d'entre nous c'est plus facile, général Rheinhart. »

Le général le regarda.

« Je ne m'étendrai pas sur ce sujet avec vous.

– Un jour nous devrions en parler... C'est une des raisons de ma présence ici.

– Vous m'obligez à me répéter, *Herr* Kroeger. Vous avez vos motifs, j'ai les miens. Les vôtres ne m'intéressent pas mais vous êtes contraint de vous intéresser aux miens. »

Il fixa Hess, puis la silhouette de Goebbels contre le mur.

« Messieurs, je serai brusque. C'est presque un secret maladivement gardé... De l'autre côté de la frontière polonaise, dans la partie occupée par les bolcheviques, se trouvent des milliers d'officiers allemands frustrés. Des hommes qui n'ont plus de profession dans leur propre pays. Ils entraînent les officiers russes! Ils disciplinent l'armée de paysans des Rouges... Pourquoi? Certains pour une raison toute simple qu'on appelle le chômage. D'autres se justifient parce que quelques usines russes nous fournissent en fraude des canons, de l'armement prohibé par la commission alliée... Je n'aime pas cet état de choses. Je n'ai aucune confiance en ces Russes... Weimar est inefficace. Ebert ne pourrait pas affronter cette vérité. Hindenburg est pire! Il vit dans un passé monarchiste. Les politiciens doivent servir à faire face au traité de Versailles. Nous avons besoin d'être libérés de l'intérieur. »

Rudolf Hess posa ses deux mains à plat sur la table.

« Vous avez la parole d'Adolf Hitler et celle des gens présents dans cette pièce que la première décision du Parti national-socialiste sera la résiliation sans conditions du traité de Versailles!

– J'avais compris. Mon problème est plutôt de savoir si vous êtes effectivement capables d'unifier les divers camps politiques du Reichstag. Je ne nie pas que vous ayez plus de répondant que les autres... La question est : Avez-vous le pouvoir de rester? Rester dans la stabilité. Demeurer... Vous avez été balayés il y a quelques années et mis hors la loi. Nous ne pouvons pas nous permettre de nous allier avec une comète politique qui se consume en un rien de temps. »

Ulster Scarlett se leva et se pencha vers le vieux général.

« Que diriez-vous si je vous affirmais que nous avons des ressources financières qui dépassent celles de n'importe quelle organisation politique d'Europe? Et même du monde occidental?

– Je dirais que vous exagérez.

– Et si je vous disais que nous possédons un territoire, des terres, assez vastes pour entraîner des milliers et des milliers de troupes d'élite à l'abri des regards des équipes d'inspection du traité de Versailles?

– Il vous faudrait me prouver tout ça.

– Cela, je peux le faire. »

Rheinhart se leva et fit face à Heinrich Kroeger.

« Si vous dites la vérité... Vous auriez alors l'appui des généraux de l'armée impériale. »

36

Janet Saxon Scarlett, les yeux fermés, chercha près d'elle le corps endormi de son amant sous les draps. Il n'était pas à ses côtés. Elle ouvrit les yeux et souleva la tête. La pièce apparut un peu brouillée. Elle avait les paupières lourdes et mal à l'estomac. Elle était encore fatiguée, encore un peu ivre même.

Matthew Canfield était assis devant le secrétaire, vêtu de son seul caleçon. Il avait les coudes sur la table, le menton calé dans la coupe de ses deux mains. Il contemplait une feuille de papier posée devant lui.

Janet le regardait, sachant qu'il ne s'en était pas aperçu. Elle roula doucement sur le côté pour mieux l'observer.

Ce n'était pas un homme ordinaire, songea-t-elle, et pourtant il n'avait rien de particulièrement marquant, mis à part le fait qu'elle l'aimait. Qu'est-ce qui le rendait si attirant, se demanda-t-elle. Il n'était pas comme les hommes du monde dans lequel elle évoluait d'habitude. La plupart d'entre eux étaient vifs, policés, trop bien astiqués et uniquement concernés par les apparences. Mais Matthew Canfield ne cadrait pas dans ce monde-là. Sa vivacité était une rapidité intuitive qui n'avait rien à voir avec la grâce. Et sur d'autres chapitres, il était un peu bizarre. La confiance en soi qu'il possédait était née de mûres réflexions, pas innée.

D'autres également étaient beaucoup plus beaux, bien qu'on puisse le classer dans la catégorie des « pas mal », avec un genre un peu taillé à la serpe... C'était cela, sourit-elle. A la fois dans ses gestes et dans son apparence, il dégageait une impression d'indépendance totale. Mais dans l'intimité, il était extraordinairement gentil et tendre, presque faible. Elle se demanda s'il était réellement faible. Elle le savait profondément préoccupé et elle soupçonnait qu'Elizabeth lui avait promis de l'argent pour exécuter ses ordres... Il ne savait pas vraiment être à l'aise dans son rapport avec l'argent. Elle s'en était rendu compte lors des deux semaines qu'ils avaient passées ensemble à New York. On lui avait visiblement dit qu'il pouvait dépenser sans compter pour établir officiellement leur relation. Il s'était même amusé à lui en faire une estimation et ils avaient ri tous deux car, ce qu'ils faisaient, grâce aux fonds du gouvernement, n'était que l'expression de la stricte vérité de leur rapport... Elle aurait été ravie de payer pour eux deux. Elle avait déjà payé pour d'autres et personne ne lui était aussi cher que Matthew Canfield. Personne ne compterait jamais autant que lui dans sa vie. Il n'appartenait pas à son monde, préférant un monde plus simple, moins cosmopolite. Mais Janet Saxon Scarlett savait qu'elle pourrait s'adapter, s'il le fallait, pour le garder.

Peut-être, lorsque tout serait fini, si toutefois il y avait une fin, peut-être trouveraient-ils un moyen? Il fallait qu'il existe une issue pour cet homme jeune, rude et tendre qui était nettement supérieur à tous ceux qu'elle avait pu rencontrer auparavant. Elle l'aimait passionnément et tout ce qui touchait à lui la concernait profondément. Ce qui était tout à fait remarquable pour Janet Saxon Scarlett.

La veille au soir, quand elle était revenue, vers sept heures escortée par Ferguson, un homme de Derek, elle avait trouvé Canfield seul au milieu du salon d'Elizabeth. Il semblait tendu, irritable, en colère même, et elle ignorait pourquoi. Il avait esquissé de bien pâles excuses pour son état de nerfs et l'avait immédiatement emmenée hors de cette suite, hors de l'hôtel.

Ils avaient dîné dans un petit restaurant de Soho. Ils avaient tous deux beaucoup bu, sa peur déteignant sur elle. Pourtant il se refusait à lui dire ce qui le troublait.

Ils étaient revenus dans sa chambre avec une bouteille de whisky. Seuls, au calme, ils avaient fait l'amour. Janet savait que c'était un homme accroché à une sorte de corde mythique, effrayé de lâcher par peur de tomber, irrémédiablement.

En le regardant assis devant le secrétaire, elle perçut également soudain la vérité – celle dont personne ne voulait –, cette vérité qu'elle avait pressentie depuis ce terrible instant où il lui avait dit, la veille : « Janet, j'ai peur que nous n'ayons eu un visiteur. »

Ce visiteur, c'était son mari.

Elle se leva sur un coude.

« Matthew ?

– Oh! bonjour, amie.

– Matthew... Tu as peur de lui ? »

L'estomac de Canfield se serra d'un coup.

Elle savait.

Bien sûr qu'elle savait.

« Je ne crois pas que j'aurai peur de lui... Quand je le trouverai.

– C'est toujours comme ça, hein? On a peur de quelqu'un ou de quelque chose qu'on ne connaît pas ou qu'on ne peut pas trouver. »

Ses yeux commençaient à lui faire mal.

« C'est ce que disait Elizabeth », dit Canfield.

Elle s'assit sur le lit, tirant la couverture sur ses épaules et s'appuya sur la tête de lit. Elle ressentait une impression de froid et la douleur de ses yeux s'accentua.

« Elle te l'a dit?

– En fin de compte, oui... Elle ne voulait pas. Je ne lui ai pas laissé d'alternative... Elle a été obligée de me le dire.

– Je le savais », fit Janet en regardant nulle part.

Puis elle ajouta d'une voix calme :

« J'ai peur.

– Bien sûr, tu as peur... Mais tu n'as pas à avoir peur. Il ne peut pas t'atteindre, ni te toucher.

– Comment peux-tu être si sûr de toi? Je ne crois pas que tu avais si fière allure, hier soir! »

Sans s'en rendre compte, Janet fut prise d'un tremblement.

« Effectivement, dit-il... Mais c'était simplement dû à la conscience de son existence... Le spectre maudit est en vie et habite à côté... Nous nous y attendions, mais c'était tout de même un sacré choc. Maintenant, il fait jour. »

Il prit un crayon et nota quelque chose sur la feuille posée devant lui.

« Mon Dieu, mon Dieu! » hurla soudain Janet saisie de sanglots convulsifs en enfouissant sa tête dans l'oreiller.

D'abord, Canfield ne reconnut pas tout de suite

l'appel que contenait sa voix, car elle n'avait ni crié ni élevé le ton et il ne faisait attention qu'aux notes devant lui. Son cri étouffé était un cri d'agonie, pas de désespoir.

« Jan, commença-t-il à tout hasard. Janet! (Il jeta son crayon et se précipita vers le lit.) Janet... Chérie, non, je t'en prie! Janet, s'il te plaît, non! »

Il la prit dans ses bras, la berça, essayant du mieux qu'il pouvait de la calmer. Puis son regard tomba sur les yeux de Janet.

Les larmes coulaient en un flot continu, incontrôlable, le long de ses joues, et pourtant elle ne criait pas, elle ne faisait qu'ouvrir la bouche pour tenter de retrouver de l'air, comme une noyée. Ses yeux le paniquèrent.

Au lieu de se plisser sous le flot de larmes, ils étaient grands ouverts, comme si elle était en transe. En proie à l'horreur.

Il répéta son nom, des dizaines de fois.

« Janet, Janet... Janet... Janet! »

Elle ne répondait plus. Elle paraissait couler de plus en plus profondément dans la peur qui la dominait complètement maintenant. Elle commença à murmurer puis à geindre de plus en plus fort.

« Janet, arrête! Chérie! Arrête, Janet, arrête! »

Elle ne l'entendit pas.

Elle essayait de le pousser, de s'extraire de ses bras. Son corps nu se tordait sur le lit. Ses bras partirent, le griffèrent, le frappèrent.

Il resserra son étreinte, effrayé à l'idée de devoir peut-être lui faire mal.

Soudain, elle s'arrêta. Elle rejeta la tête en arrière et lança un hurlement, d'une voix qu'il ne lui avait jamais entendue.

« Va en enfer!... Va en enferrrrr! »

Le mot enfer devenait un cri monstrueux, hyper-aigu.

Ses jambes s'écartèrent alors, comme avec réti-cence, sur le drap.

Et de cette même voix déformée elle murmura :

« Porc! Espèce de porc! »

Canfield la contemplait, terrorisé. Elle s'installait comme pour se livrer à des ébats sexuels qui feraient disparaître sa terreur grandissante.

« Janet, mon Dieu, Janet... Ne fais pas ça! Non, personne ne va te toucher! S'il te plaît, chérie! »

La fille éclata de rire, hystérique.

« Tu es la *carte* Ulster! Tu es ce satané valet de... valet de... »

Soudain elle croisa les jambes et protégea ses seins avec ses mains.

« Laisse-moi, Ulster! Je t'en supplie! Ulster, non! Vas-tu me laisser? »

Puis, aussi subitement, elle se roula en boule et se mit à pleurer comme une enfant, à gros sanglots.

Canfield ramassa la couverture et en recouvrit Janet. Il avait peur à son tour.

Qu'elle puisse aussi soudainement et sans avertis-sement se réduire à l'état de putain d'Ulster Scarlett l'effrayait.

Mais c'était un fait et il devait l'accepter.

Elle avait besoin d'aide. Peut-être de plus d'aide qu'il ne pouvait lui en donner? Il lui caressa tendre-ment les cheveux et s'allongea près d'elle.

Ses sanglots se changèrent en un soupir profond au moment où elle ferma les yeux. Il espérait qu'elle dormait mais il ne pouvait pas en être sûr. De toute façon, il la laisserait se reposer. Cela lui donnerait le temps de trouver un moyen de lui dire tout ce qu'elle devait savoir.

Les quatre semaines à venir allaient être terribles pour elle.

Pour eux trois.

Mais maintenant un élément nouveau était apparu et Canfield en était presque heureux. Il savait qu'il n'aurait pas dû être heureux de ce fait, car cela allait à l'encontre de tout son instinct professionnel.

C'était la haine, une haine personnelle.

Ulster Stewart n'était plus seulement le gibier d'une chasse internationale. Il était maintenant l'homme que Canfield voulait tuer.

37

ULSTER SCARLETT regardait le visage d'Hitler en proie à la colère. Il se rendait compte que malgré sa fureur, Adolf Hitler avait une capacité de se contrôler qui tenait du miracle. L'homme lui-même était un miracle. Un miracle historique qui allait les conduire dans un monde fantastique, un paradis terrestre.

Ils avaient roulé – Hess, Goebbels et lui – toute la nuit, de Montbéliard à Munich, où Hitler et Ludendorff attendaient leur rapport sur la réunion avec Rheinhart. Si cette dernière avait été positive, le plan de Ludendorff devait être déclenché. Chaque faction du Reichstag possédant des partisans en nombre suffisant serait avertie de l'imminence d'une coalition. On ferait des promesses, on sous-entendrait des menaces. En tant que seul membre du Reichstag représentant le Parti national-socialiste et candidat à la présidence l'année précédente, Ludendorff était un personnage qu'on écouterait. C'était un soldat-penseur. Il regagnait peu à peu la stature que la défaite de l'Argonne lui avait enlevée en 1918.

Simultanément, dans douze villes différentes, des manifestations hostiles au traité de Versailles seraient organisées, la police avait été payée pour fermer les yeux. Hitler devait, lui, se rendre à Oldenburg, au centre de la Prusse orientale où les graines semées par les militaires commençaient à germer dans un parfum de gloire passée.

Un énorme rassemblement devait avoir lieu et il était prévu que Rheinhart lui-même y ferait une apparition.

Rheinhart suffisait à donner au parti son crédit au point de vue militaire. L'appui de l'armée était plus qu'indispensable. La reconnaissance d'Hitler par Rheinhart ne laisserait plus planer le moindre doute sur le côté où penchaient les militaires.

Ludendorff voyait cet acte comme une nécessité politique. Hitler, lui, y voyait simplement un coup. Le petit caporal autrichien n'était pas surpris par l'approbation du junker. Il savait que c'était sa destinée de l'obtenir – de l'exiger même! – mais il se sentait tout de même assez fier et c'était pour cela qu'il était en colère maintenant.

Car l'horrible petit Goebbels venait de finir de lui raconter les remarques faites par Rheinhart à son sujet.

Dans le grand bureau de location surplombant Sedlingerstrasse, Hitler avait empoigné les bras de son fauteuil et s'était subitement levé. Il resta un moment hagard face à Goebbels, mais le petit boiteux savait que cette colère n'était pas dirigée contre lui mais contre ce qu'il venait d'apprendre.

« *Fettes Schwein! Wir werden ihn zu seinem Land-sort zurück senden! Lass ihm zu seinen Kühen zurück gehen*[1] »

Scarlett était adossé au mur près de Hess.

---

1. Gros porc! On le renverra dans sa campagne! Qu'il retourne garder ses vaches!

Comme lorsque les conversations avaient lieu en allemand, Hess servait poliment d'interprète à Ulster.

« Il est très en colère. Rheinhart peut se révéler un obstacle.

– Pourquoi?

– Goebbels ne croit pas que Rheinhart va soutenir ouvertement notre mouvement. Il veut tous les avantages, mais sans salir son uniforme.

– Rheinhart a dit qu'il le ferait. Il nous l'a dit à Montbéliard! De quoi parle Goebbels? »

Scarlett sentit qu'il devait se surveiller. Il n'aimait pas du tout Goebbels.

« Il vient de dire ce que Rheinhart avait dit d'Hitler. Vous vous souvenez? chuchota Hess la main devant la bouche.

– Ils n'ont qu'à dire à Rheinhart : Pas d'Hitler, pas de fonds! Qu'il aille se faire voir! fit Scarlett en élevant la voix.

– *Was ist los[1]?* dit Hitler en se tournant vers Hess et Scarlett. *Was sagt er, Hess?*

– *Lass Rheinhart zum Teufel gehen[2]!* »

Ludendorff éclata de rire, un rire pincé.

« *Das ist naiv[3]!*

– Dites à Rheinhart de faire ce qu'on lui dit de faire, sinon il est hors course! Pas d'armes! Pas d'uniformes! Personne ne paie! Je ne paie pas! Pas d'endroit pour entraîner ses troupes sans inspecteurs sur le dos! Il vous écoutera! »

Scarlett ignorait Hess qui traduisait rapidement tout ce qu'il disait.

Ludendorff intervint.

---

1. Que se passe-t-il? Que dit-il, Hess?
2. Que Rheinhart aille au diable!
3. C'est naïf ça!

« *Man kann einen Mann wie Rheinhart nicht drohen. Er ist ein einflussreicher Preusse[1]?* »

Hess se tourna vers Scarlett.

« *Herr* Ludendorff dit qu'on ne peut pas menacer quelqu'un comme Rheinhart. C'est un junker.

– C'est un gros soldat de plomb mort de peur ! voilà ce que c'est ! Il a la trouille des Russes ! Il a besoin de nous et il le sait. »

Hess répéta les remarques de Scarlett. Ludendorff fit claquer ses doigts d'un air méprisant.

« Ne vous moquez pas de moi, fit Scarlett, j'ai parlé avec Rheinhart, pas vous ! Et c'est mon argent, pas le vôtre ! »

Hess n'eut pas besoin de traduire. Ludendorff se leva, aussi énervé que Scarlett.

« *Sag dem Amerikaner dass sein Gelt ihm nicht lange noch das Recht gibt uns Befehle zu geben[2].* »

Hess hésita.

« *Herr* Ludendorff ne croit pas que vos contributions financières... aussi bienvenues qu'elles soient...

– Inutile de terminer ! Dites-lui d'aller se faire voir aussi ! Il se comporte exactement comme Rheinhart le souhaite ! »

Scarlett, qui n'avait pas bougé, appuyé au mur, se lança en avant, dépliant sa carcasse.

Pendant une fraction de seconde, le vieux Ludendorff fut physiquement effrayé comme un intellectuel en face d'une brute. Il n'aimait pas les motifs qui poussaient cet Américain névrosé. Ludendorff avait souvent suggéré à Hitler et aux autres que cet homme qui se faisait appeler Heinrich Kroeger

---

1. On ne peut manier un homme comme Rheinhart. C'est un Prussien influent !
2. Dis à l'Américain que son fric ne lui permettra plus longtemps de nous donner des ordres.

était un rajout dangereux à leur groupe restreint.
Mais ses objections avaient été rejetées car Kroeger
ne possédait pas seulement ce qui ressemblait à
une puissance financière illimitée, il semblait également s'attirer le soutien, ou au moins l'intérêt,
d'hommes incroyablement influents.

Pourtant, Ludendorff ne lui faisait pas confiance.

Surtout parce qu'il était persuadé que ce Kroeger
était stupide.

« Puis-je vous rappeler, *Herr* Kroeger, que je
parle l'anglais assez bien!

– Alors pourquoi parlez-vous allemand?

– Par facilité.

– Ça suffit! »

Hitler claqua deux fois des mains, intimant le
silence. C'était un geste bizarre pour Ludendorff,
mais son respect – qui frisait la crainte – pour les
talents d'Hitler lui faisait accepter de tels gestes.

« *Halt! Beide!* »

Hitler s'éloigna de la table, leur tournant le dos à
tous. Il étendit les bras en arrière et croisa les
doigts derrière son dos. Pendant un moment il ne
dit rien, pourtant personne n'interrompit ce silence.

Goebbels, qui aimait passionnément le théâtre,
regardait avec une satisfaction certaine l'effet qu'Hitler et son silence faisaient sur les autres.

Ludendorff jouait le jeu mais demeurait ennuyé.
Le Hitler qu'il connaissait était capable d'erreurs de
jugement énormes. Il était animé de grandes
visions, sans doute, mais qui butaient souvent sur
les réalités pratiques et quotidiennes. Il était également malheureux qu'il s'offusque ainsi dans des
débats sur de tels problèmes. Cela n'arrangeait pas
les choses pour Ludendorff et Rosenberg qui

étaient les authentiques architectes de l'Ordre nouveau.

Ludendorff espérait qu'on n'allait pas assister une fois de plus à l'une de ces erreurs d'Hitler. Comme lui, Rheinhart était un junker fier et cassant. Il ne pliait jamais et était par conséquent difficile à manier. Qui pouvait le savoir mieux que l'ancien général de l'armée impériale qui avait dû maintenir sa dignité bafouée par la défaite? Ludendorff comprenait.

Adolf Hitler prit la parole, doucement.

« *Wir werden tun wie Herr Kroeger sagt*[1]. »

– *Herr* Hitler est d'accord avec vous, Kroeger! » fit Hess ravi en prenant amicalement Scarlett par la manche.

Il était toujours mis en échec par l'arrogant Ludendorff et ceci était plus qu'une petite victoire sur lui. Rheinhart était une vraie médaille. Si Kroeger avait raison, Ludendorff aurait l'air stupide.

« *Warum? Es ist sehr gefärlich*[2]. »

Ludendorff se retrouvait sur la défensive et il sut immédiatement que c'était en vain.

« *Sie sind zu vorsichtig die letzte Zeit, Ludendorff. Kroeger hat recht. Aber wir werden einen Schritt weiter gehen*[3]. »

Rudolf Hess bomba le torse. Il regarda d'un œil perçant Ludendorff et Goebbels en donnant à Scarlett un coup de coude.

« *Herr* Hitler dit que notre ami Ludendorff est trop précautionneux... Il a raison. Ludendorff est toujours précautionneux... Mais *Herr* Hitler désire discuter de votre suggestion... »

---

1. Nous ferons ce que M. Kroeger dit.
2. Pourquoi? C'est très dangereux.
3. Vous êtes trop prudent ces derniers temps, Ludendorff. Kroeger a raison. Mais nous ferons un pas de plus.

Adolf Hitler commença à parler lentement mais avec fermeté, comme s'il donnait une finalité à chaque phrase. Il voyait avec satisfaction les visages de ses interlocuteurs changer. Quand il atteignit la fin de sa diatribe, il cracha les derniers mots.

« *Da ist Montbéliard!*[1] »

Pour chacun d'entre eux, leur opinion fut différente, avec pourtant un dénominateur commun : l'homme était un génie.

Pour Hess, la conclusion était qu'Hitler avait encore eu un éclair de génie politique.

Pour Goebbels, Hitler avait une fois de plus démontré son habileté à utiliser les faiblesses fondamentales de ses adversaires.

Pour Ludendorff, l'Autrichien avait pris une idée médiocre, lui avait injecté sa propre bravoure et réapparaissait muni d'un morceau de stratégie lumineuse.

Heinrich Kroeger demanda à Hess ce qu'il avait dit.

Mais ce ne fut pas Hess qui répondit. Ce fut Erich Ludendorff, que Hitler ne quitta pas des yeux.

« *Herr* Hitler vient de... consolider définitivement l'appui des militaires, Kroeger. En quelques phrases, il nous a gagné les Prussiens réticents.

– Quoi ? »

Rudolf Hess se tourna vers Scarlett.

« Le général Rheinhart sera prévenu que s'il ne fait pas ce que nous exigeons, les officiels de Versailles seront informés qu'il procède à des négociations secrètes et parfaitement illégales. Ce qui est la vérité. Il ne peut pas nier Montbéliard !

– C'est un junker ! ajouta Ludendorff. Montbéliard est en effet la clef puisque c'est vrai ! Rheinhart

---

1. Voilà Montbéliard !

ne peut désavouer ce qu'il a fait! Même s'il en était tenté, il y a trop de gens au courant : von Schnitzler, Kindorf, même Krupp! Rheinhart a brisé sa parole! »

Ludendorff éclata d'un rire sec.

« La parole sacrée d'un junker! »

Hitler esquissa un bref sourire et parla très vite à Hess, désignant Ulster d'un mouvement du menton.

« *Der Führer* vous apprécie et vous admire, Heinrich, dit Hess. Il voudrait des nouvelles de nos amis de Zurich.

— Tout se déroule suivant le schéma initial. Quelques erreurs ont été corrigées. Il se peut que nous perdions un des treize qui restent... Ce n'est pas une perte. C'est un voleur.

— De qui s'agit-il? dit Ludendorff en utilisant un anglais tout à fait acceptable.

— Thornton.

— Et ses terres? » demanda encore Ludendorff.

Scarlett, devenu Kroeger, regarda le très classique Ludendorff, l'intellectuel soldat, avec le mépris né de la richesse.

« J'ai l'intention de les acheter.

— N'est-ce pas dangereux? » dit Hess qui regarda Ludendorff, lequel venait de traduire les paroles de Scarlett à Hitler.

Les deux hommes montraient des signes d'inquiétude.

« Pas le moins du monde.

— Peut-être pas pour vous personnellement, mon jeune ami, dit Ludendorff d'un ton volontairement agressif. Qui sait où iront vos sympathies dans six mois?

— Vous m'offensez!

– Vous n'êtes pas Allemand. Ce n'est pas votre guerre.

– Je n'ai pas besoin d'être Allemand! Et je n'ai pas à me justifier devant vous!... Vous ne voulez plus de moi? Très bien! Je me retire!... Et avec moi ce sont douze des hommes les plus riches du monde qui partent!... Pétrole! Aciéries! Industries! Lignes maritimes! »

Il n'essayait plus d'agir avec tact. Il regarda Hitler, levant les bras tant il était exaspéré.

Il ne fut pas nécessaire de pousser Hitler, car il savait exactement quoi faire. Il traversa la pièce, s'approcha du vieux général de l'armée impériale et le frappa doucement sur la bouche du revers de la main. C'est un geste insultant au possible et la faiblesse calculée du coup ressemblait à la petite tape qu'on donne à un enfant. Les deux hommes échangèrent quelques phrases et Scarlett sut que le vieux Ludendorff était sévèrement et cruellement rappelé à l'ordre.

« Il semble que ces motifs soient sujets à caution, *Herr* Kroeger, fit Ludendorff. Je ne faisais que vous... tester. »

Il porta la main à sa bouche. Le souvenir de l'affront d'Hitler était difficile à avaler. Il luttait pour l'effacer.

« J'étais très sincère pourtant quant aux propriétés suisses. Votre... travail avec nous a été impressionnant et sans aucun doute remarqué par beaucoup. Si l'achat pouvait être relié au parti par votre intermédiaire, cela – disons – ruinerait l'ensemble de l'entreprise. »

Ulster Scarlett répondit avec une nonchalance confiante. Il adorait remettre les penseurs à leur place.

« Aucun problème... La transaction se fera à Madrid.

– A Madrid ? »

Joseph Goebbels n'avait pas bien compris ce que Scarlett disait, mais la ville de Madrid avait une connotation spéciale pour lui.

Les quatre Allemands se regardèrent, l'air tout aussi mécontent les uns que les autres.

« Pourquoi Madrid ? Est-ce bien sûr ? »

Hess avait conscience que son ami avait fait quelque chose de téméraire.

« Attaché papal. Très catholique. Au-dessus de tout soupçon. Satisfaits ? »

Hess traduisit automatiquement les mots de Scarlett en Allemand.

Hitler sourit tandis que Ludendorff faisait claquer ses doigts en signe d'applaudissement sincère.

« Comment accomplirez-vous ceci ?

– C'est simple. On dira à la cour d'Alfonso que la terre est achetée avec de l'argent des Russes blancs. Si l'on n'agit pas très vite, ce capital pourrait bien retomber entre les mains de Moscou. Le Vatican sympathise. Rivera aussi. Cela ne sera pas la première fois qu'on procède à de tels arrangements. »

Hess expliqua la manœuvre à Hitler tandis que Goebbels écoutait, n'en perdant pas une miette.

« Félicitations, *Herr* Kroeger. Soyez... prudent », dit Ludendorff impressionné.

Soudain, Goebbels se mit à parler très vite en exagérant ses gestes d'une manière comique. Tous les Allemands se mirent à rire et Scarlett se demanda si cet affreux petit fasciste se moquait de lui ou non.

Hess traduisit.

« *Herr* Goebbels dit que si vous promettiez au

Vatican d'empêcher quatre communistes affamés de manger une tranche de pain, le pape vous laisserait repeindre la chapelle Sixtine! »

Hitler abrégea les rires.

« *Was hörst du aus Zürich?*[1] »

Ludendorff se tourna vers Scarlett.

« Vous parliez de nos amis de Suisse...

– Oui. Tout s'organise comme prévu. A la fin du mois prochain... disons dans cinq semaines, les bâtiments seront achevés... Regardez, je vais vous montrer. »

Kroeger s'approcha de la table et sortit une carte de la poche de sa veste. Il l'étala sur la table.

« Cette large ligne bleue est le périmètre des propriétés adjacentes. Cette section... au sud, est celle de Thornton. Nous nous étendons à l'ouest jusqu'ici, au nord ici, à Baden, à l'est jusqu'aux alentours de Pfäffikon. Tous les deux kilomètres environ se trouve une construction qui peut renfermer cinquante hommes. Dix-huit bâtiments en tout. Neuf cents hommes. Les canalisations d'eau sont enterrées, les fondations sont faites. Chaque structure ressemble à une grange ou à une étable. On ne peut pas se rendre compte de la différence à moins d'être à l'intérieur.

– Excellent », fit Ludendorff en coinçant un monocle sous un œil gauche et en regardant attentivement la carte.

Hess traduisit pour Hitler et pour un Goebbels sceptique.

« Ce périmètre... entre les... *Kaserne*... baraquements... Est-il grillagé?

– Douze pieds de haut. Electrifié par des générateurs placés dans chaque bâtiment. Patrouilles

1. Quelles nouvelles de Zurich?

vingt-quatre heures sur vingt-quatre. Hommes et chiens... J'ai tout payé!

– Excellent. Excellent! »

Scarlett regardait Hitler. Il savait qu'il n'était pas facile de s'attirer l'approbation de Ludendorff, et malgré leur malheureux différend quelques minutes auparavant, il se rendait compte que l'opinion de Ludendorff avait une grande importance pour Hitler. Peut-être plus que celle de qui que ce soit. Il sembla à Ulster que le regard pénétrant d'Hitler qui était dirigé vers lui était admiratif. Kroeger contrôla sa propre exaltation et poursuivit rapidement.

« La formation sera accélérée. Chaque stage durera un mois, avec quelques jours de battement pour le transport et les installations. Chaque contingent aura neuf cents hommes... Au bout d'un an...

– *Prachtvoll*[1]! coupa Hess. Au bout d'un an, dix mille hommes bien entraînés!

– Prêts à se répandre dans tout le pays comme des unités militaires. Entraînés pour l'insurrection! »

Scarlett débordait d'énergie.

« Ce ne sera plus de la racaille, mais la base d'un corps d'élite! Peut-être même *le* corps d'élite! »

Ludendorff se laissait aller à l'enthousiasme communicatif de Kroeger.

« Notre propre armée privée!

– C'est cela! Une machine bien huilée capable de se déplacer rapidement, de frapper fort et de se regrouper vite et discrètement. »

Tandis que Kroeger parlait, c'était Ludendorff qui traduisait maintenant en allemand pour Hitler et Goebbels.

Mais Goebbels était ennuyé. Il parlait calmement

1. Formidable!

comme si ce Kroeger pouvait se rendre compte des observations obscures qu'il était en train de faire. Goebbels était encore plein de soupçons. Cet étrange Américain était trop beau parleur, trop inattendu malgré sa ferveur apparente. Malgré le pouvoir de son argent.

Adolf Hitler hocha la tête, d'accord avec lui.

Hess exprima leur malaise :

« Pour parler très franchement, Heinrich, *Herr* Goebbels est inquiet. Ces hommes de Zurich, leurs exigences sont si... nébuleuses.

– Non, pas pour eux en tout cas. Elles sont très spécifiques. Ce sont des hommes d'affaires... Et de plus ce sont des sympathisants.

– Kroeger a raison. »

Ludendorff regarda Scarlett, sachant que Hess se servirait de l'allemand pour les autres. En parlant il réfléchissait, ne souhaitant pas donner le temps à Kroeger de formuler ni réponse, ni commentaires. Bien qu'il ne parle pas couramment leur langue, Kroeger comprenait bien mieux qu'il n'en avait l'air.

« Nous en arrivons au moment de signer des accords, n'est-ce pas?... Des pactes, si vous voulez, passés entre notre pouvoir qui émerge sur la scène politique allemande et nos amis de Zurich... Ils attendent certaines priorités... Des priorités économiques... Nous sommes liés maintenant, n'est-ce pas? »

Il n'y avait pas l'ombre d'une question dans la dernière phrase de Ludendorff.

« C'est exact.

– Que se passerait-il, *Herr* Kroeger, si nous ne respections pas ces accords? »

Ulster Scarlett marqua une pause, soutenant le regard interrogateur de Ludendorff.

« Ils crieraient comme des fils de putes et ils nous ruineraient, ou du moins ils essaieraient.

– Comment ?

– En utilisant tous les moyens à leur disposition, mon général, et ces moyens sont considérables.

– Cela vous ennuie ?

– Cela m'ennuierait seulement s'ils réussissaient... Il n'y a pas que Thornton. Ce sont tous des voleurs. La différence c'est que les autres sont malins. Ils savent que nous avons raison. Nous vaincrons ! Tout le monde aime faire des affaires avec les vainqueurs ! Ils savent ce qu'ils font. Ils veulent vraiment travailler avec nous !

– Je vous crois convaincu.

– Sacrément convaincu, même ! Entre nous, nous régnerons à notre façon. De la bonne manière ! Dans l'ordre ! Nous nous débarrasserons enfin de la pourriture ! Les juifs, les rouges, les petits-bourgeois lèche-bottes ! »

Ludendorff contemplait cet Américain plein de suffisance. Il avait raison. Kroeger était stupide. Sa description des races inférieures était d'ordre émotionnel, elle n'était pas fondée sur les principes de l'intégrité raciale. Hitler et Goebbels avaient aussi des lacunes similaires mais leur pensée était une pyramide logique qui tenait malgré tout. Ils savaient parce qu'ils avaient vu. Ils avaient étudié comme Rosenberg et lui-même. Ce Kroeger avait une mentalité puérile. C'était presque un bigot.

« Il y a plein de choses intéressantes dans ce que vous dites, fit remarquer Ludendorff. Les gens qui pensent soutiendront leurs semblables... feront des affaires avec leurs semblables. »

Ludendorff devait surveiller étroitement les actions d'Heinrich Kroeger. Un homme comme ça pouvait causer des dommages irréparables. C'était un clown en proie à une fièvre maligne.

Pourtant leur entreprise avait besoin d'un tel bouffon et de son argent.

Comme toujours, Hitler avait raison. Ils ne pouvaient pas se payer le luxe de le perdre maintenant.

« Je pars pour Madrid à l'aube. J'ai déjà transmis les ordres concernant Thornton. Tout ceci ne devrait pas prendre plus de deux ou trois semaines, puis j'irai à Zurich. »

Hess traduisit pour Hitler et Goebbels. *Der Führer* aboya une question pertinente.

« Où peut-on vous joindre à Zurich? traduisit Ludendorff. Votre plan, s'il se déroule ainsi, exige que nous puissions communiquer avec vous. »

Heinrich Kroeger se tut un instant avant de répondre. Il s'attendait à cette question. Elle était posée chaque fois qu'il se rendait à Zurich. Pourtant il était toujours resté évasif. Il se rendait compte que la mystique, le charisme qui l'entourait dans le parti tenaient précisément au fait qu'il gardait toujours dans l'ombre les individus ou les compagnies avec lesquels il traitait. Dans le passé il n'avait laissé qu'un simple numéro de téléphone ou un numéro de boîte postale, ou encore le nom d'un des quatorze hommes de Zurich, avec instructions précises et nom de code venant de lui.

Jamais direct ni ouvert.

Ils ne comprenaient pas que les identités, les adresses et numéros de téléphone étaient sans importance. Seule comptait la capacité de s'acquitter.

Zurich comprenait.

Ces Goliath, ces immenses fortunes, comprenaient. Ces financiers internationaux comprenaient parfaitement, habitués qu'ils étaient aux labyrinthes de leurs manipulations quotidiennes.

Il venait de s'acquitter de son travail.

Leurs accords avec le futur Ordre nouveau allemand leur assuraient des marchés et des contrôles au-delà de tout ce qu'on pouvait imaginer.

Et personne ne se souciait de savoir qui il était ni d'où il venait.

Mais maintenant, à cet instant précis, Ulster Stewart Scarlett se rendit compte que les titans de l'Ordre nouveau avaient besoin qu'on leur rappelle un peu l'importance d'Heinrich Kroeger.

Il allait leur dire la vérité.

Il allait leur livrer le nom du seul homme de toute l'Allemagne que tous ceux qui cherchaient le pouvoir auraient voulu pouvoir approcher. L'homme qui refusait de parler, refusait d'être impliqué, refusait de rencontrer les factions.

Le seul homme en Allemagne qui vivait derrière un mur de secret absolu. Une isolation politique complète.

L'homme le plus craint et le plus révéré d'Europe.

« Je serai avec Krupp. Essen saura où nous joindre. »

38

ELIZABETH SCARLATTI était assise dans son lit. Une table de bridge avait été placée à côté et les alentours étaient littéralement couverts de papiers : lit, table, plancher. Certains papiers étaient rangés en piles ordonnées. D'autres étaient assemblés avec des trombones et répertoriés sur de petits cartons. Certains, empilés n'importe comment, étaient prêts à être évacués dans la corbeille.

Il était quatre heures de l'après-midi, elle n'avait quitté sa chambre qu'une seule fois pour laisser entrer Janet et Matthew. Elle avait remarqué leurs mines défaites, épuisées, malades peut-être. Elle avait compris ce qui s'était produit. La pression était devenue trop forte pour l'homme du gouvernement. Elle lui avait donné une pause, du temps pour récupérer. Maintenant que c'était fait, il serait prêt à entendre sa proposition.

Elizabeth jeta un coup d'œil final sur les pages qu'elle tenait à la main.

Voilà! L'image était claire maintenant, tout était complet.

Elle avait affirmé sans preuve que les hommes de Zurich avaient sans doute conçu une stratégie extraordinaire. Elle savait maintenant que c'était exact.

Si cela n'avait pas été si grotesquement diabolique, elle aurait pu être d'accord avec son fils. Elle aurait même pu être fière de faire partie du complot. Mais dans les circonstances présentes, elle ne pouvait être que terrifiée.

Elle se demanda si Matthew Canfield comprendrait. Aucune importance. C'était l'heure de Zurich maintenant.

Elle se leva, les papiers à la main et se rendit jusqu'à la porte.

Janet était installée devant un secrétaire et elle travaillait au courrier. Canfield était assis sur un fauteuil et lisait un journal avec une nervosité grandissante. Ils sursautèrent quand Elizabeth entra dans la pièce.

« Avez-vous une connaissance quelconque du traité de Versailles? lui demanda-t-elle. Les restrictions, les paiements pour les réparations?

— J'en sais autant que n'importe qui, je pense.

— Connaissez-vous le plan Dawes? Ce document très imparfait?

— Je croyais qu'il rendait les réparations supportables?

— Seulement temporairement. Les politiciens qui avaient besoin de solutions immédiates se sont jetés dessus. Economiquement, c'est un désastre. On n'y trouve aucune espèce de finalité, de but. Si tableau final il y avait, ce serait l'industrie allemande, qui paie l'addition, qui s'effondrerait.

— Où voulez-vous en venir?

— Attendez une minute. Je veux que vous compreniez... Vous rendez-vous compte par qui est exécuté le traité de Versailles? Savez-vous qui prend les décisions du plan Dawes? Qui contrôle, en dernier recours, l'économie intérieure de l'Allemagne? »

Canfield posa son journal par terre.

« Oui, un comité.

– La commission de contrôle alliée.

– Où allez-vous comme ça? demanda Canfield en se levant.

– Je vais vers ce que vous commencez à suspecter. Trois des membres du groupe de Zurich appartiennent à cette commission de contrôle alliée. Ces hommes appliquent le traité de Versailles. En travaillant de concert, les hommes de Zurich peuvent littéralement manipuler l'économie allemande. Les principaux industriels, les puissances du Nord, de l'Ouest et du Sud-Ouest, augmentées des financiers les plus puissants au centre de l'Allemagne elle-même. Une bande de loups. Ils s'assureront que les forces au travail en Allemagne restent dans un état de conflit potentiel. Et quand l'explosion aura lieu – et elle aura lieu – ils seront là pour ramasser les morceaux... Pour achever ce projet... magistral, ils n'ont besoin que d'une base politique d'opération. Croyez-moi si je vous dis qu'ils l'ont trouvée. Avec Adolf Hitler et ses nazis... Avec mon fils, Ulster Stewart Scarlett.

– Mon Dieu! » fit Canfield doucement en fixant Elizabeth.

Il n'avait pas saisi les détails de son récit mais il en reconnaissait les implications.

« Il est temps de nous rendre en Suisse, monsieur Canfield. Vous poserez vos questions pendant le voyage. »

Tous les câbles étaient rédigés en anglais et, hormis les noms et les adresses, leur texte était identique. Chacun d'eux était envoyé à la firme ou à la société où la personne concernée occupait la position la plus élevée. Les fuseaux horaires étaient respectés, en ce sens que chacun des télégrammes arrivait à destination à midi, le lundi, et devait être remis en main propre avec accusé de réception.

Elizabeth Scarlatti souhaitait que toutes ces corporations soient traitées de la même manière. Elle voulait que ceux qui recevraient ces messages sachent que cela concernait avant tout la vie des affaires.

Le texte était simple :

PAR INTERMÉDIAIRE FEU MARQUIS DE BERTHOLDE LES INDUS-TRIES SCARLATTI PAR INTERMÉDIAIRE DE LA SEULE SOUSSIGNÉE ONT ÉTÉ INFORMÉES DE VOTRE REGROUPEMENT. STOP. EN TANT QUE SEULE PORTE-PAROLE POUR LES INDUSTRIES SCARLATTI LA SOUSSIGNÉE PENSE QU'IL EXISTE DES TERRAINS D'ENTENTE. STOP. LES BIENS SCARLATTI POURRAIENT ÊTRE À VOTRE DISPOSITION DANS DES CIRCONSTANCES DÉTERMINÉES. STOP. LA SOUSSIGNÉE SERA À ZURICH DANS DEUX SEMAINES LE SOIR DU TROIS NOVEM-BRE À NEUF HEURES. STOP. LA CONFÉRENCE SE TIENDRA À FALKE HAUS.

ELIZABETH WYCKHAM SCARLATTI.

Il y eut treize réactions, toutes séparées, dans plusieurs langues, mais elles avaient toutes un dénominateur commun : la peur.

La quatorzième réaction eut lieu dans la suite réservée pour Heinrich Kroeger à l'hôtel Emperador à Madrid. Cette réaction était la rage.

« Cela ne se peut pas! Je ne la laisserai pas faire! Ils vont tous mourir! Tous! Morts! Je l'avais avertie! Elle vient de signer leur arrêt de mort! Mes ordres partiront ce soir! Maintenant! »

Charles Pennington, envoyé par Ludendorff pour servir de garde du corps à Kroeger, se tenait de l'autre côté de la pièce, regardant par la fenêtre les rayons rouges et obliques du soleil couchant.

« Magnifique, tout simplement magnifique!... Ne soyez pas stupide! »

Il n'aimait pas regarder Heinrich Kroeger.

Au repos, son visage refait, taché, était assez laid. Quand il se mettait en colère, il devenait répugnant. Pour l'instant, il était écarlate.

« Vous n'avez pas à me dire...

– Oh! arrêtez », coupa Pennington.

Il regardait Kroeger qui roulait en boule le télégramme d'Howard Thornton annonçant la conférence de Zurich décidée par Elizabeth Scarlatti.

« Quelle différence ça peut faire? Pour vous? Pour n'importe lequel d'entre nous? »

Pennington avait ouvert l'enveloppe et lu le message parce que, ainsi qu'il l'avait affirmé à Kroeger, il ne savait pas quand Kroeger reviendrait de sa réunion avec le nonce. Cela aurait pu être urgent. Ce qu'il n'avait pas dit à Kroeger, c'était que Ludendorff lui avait ordonné de surveiller toute correspondance, tout coup de téléphone reçus par cet... animal. Et pour Pennington, c'était un plaisir.

« Nous ne voulons personne d'autre. Nous ne pouvons pas impliquer quelqu'un d'autre! C'est impossible! Zurich va paniquer! Ils vont nous lâcher!

– Ils ont tous reçu le même télégramme. Si Zurich part en courant, ce n'est pas maintenant que vous pourrez les arrêter. Et, de plus, si cette Scarlatti est celle à qui je pense, c'est la poule aux œufs d'or. Elle a des millions... Ce ne serait pas mal pour nous si elle nous rejoignait. Je n'aimais pas beaucoup Bertholde, petit juif puant, mais si c'est lui qui a déclenché ça, je lui tire mon chapeau. De toute façon, je ne vois pas pourquoi cela vous met dans un tel état! »

Heinrich Kroeger fixa un regard irrité sur l'Anglais un peu trop stylé et efféminé qui tirait sur ses manchettes pour s'assurer qu'elles étaient à la bonne place sous sa manche de veste. Les boutons rouge et noir faisaient un contraste avec le bleu clair de sa chemise de soie. Kroeger savait que cette apparence était trompeuse. Comme Boothroyd, Pennington était un tueur qui trouvait dans le meurtre une satisfaction sensuelle. Hitler le tenait en grande estime, moins que Joseph Goebbels pourtant. Néanmoins, Kroeger avait pris sa décision. Il ne pouvait pas courir ce risque.

« Cette réunion n'aura pas lieu! Elle doit mourir. Je vais m'en occuper.

– Alors je vais devoir vous rappeler qu'une telle décision ne doit pas être unilatérale. Vous ne pouvez pas la prendre vous-même... Et je ne crois pas que vous trouverez une voix en votre faveur.

– Vous n'avez pas à me dire ce que je dois faire ou pas!

– Oh! mais si!... Mes instructions viennent de

Ludendorff. Et, bien sûr, il est au courant du message de Thornton. Je le lui ai fait savoir par télégramme il y a quelques heures. »

Pennington regarda sa montre :

« Je sors pour dîner... Je préférerais franchement dîner seul, mais si vous insistez pour vous joindre à moi, je daignerai tolérer votre compagnie.

– Petite pédale! Je pourrais vous tordre le cou! »

Pennington se hérissa. Il savait que Kroeger était désarmé, son revolver était posé sur son bureau dans la pièce à côté, et la tentation l'envahissait. Il pouvait le tuer, se servir du télégramme comme d'une preuve et dire que Kroeger avait désobéi. Mais il y avait les autorités espagnoles et une course éperdue en perspective. Et Kroeger avait une mission à achever. C'était étrange qu'Howard Thornton soit aussi impliqué...

« C'est possible, bien sûr, dit Pennington. Mais il pourrait se passer beaucoup d'autres choses, n'est-ce pas? (Il sortit un pistolet extraplat de son holster.) Par exemple, je pourrais vous tirer une seule petite balle dans la bouche, immédiatement... Mais je ne le ferai pas, malgré votre provocation, parce que l'Ordre est plus important que nous deux. Il me faudrait répondre de mon acte – et périr exécuté, sans nul doute. On se fait tuer quand on prend les affaires en main.

– Vous ne connaissez pas cette Scarlatti, Pennington! Moi, si! »

Comment avait-elle pu savoir pour Bertholde? Qu'avait-elle appris de lui, songeait Scarlett.

« Bien sûr, vous êtes de vieux amis! » fit l'Anglais en écartant son pistolet, et il éclata de rire.

Comment? Comment? Elle n'oserait pas s'attaquer à lui! La seule chose qui avait de la valeur pour elle, c'était la dynastie Scarlatti, son héritage, son nom, son futur. Elle savait sans doute aucun, qu'au moindre geste, il l'annihilerait! Alors, comment? Pourquoi?

« On ne peut pas faire confiance à cette vieille femme! C'est impossible! »

Charles Pennington tira sur son blazer pour que les épaules tombent impeccablement, ses revers dissimulant la légère épaisseur de son holster. Il marcha tranquillement vers la porte en songeant au chorizo qu'il allait prendre avec son xérès.

« Vraiment, Heinrich? *Aucun* d'entre nous? »

L'Anglais ferma la porte ne laissant derrière lui qu'un subtil arôme de lavande Yardley.

Heinrich Kroeger déplia le télégramme qu'il tenait toujours dans son poing.

Thornton était en proie à la plus totale panique. Chacun des treize de Zurich avait reçu le même télégramme d'Elizabeth Scarlatti. Mais personne d'autre que Thornton ne connaissait sa véritable identité.

Kroeger devait agir rapidement. Pennington n'avait pas menti. On l'abattrait s'il ordonnait l'exécution d'Elizabeth Scarlatti. Mais cela n'empêchait pas qu'un tel ordre fût donné après Zurich. Vraiment, après Zurich, ce serait nécessaire.

Mais d'abord les terrains de Thornton. Pour sa propre sécurité, il avait enjoint à Thornton de laisser faire.

Thornton, effrayé, n'avait pas discuté et cet idiot de nonce apostolique jouait exactement le jeu de Kroeger, pour la plus grande gloire de Dieu et pour porter un nouveau coup au communisme athée...

L'argent et le titre seraient transférés d'ici une

semaine. Thornton envoyait son avocat de San Francisco pour conclure les négociations.

Dès que les terres seraient à lui, Heinrich Kroeger signerait un arrêt de mort que personne ne pourrait contester.

Quand cette vermine serait morte, Heinrich Kroeger serait libre. Il deviendrait l'une des âmes damnées de l'Ordre nouveau.

Personne ne pourrait savoir qu'Ulster Scarlett existait.

Personne sauf elle.

Il allait l'affronter à Zurich.

Il la tuerait, à Zurich.

40

La limousine de l'ambassade escalada la petite colline pour s'arrêter devant la maison de style georgien de Fairfax, en Virginie. C'était l'élégante résidence d'Erich Rheinhart, attaché militaire de la République de Weimar, neveu du seul général impérial qui avait accordé son soutien au mouvement radical allemand connu sous le nom de nazisme, par philosophie, un nazi pur-sang lui-même.

L'homme élégant, à la moustache bien taillée, sortit de l'arrière de la limousine et s'avança vers le perron. Il regarda la magnifique façade.

« Très belle demeure...

– Je suis ravi de vous voir, Poole », dit Rheinhart en souriant à l'homme de Bertholde et Fils.

Ils entrèrent dans la maison et Erich Rheinhart conduisit son hôte à travers un salon vers une bibliothèque. Il lui désigna un fauteuil et se dirigea vers un placard d'où il sortit deux verres et une bouteille de whisky.

« Aux affaires! Vous traversez l'Atlantique en une saison peu propice aux traversées et vous me dites que je suis l'objet de votre visite. C'est très flatteur, bien sûr, mais que puis-je?...

– Qui a ordonné la mort de Bertholde? » dit sèchement Poole.

Erich Rheinhart était sidéré. Il se pencha, posa son verre sur une petite table et étendit les mains, paumes vers le ciel. Il se mit à parler doucement, d'un ton consterné.

« Mon cher, pourquoi pensez-vous que cela me concerne? Pour parler candidement, vous vous méprenez, et de beaucoup, sur l'étendue de mon influence, ou vous avez vraiment besoin de repos.

– Labishe ne l'aurait pas tué sans ordre. Quelqu'un, nanti d'une formidable autorité, a donné cet ordre.

– Eh bien, pour commencer, je n'ai pas une telle autorité et ensuite je n'aurais pas eu de mobile. J'aimais bien ce Français...

– Vous le connaissiez à peine.

– Soit, fit Rheinhart en riant, disons très peu de mobiles...

– Je ne veux pas dire vous personnellement. Je vous demande qui a donné cet ordre et *pourquoi*? »

Poole s'était départi de son calme habituel. Il avait d'excellentes raisons pour cela. Ce Prussien arrogant détenait la clef si Poole avait raison, et il ne le lâcherait pas tant qu'il n'aurait pas trouvé. Il faudrait se tenir très près de la vérité, mais ne pas la révéler.

« Est-ce que Bertholde savait quelque chose que vous ne vouliez pas qu'il sache?

– Non. Vous vous avancez un peu trop.

– Répondez!

– Jacques de Bertholde était notre contact à Londres! Il détenait une position unique en Angleterre qui était proche de l'immunité diplomatique. Il étendait son influence économique dans une dizaine de pays, dans l'élite industrielle. Sa mort est une grosse perte pour nous! Comment osez-vous insinuer que l'un de nous pourrait en être responsable!

– Je trouve intéressant que vous n'ayez pas répondu à ma question, fit Poole exaspéré. Savait-il quelque chose que les hommes de Zurich auraient pu considérer comme dangereux?

– Si tel était le cas, je n'ai aucune idée de ce que cela peut être! »

Mais Poole savait. Il était peut-être le seul à savoir. *Si seulement il pouvait en avoir la certitude.*

« J'aimerais un autre verre, s'il vous plaît. Excusez mon humeur », ajouta-t-il avec un sourire d'excuse.

Rheinhart rit.

« Vous êtes impossible. Donnez-moi votre verre... Vous êtes content? demanda l'Allemand en traversant la pièce. Vous venez de faire cinq mille kilomètres pour rien. C'est un mauvais voyage! »

Poole haussa les épaules. Il avait l'habitude des traversées bonnes ou mauvaises. Bertholde et son étrange ami, le monstrueux Heinrich Kroeger, l'avaient déjà expédié ici quelques mois auparavant. Ses ordres étaient simples à cette époque : ramasser la fille, savoir ce qu'elle avait appris de la vieille Scarlatti. Il avait échoué. Ce type, Canfield, l'en avait empêché. Cette espèce de larbin, ce mendiant, cette escorte de pseudo-représentant de commerce l'en avait empêché. Mais il s'était acquitté de ses autres missions. Il avait suivi le banquier Cartwright. Il l'avait tué et avait forcé la consigne automatique pour récupérer les accords passés avec Elizabeth Scarlatti.

C'était alors qu'il avait appris la vérité sur l'identité d'Heinrich Kroeger. Le fils d'Elizabeth Scarlatti avait eu besoin d'un allié et Jacques de Bertholde était cet allié. Et pour le remercier de sa précieuse amitié, Ulster Scarlett avait ordonné sa mort. Ce fanatique avait commandé la mort de l'homme qui avait tout fait pour lui.

Lui, Poole, allait venger ce meurtre horrible. Mais avant de le faire, il avait besoin qu'on lui confirme que ce qu'il soupçonnait était bien la vérité. A savoir le fait que, ni les leaders nazis, ni les hommes de Zurich ne savaient qui était Kroeger. Dans ce cas, Kroeger n'avait fait tuer Bertholde que pour garder le secret de son identité.

Cette révélation pouvait coûter des millions au mouvement. Les nazis de Munich comprendraient au moins ça, s'ils comprenaient quelque chose.

Erich Rheinhart se tenait au-dessus de Poole.

« Un dollar pour vos pensées, mon cher! Tenez, buvez ce bourbon. Vous ne dites plus rien?

– Oh!... Oui, ça a été un voyage très mauvais, Erich. Vous avez raison. »

Poole s'étira, ferma les yeux et se frotta le front. Rheinhart retourna s'asseoir.

« Vous avez besoin de vous reposer... Savez-vous ce que je pense? Je pense que vous avez raison. Je pense qu'un dément quelconque a *réellement* donné cet ordre. »

Poole rouvrit les yeux, sidéré par les mots d'Erich Rheinhart.

« *Ja*, poursuivit le Prussien, pour moi vous avez sans nul doute raison. Et cela doit cesser!... Strasser lutte contre Hitler et Ludendorff. Ekhart divague comme un dément. « Attaquez! attaquez! » crie Kindorf dans la Ruhr. Jodl trahit la Wehrmacht en Bavière. Graefe met la pagaille dans le Nord. Même mon oncle, l'illustre Whilhelm Rheinhart, se conduit comme un idiot. Il parle et j'entends des rires derrière mon dos en Amérique. Nous sommes divisés en dix factions. Des loups pris à la gorge les uns des autres! Nous n'accomplirons rien! Rien, si tout ceci ne s'arrête pas. »

Erich Rheinhart ne déguisait pas sa colère. Il s'en moquait. Il se leva à nouveau, très excité.

« Ce qu'il y a de plus stupide c'est l'évidence de ce qui va se produire. Nous pouvons perdre l'appui des hommes de Zurich. Si nous n'arrivons pas à nous mettre d'accord entre nous, combien de temps croyez-vous qu'ils vont rester de notre côté? Je vais vous dire une chose, ils ne sont absolument pas concernés par le fait de savoir qui aura le soutien du Reichstag. Ils n'ont pas un mark à donner pour la gloire de la Nouvelle Allemagne. Ni pour l'ambition d'aucune nation. Leur richesse les met au-dessus des contingences politiques. Ils ne sont avec nous que pour une seule raison : leur propre pouvoir. Si nous leur laissons douter un seul instant que nous ne sommes pas ce que nous affirmons, que nous ne sommes pas l'émergence de l'Ordre nouveau de l'Allemagne, ils nous abandonneront. Ils ne nous laisseront rien! Même les Allemands qui sont parmi eux! »

La fureur de Rheinhart retomba. Il esquissa un sourire, mais sans y parvenir. Il vida alors son verre et se rendit jusqu'au placard.

Si Poole parvenait seulement à en être certain.

« Je comprends, dit-il calmement.

— *Ja*, je crois que vous comprenez. Vous avez travaillé dur et longtemps avec Bertholde. Vous avez réussi pas mal de choses... (Il fit demi-tour pour faire face à Poole.) C'est exactement ce que je veux dire. Tout ce que nous avons tous accompli peut être perdu à cause de ces frictions internes. Les réussites de Funke, Bertholde, von Schnitzler,

Thyssen et même Kroeger, seront balayées si nous n'arrivons pas à nous rassembler. Nous devons nous unir derrière un, peut-être deux, leaders acceptables. »

Ça y était! Le signe! Poole en était certain maintenant, Rheinhart avait dit son nom! Kroeger!

« Peut-être, Erich, mais qui? fit Poole en se demandant si Rheinhart prononcerait encore ce nom. Ce n'était pas possible, car Kroeger n'était pas Allemand, mais peut-être pourrait-il amener Rheinhart à utiliser ce nom, rien que ce nom, une fois de plus.

– Strasser, peut-être. Il est fort, attirant. Ludendorff a évidemment l'aura de la célébrité nationale, mais il est trop vieux maintenant. Mais souvenez-vous, Poole, n'oubliez jamais cet Hitler! Avez-vous lu les comptes rendus du procès de Munich?

– Non. Dois-je?

– Absolument! Il est électrique! Eloquent au dernier degré! Et il va au fond des choses!

– Il a beaucoup d'ennemis. Il est interdit de parole dans presque tous les *Grafschaft* d'Allemagne.

– Ce sont les excès nécessaires de la route vers le pouvoir. Les interdictions sont peu à peu levées, nous y veillons. »

Poole regardait maintenant Rheinhart en parlant.

« Hitler est un ami de Kroeger, non? dit-il en fixant son interlocuteur, en guettant une réaction.

– *Ach!* Qui ne le serait pas? Kroeger a des millions! C'est grâce à lui qu'Hitler a ses voitures, son chauffeur, son château de Bertchesgaden, et Dieu sait quoi encore. Vous ne croyez tout de même pas qu'il peut se payer tout ça avec ses royalties, non? Vous avez entendu cette boutade? L'année dernière, *Herr* Hitler a fait une déclaration de revenus qui ne lui aurait même pas permis d'acheter deux pneus pour sa Mercedes. »

Rheinhart rit.

« Heureusement nous avons empêché que l'enquête aille plus avant. *Ja*, Kroeger est généreux pour Hitler. »

Poole était absolument sûr maintenant. Les hommes de Zurich ne savaient pas qui était Heinrich Kroeger!

« Erich, je dois partir. Pourriez-vous demander à votre chauffeur de me ramener à Washington?

– Mais bien sûr, cher ami. »

Poole ouvrit la porte de sa chambre à l'hôtel Ambassador. En entendant la clef, l'homme assis à l'intérieur se leva en alerte.

« Oh! c'est vous, Bush.

– Un télégramme de Londres, monsieur Poole. J'ai jugé plus prudent de prendre le train jusqu'ici plutôt que d'utiliser le téléphone », dit l'homme en lui tendant un télégramme.

Poole ouvrit l'enveloppe et en sortit le message. Il lut.

DUCHESSE A QUITTÉ LONDRES. STOP. DESTINATION GENÈVE. STOP. RUMEURS DE CONFÉRENCE À ZURICH. STOP. ENVOYEZ INSTRUCTIONS AU BUREAU PARIS.

Poole pinça ses lèvres aristocratiques, se mordant presque pour tenter d'enrayer sa colère.

« Duchesse » était le nom de code d'Elizabeth Scarlatti. Ainsi elle allait à Genève. A deux cents kilomètres à peine de Zurich. Ce n'était pas un voyage d'agrément. Ce n'était pas pour se recueillir dans un autre couvent.

Quoi qu'ait pu craindre Jacques de Bertholde – complot ou contre-complot –, cela se produisait maintenant. Elizabeth et son fils « Heinrich Kroeger » effectuaient leurs mouvements. Séparément ou de concert, qui pouvait le savoir?

Poole prit sa décision.

« Envoyez le message suivant au bureau de Paris :

ÉLIMINEZ DUCHESSE DU MARCHÉ. SA PART DOIT ÊTRE RAYÉE DE NOS LISTES IMMÉDIATEMENT. RÉPÉTEZ. ÉLIMINEZ DUCHESSE.

Poole congédia son messager et prit le téléphone. Il fallait immédiatement qu'il fasse ses réservations. Il fallait qu'il se rende à Zurich.

Il n'y aurait pas de conférence. Il l'empêcherait. Il allait tuer la mère, exposer son assassin de fils au grand jour! La mort de Kroeger suivrait rapidement!

C'était le moins qu'il puisse faire pour Bertholde.

Troisième partie

41

Le train cliqueta en passant sur l'antique pont enjambant le Rhône avant d'entrer en gare de Genève. Elizabeth Scarlatti était assise dans son compartiment et regardait les péniches sur le fleuve, puis, au-delà des rives, l'étendue des voies de triage. Genève était une ville propre. Elle donnait l'impression d'avoir été briquée comme pour mieux dissimuler le fait que de nombreuses nations et des milliers de géants des affaires se servaient de cette cité neutre pour intensifier davantage leurs conflits d'intérêts. Comme le train approchait de la gare, elle songea que quelqu'un comme elle appartenait à cette ville, ou peut-être était-ce l'inverse. Genève appartenait à des gens comme elle.

Elle jeta un œil sur les bagages empilés sur le siège face à elle. Une valise contenait ses vêtements et trois sacs plus petits étaient pleins à craquer de documents, de papiers, qui contenaient un millier de conclusions, équivalant à une panoplie d'armes complète. Ces informations comportaient, entre autres, des chiffres sur la valeur marchande de chacun des hommes de Zurich. Jusqu'à la moindre de leurs ressources. D'autres informations l'attendaient à Genève. Mais il s'agissait d'armes bien différentes, une tout autre mousqueterie, quelque chose qui ressemblait à un relevé cadastral. Car, ce qui l'attendait à Genève c'était la débâcle complète des intérêts Scarlatti. La valeur légale de chaque possession contrôlée par les Industries Scarlatti. Ce qui en faisait une arme mortelle, c'était la faculté de mobiliser ces capitaux. En face de chaque bloc de richesse se trouvait un engagement d'achat. Ces engagements étaient déjà établis et ils pouvaient être exécutés instantanément par un télégramme à ses avoués.

Et ils seraient exécutés.

Chaque bloc était suivi, non pas des deux colonnes habituelles désignant l'estimation des valeurs et le prix de vente, mais de trois colonnes. Cette troisième colonne faisait en quelque sorte une transition en assurant une petite fortune à l'acheteur pour chaque transaction. Ce qui signifiait des offres que personne ne pouvait refuser. C'était le plus haut niveau renvoyé par les complexités de la banque à la base fondamentale du véritable ressort de l'économie : le profit.

Elizabeth comptait aussi sur un dernier facteur, qui allait à l'encontre de ses instructions, mais cela aussi avait été soigneusement calculé.

Dans les ordres scellés, expédiés de l'autre côté de l'Atlantique, il était bien stipulé que chaque contact établi – et pour achever cette tâche des équipes d'administrateurs devaient se relayer vingt-quatre heures sur vingt-quatre – devait être réalisé dans le plus grand secret et seulement avec ceux dont l'autorité s'exerçait au plus haut niveau de décision financier. Les gains garantis les absolvaient, tous, des charges de l'irresponsabilité. Chacun deviendrait un héros pour lui-même ou son entourage économique. Mais le prix à payer était cher. Il fallait tenir jusqu'à ce que tout soit achevé.

Milliardaires, magnats du commerce, et banquiers de New York, de Chicago ou de Los Angeles se trouvèrent convoqués dans des salles de conférences feutrées, face à de dignes sosies appartenant à l'un des cabinets d'avoués les plus prestigieux de New York. Les conversations étaient des chuchotements et les regards étaient lucides et pleins de sous-entendus. Des assassinats financiers étaient en passe d'être perpétrés. Des signatures étaient déjà apposées sur des documents secrets...

Et bien entendu, ce qui devait arriver arriva.

La bonne fortune mène à une espèce d'ébullition qui n'est pas réellement l'alliée du secret.

Deux ou trois personnes se mirent à parler. Puis quatre ou cinq. Puis une douzaine. Mais guère plus que cela... Il fallait considérer le *prix*.

On échangeait des coups de téléphone, presque jamais d'un bureau à un autre, dans le calme retiré d'une bibliothèque ou d'un salon. Coups de téléphone nocturnes sous la douce lumière d'une lampe de chevet, une bouteille de whisky d'avant la prohibition à portée de la main.

Dans les cercles économiques les plus élevés courait une rumeur... Il arrivait quelque chose de très inhabituel aux Industries Scarlatti.

C'était plus que suffisant. Elizabeth savait que cela suffirait. Après tout, le *prix*... Et la rumeur atteignit les hommes de Zurich.

Matthew Canfield s'étira sur le siège de son compartiment, les pieds posés sur le siège en face de lui, ses jambes au-dessus de son unique valise. Lui aussi regardait, par la fenêtre, Genève s'approcher. Il finissait un de ses fins cigares et la fumée restait suspendue en nuages diffus, horizontaux, dans l'air confiné. Il songea à ouvrir une fenêtre, mais il était trop déprimé pour bouger.

Voilà deux semaines déjà qu'il avait accordé à Elizabeth Scarlatti un délai d'un mois. Quatorze jours de chaos, que la conscience de son inutilité lui rendait insupportables. Plus que de l'inutilité, cela frisait la futilité. Il ne pouvait rien faire et on n'attendait rien de lui. Elizabeth n'avait pas voulu qu'il travaille en « étroite collaboration » avec elle. Elle ne voulait de personne pour l'aider, de près ou de loin. Elle jouait en solo. Elle avait pris son essor en solitaire, tel un aigle patricien particulièrement hargneux évoluant dans les sphères infinies de son paradis personnel.

Ses principales exigences n'étaient que l'achat de fournitures de bureau telles que rames de papier, crayons, carnets de notes et innombrables boîtes de trombones.

Même l'éditeur Thomas Ogilvie avait refusé de recevoir Canfield, visiblement sur l'ordre d'Elizabeth.

Canfield avait été renvoyé, comme si Elizabeth pouvait le congédier. Même Janet le traitait avec distance, s'excusant tout le temps de son attitude, mais la reconnaissant par là même. Il commençait à comprendre ce qui s'était produit. C'était lui la putain, maintenant. Il s'était vendu, ses faveurs avaient été achetées. Il ne leur servait plus à grand-chose. Elles savaient qu'elles pouvaient se servir de lui quand bon leur semblerait, comme d'un domestique.

Il comprenait tellement bien ce que Janet avait ressenti.

Etait-ce fini avec elle? Leur histoire pouvait-elle

s'achever un jour? Il se répétait que non. Elle lui disait la même chose. Elle lui demandait d'être fort pour deux, mais ne se faisait-elle pas des illusions et n'allait-elle pas les lui faire payer?

Il en arrivait à se demander s'il était capable de jugement. Il était resté inactif et la pourriture qu'il sentait au fond de lui l'effrayait. Qu'avait-il fait? Pouvait-il le défaire? Il évoluait dans un monde avec lequel il ne pouvait plus en venir aux mains.

Janet n'appartenait pas à ce monde non plus. Elle lui appartenait à lui. Il le fallait!

Le sifflet de la locomotive déchira l'air par deux fois et, dans un crissement de métal sur métal, le train freina pour entrer en gare. Canfield entendit Elizabeth frapper rapidement contre la cloison qui séparait leurs compartiments. Cela l'agaça. Ce bruit ressemblait à celui d'un maître impatient sonnant son domestique.

Ce qui était exactement la situation.

« Je peux me débrouiller avec celle-ci, prenez les deux autres. Que les porteurs s'occupent du reste. »

Canfield, obéissant, donna des ordres à un porteur, prit les deux sacs et suivit Elizabeth pour sortir du train.

Parce qu'il avait eu du mal à faire passer les deux sacs à travers l'étroite sortie, il se trouvait à quelques mètres derrière Elizabeth quand ils descendirent les marches de métal et qu'ils s'avancèrent sur le quai vers la sortie. C'est à cause de ces deux valises qu'ils étaient encore en vie une minute plus tard.

Au début, ce ne fut que la perception de quelque chose de sombre qui bougeait dans le coin de son regard. Puis il entendit distinctement les respirations qui s'arrêtaient chez tous les voyageurs autour de lui. Puis des cris. Et alors il *le* vit.

Déboulant sur la droite, un tracteur massif. A l'avant, une sorte de plate-forme d'acier, chariot élévateur pour les charges lourdes, présentait, à un mètre cinquante du sol, une horrible lame luisante.

Canfield bondit en avant au moment où le monstre rugissant leur fonçait droit dessus. Il lança son bras autour de la taille d'Elizabeth et la souleva, la tirant hors de la trajectoire du monstre de métal, qui s'écrasa sur le flanc du train à moins de trente centimètres de leurs corps.

La foule était hystérique. Personne ne savait s'il y avait des blessés ou des morts, les porteurs couraient, les cris et les hurlements se répercutaient sous la voûte de la gare.

Elizabeth, le souffle coupé, chuchota à l'oreille de Canfield.

« Les sacs? Vous avez les sacs? »

A sa grande surprise, Canfield s'aperçut qu'il tenait encore une des deux valises à la main. Elle était coincée entre le dos d'Elizabeth et le flanc d'un wagon. Mais il avait lâché celle qu'il portait de la main droite.

« J'en ai une, j'ai laissé tomber l'autre.
– Trouvez-la!
– Pour l'amour du Ciel!
– Trouvez-la, imbécile! »

Canfield se fraya un chemin à travers la foule qui les repoussait contre le wagon. Il regardait par terre et il aperçut la valise de cuir. Les roues avant du tracteur lui étaient passées dessus. Elle était aplatie mais intacte.

Il dut bousculer une douzaine de gens affolés pour se pencher. Simultanément, un autre bras, nanti d'une main d'une largeur inhabituelle, se frayait un chemin vers ce même sac de cuir. Ce bras, plutôt gras, était couvert d'une manche de tweed. Une manche de veste de femme. Canfield poussa les paniqués et réussit à atteindre la valise, la tirant à lui. Instinctivement, au milieu de ce panorama de pantalons et de manteaux, il saisit le poignet du bras couvert de tweed et leva les yeux vers son propriétaire.

Penché en avant, s'agitait un visage déformé par la rage que Canfield n'oublierait jamais. Ce visage venait de cette maison hideuse aux murs tapissés de rouge et de noir, à six mille kilomètres de là. C'était Hannah! La gouvernante!

Leurs regards se croisèrent. Ils s'étaient reconnus. Les cheveux gris du dragon femelle étaient surmontés d'un chapeau tyrolien vert foncé. Son corps énorme était ramassé, affreux, inquiétant. Avec une force incroyable, elle dégagea son poignet de la prise de Canfield et le repoussa en arrière. Il tomba contre le tracteur, dans la foule qui l'entourait. Elle disparut rapidement.

Canfield se releva, serrant la valise écrasée dans ses bras. Il chercha Hannah des yeux, mais on ne la voyait plus. Il resta planté là un instant, effaré.

Puis il se fraya un chemin parmi les spectateurs pour retrouver Elizabeth.

« Emmenez-moi! Vite! Sortons d'ici! »

Ils s'avancèrent sur le quai. Elizabeth lui tenait le bras gauche avec une force que Canfield ne lui aurait jamais soupçonnée. Elle lui faisait réellement mal. Ils laissèrent la foule déchaînée derrière eux.

« Cela a commencé », dit-elle en regardant droit devant elle.

Ils atteignirent la zone des arrivées. Canfield, alerte, regardait dans toutes les directions, tentait de repérer une silhouette anormale dans la foule, une paire d'yeux, une forme immobile, qui attendrait. Une grosse femme avec un chapeau tyrolien.

Ils atteignirent la sortie Sud, sur Eisenbahn Platz, et trouvèrent une file de taxis.

Canfield empêcha Elizabeth de monter dans le premier taxi. Elle s'alarma. Elle voulait partir, bouger d'ici.

« Ils nous enverront nos bagages... »

Il ne répondit pas, mais la propulsa jusqu'au second taxi, puis, à son plus grand étonnement, il héla une troisième voiture. Il ouvrit la porte du taxi et, une fois installé dedans, il regarda la valise Vuitton luxueuse mais écrasée maintenant. Il revit le visage rageur, démesurément grossi, d'Hannah. S'il existait un ange des ténèbres de sexe féminin, il devait s'appeler Hannah. Il donna le nom de l'hôtel au chauffeur.

« Il n'y a plus de bagages, monsieur ? demanda celui-ci.

— Non. Ils suivront », répliqua Elizabeth en anglais.

La vieille dame venait de vivre une horrible expérience, aussi Canfield, décida-t-il de ne pas parler d'Hannah jusqu'à ce qu'ils soient installés à l'hôtel. La laisser se calmer... Et pourtant il se demanda qui, d'Elizabeth ou de lui, avait le plus besoin de se calmer ? Ses mains tremblaient encore. La vieille dame continuait à regarder droit devant elle, mais elle ne voyait rien de ce que quelqu'un d'autre aurait pu voir.

« Vous allez bien ? » demanda Canfield.

Elle ne répondit pas, laissant s'écouler au moins une minute.

« Monsieur Canfield, vous avez maintenant une terrible responsabilité...

– Je ne saisis pas bien? »

Elle se tourna vers lui. Disparue la grandeur, disparue la supériorité hautaine.

« Ne les laissez pas me tuer, monsieur Canfield. Ne les laissez pas me tuer maintenant. Qu'ils attendent jusqu'à Zurich... Après, ils pourront faire ce qu'ils voudront. »

42

ELIZABETH et Canfield passèrent trois jours et trois nuits dans leurs chambres de l'hôtel Bellevue. Canfield ne sortit qu'une seule fois et il avait repéré deux types qui le suivaient. Ils n'avaient pas essayé de s'emparer de lui, et il s'était aperçu qu'ils le considéraient comme du menu fretin, comparé à Elizabeth, leur cible principale. Par conséquent, ils n'auraient pas pris le risque d'un appel angoissé à la police de Genève qui avait la réputation d'être particulièrement désagréable envers ceux qui dérangeaient le délicat équilibre de la neutralité de la cité.

Cette expérience lui apprit qu'il pouvait s'attendre à une attaque au moins aussi vicieuse que celle qu'ils avaient subie dans la gare. Il aurait aimé pouvoir avertir Ben Reynolds. Mais c'était impossible, et il le savait. On lui avait ordonné de ne pas aller en Suisse. Il avait falsifié ses rapports en ôtant chaque véritable information vitale. Elizabeth y avait veillé. Le Groupe Vingt ne savait quasiment rien de leur situation présente et des mobiles des gens impliqués. S'il réclamait une assistance urgente, il lui faudrait alors s'expliquer, au moins partiellement, et cette explication amènerait une prompte intervention de l'ambassade. Reynolds ne s'attarderait pas dans la légalité. Il ferait arrêter Canfield et le ferait mettre au secret.

Les résultats étaient prévisibles. Canfield hors circuit, Elizabeth n'aurait plus une chance d'atteindre Zurich. Scarlett la tuerait à Genève. Et la seconde cible serait Janet, à Londres. Elle ne pourrait pas rester indéfiniment au Savoy. Derek ne pourrait pas continuer ses mesures de sécurité *ad vitam aeternam*. Elle finirait par partir, ou bien Derek, exaspéré, relâcherait son attention. Elle aussi serait tuée. En fin de liste se trouvaient Chancellor Drew, sa femme et ses sept enfants. Ils finiraient par trouver mille raisons valables de quitter leur refuge perdu au milieu d'un lac canadien. Ils seraient massacrés. Ulster Stewart Scarlett aurait gagné.

En pensant à Scarlett, Canfield parvint à rassembler ce qui lui restait de colère, de rage. Ce qui était presque suffisant pour contrebalancer sa peur. Presque.

Il pénétra dans l'entrée qu'Elizabeth avait convertie en bureau. Assise à une table, elle écrivait.

« Vous souvenez-vous de la gouvernante chez votre fils? »

Elizabeth posa son crayon.

« Je l'ai vue les rares fois où je suis allée chez eux, oui, répondit-elle avec une courtoisie momentanée qui semblait vouloir dire que cela ne la touchait pas outre mesure.

– D'où venait-elle?

– Si je me souviens bien, Ulster l'avait ramenée d'Europe. Elle tenait un relais de chasse en... Allemagne du Sud, dit Elizabeth en le regardant. Pourquoi me demandez-vous ça? »

Des années plus tard, Canfield devait se dire que

c'était parce qu'il essayait de trouver les mots justes pour raconter à Elizabeth Scarlatti qu'Hannah était à Genève qu'il accomplit ce geste. Un geste simple qui consistait à se déplacer d'un endroit à un autre à un moment précis. Il passa entre Elizabeth et la fenêtre. Il en garderait le souvenir aussi longtemps qu'il vivrait.

La vitre éclata, une douleur aiguë, brûlante, frappa son épaule gauche. Bizarrement, il ressentit la douleur d'abord, alors que le coup avait été si fort qu'il en pivota sur lui-même et s'abattit sur la table, faisant s'envoler tous les papiers et s'écraser la lampe sur le sol. Un deuxième, puis un troisième coup suivirent, déchiquetant le bois de la table, et Canfield, pris de panique, roula de côté, projetant Elizabeth hors de son fauteuil, sur le tapis. La douleur de son épaule le submergea, une énorme tache de sang s'étala sur sa chemise.

Tout fut terminé en cinq secondes.

Elizabeth était recroquevillée contre les lambris du mur, à la fois terrorisée et reconnaissante. Elle regarda l'agent couché devant elle, qui essayait de se tenir l'épaule. Elle était convaincue qu'il s'était jeté devant elle pour la protéger des balles. Jamais il ne devait démentir cette version.

« Etes-vous gravement blessé?

– Je n'en sais rien. Ça me brûle terriblement... Je n'ai jamais été touché avant... Jamais été tiré comme un lapin... »

Il avait du mal à parler. Elizabeth commença à bouger pour s'approcher de lui.

« Bon Dieu! Restez où vous êtes! » cria-t-il.

Puis il leva les yeux et vit qu'il n'était plus dans la trajectoire de la fenêtre. Elle non plus.

« Pouvez-vous atteindre le téléphone? Restez sur

le sol! Ne vous levez surtout pas!... Je crois que j'ai besoin d'un docteur... Un docteur. »

Puis il s'évanouit.

Canfield s'éveilla une heure plus tard. Il était sur son propre lit, tout le haut de l'épaule gauche et de la poitrine serré dans un pansement inconfortable. Il pouvait à peine bouger. Il devinait, trop floues pour qu'il les reconnaisse, un certain nombre de personnes autour de lui. Lorsque ses yeux parvinrent à s'accommoder, il vit Elizabeth, au pied de son lit, qui le regardait.

A sa droite, un type en pardessus masquait à peine un policier en uniforme. Penché sur lui, du côté gauche, un chauve, les manches retroussées. Visiblement un médecin. Il s'adressa à Canfield avec un accent germanique.

« Bougez votre main gauche, s'il vous plaît. »

Canfield obéit.

« Vos pieds, s'il vous plaît. »

Il s'exécuta.

« Pouvez-vous remuer la tête?

— Quoi? Où?

— Bougez votre tête d'avant en arrière. N'essayez pas de faire de l'esprit », dit Elizabeth qui était la personne la plus soulagée qu'on pût trouver à vingt kilomètres autour de l'hôtel Bellevue.

Elle souriait même.

Canfield balança sa tête d'avant en arrière.

« Vous n'êtes pas très sérieusement blessé, dit le docteur en se redressant.

— Vous avez l'air déçu, fit l'agent.

— Puis-je lui poser quelques questions, *Herr* Doktor? demanda le Suisse près d'Elizabeth.

— Oui, répondit le praticien dans un anglais aux

accents germaniques. La balle a traversé l'épaule. »

Le rapport entre ses deux faits laissa Canfield perplexe, mais il n'avait pas le temps d'y réfléchir. Elizabeth prit la parole.

« J'ai expliqué à ce monsieur que vous m'accompagniez dans ce voyage d'affaires. Nous sommes complètement sidérés par ce qui vient de se produire.

— J'aimerais que ce monsieur réponde lui-même, madame, dit le policier suisse.

— Je ne vois vraiment pas ce que je pourrais vous dire, monsieur... »

Puis Canfield s'arrêta. Inutile de se comporter stupidement. Il allait avoir besoin d'aide.

« Finalement, je peux peut-être vous expliquer », dit-il en regardant le médecin qui enfilait son manteau.

Le Suisse comprit.

« Très bien. Nous attendrons.

— Monsieur Canfield, que pourriez-vous ajouter ? demanda Elizabeth.

— Un passeport pour Zurich. »

Elizabeth comprit.

Canfield s'aperçut qu'il pouvait s'allonger sur le côté droit sans souffrir outre mesure. L'homme de la *Bupo*[1] fit le tour du lit pour se rapprocher de lui.

« Asseyez-vous, monsieur », fit Canfield.

Le Suisse tira une chaise à lui et s'assit.

« Ce que je vais vous dire vous paraîtra insensé, car vous, comme moi, nous devons travailler pour gagner notre vie, grimaça l'agent. Il s'agit d'une affaire privée, qui ne concerne personne en dehors

---

1. *Bupo* : Bundespolizei : contre-espionnage helvétique.

d'une famille et de ses affaires... Mais vous pouvez nous aider... Votre homme parle-t-il anglais? »

Le Suisse jeta un bref coup d'œil au policier en uniforme.

« Non, monsieur.

– Bien. Comme je vous le disais, vous pouvez nous aider. A la fois pour le bien de votre ville et pour votre propre profit. »

L'homme de la *Bupo* approcha sa chaise.

Il était ravi.

Vint l'après-midi. Ils avaient établi leur emploi du temps à la minute près, retenu des places de train et loué une limousine et un chauffeur. Leurs billets de train avaient été achetés par l'hôtel qui avait bien claironné au téléphone le nom d'Elizabeth Scarlatti pour obtenir le meilleur traitement et un personnel stylé pour le court voyage qui devait les mener à Zurich. Leurs bagages étaient en bas dans le hall avec une heure d'avance et on les déposa devant l'entrée. Les étiquettes étaient libellées, le compartiment réservé, et même la limousine louée avait été signalée aux porteurs de la gare de Zurich.

Canfield se disait que même le Q.I. le plus bas d'Europe pouvait connaître l'itinéraire d'Elizabeth Scarlatti s'il le désirait.

Le trajet de l'hôtel à la gare prit environ vingt minutes. Une demi-heure avant le départ du train pour Zurich, une vieille dame, avec une voilette noire, accompagnée d'un homme assez jeune, le bras gauche en écharpe, montèrent dans la limousine. Ils étaient escortés par deux membres de la police de Genève, qui gardaient la main sur l'étui de leur revolver.

Il n'y eut aucun incident, et les deux voyageurs se précipitèrent dans la gare, puis dans le train.

Au moment où ce dernier s'ébranlait, une autre vieille dame accompagnée d'un assez jeune homme, qui portait un chapeau mou de chez Brooks Brothers, et qui avait également un bras en écharpe dissimulé sous un manteau, quittaient par l'entrée de service l'hôtel Bellevue. La vieille dame était habillée en uniforme de la Croix-Rouge, un uniforme de colonel, division féminine. L'homme qui conduisait était également membre de la Croix-Rouge internationale.

La vieille dame et l'homme au chapeau mou se jetèrent sur le siège arrière de la voiture et le jeune homme ferma la porte. Il dépouilla immédiatement de sa cellophane un fin cigare et dit au chauffeur :

« Allons-y. »

Tandis que la voiture s'élançait dans une rue étroite, la vieille dame s'adressa à son voisin d'un ton désobligeant.

« Vraiment, monsieur Canfield! Est-ce que vous êtes obligé de fumer un de ces affreux cigares?

– Convention de Genève, madame. Les prisonniers ont droit à des colis venus de chez eux. »

43

A QUARANTE-SIX kilomètres de Zurich se trouve la ville de Menziken. Le train de Genève s'arrêta exactement quatre minutes pour ramasser le courrier et reprit son voyage inexorable et exact sur ses rails jusqu'à sa destination.

Cinq minutes après Menziken, deux hommes masqués firent irruption simultanément dans les compartiments D4 et D5 du wagon Pullman numéro 6. Comme ces deux compartiments ne contenaient aucun passager et que les deux portes des toilettes étaient fermées, les deux hommes masqués vidèrent leurs armes à travers les fins panneaux de bois des cabinets, espérant y trouver deux cadavres après avoir ouvert les portes.

Ils ne trouvèrent personne. Rien.

Comme s'ils suivaient un plan déterminé, les deux hommes s'élancèrent dans l'étroit couloir, se bousculant presque.

« Halte! Stop! »

Les cris venaient des deux bouts du couloir de Pullman. A chaque extrémité, des hommes en uniforme de la police genevoise.

Les deux individus masqués ne s'arrêtèrent pas.

Au contraire, ils tirèrent sauvagement dans les deux sens.

La police répondit et les abattit.

On les fouilla. On ne trouva aucune indication de leur identité, ce qui fit plaisir à la police qui ne désirait pas être impliquée outre mesure.

Pourtant, l'un des deux hommes portait un tatouage sur l'avant-bras. Un insigne auquel on avait donné récemment le nom de svastika. Et un troisième homme, qu'on n'avait pas remarqué et qui ne portait pas de masque, fut le premier à descendre du train en gare de Zurich. Il se précipita dans une cabine téléphonique.

« Nous voici à Aarau. Vous pouvez vous reposer un moment. Vos affaires sont dans un appartement au premier étage. Je pense que votre voiture est derrière et que les clefs sont sous le siège gauche. »

Leur conducteur était Anglais et Canfield appréciait. Il ne leur avait pas dit un mot depuis leur départ de Genève. L'agent sortit une grosse coupure de son portefeuille et la tendit au chauffeur.

« Ce n'est pas la peine, monsieur », dit le chauffeur en mettant le billet de côté, sans se retourner.

Ils attendirent jusqu'à huit heures quinze. La nuit était sombre et une demi-lune se masquait de nuages bas. Canfield avait essayé la voiture, allant et venant sur une petite route déserte pour s'habituer à conduire d'une seule main. La jauge d'essence indiquait le plein : ils étaient prêts.

Plus exactement, Elizabeth Scarlatti était prête.

Elle était comme un gladiateur prêt à tuer ou à mourir. Elle avait la froideur d'un tueur.

Ses armes étaient de papier, infiniment plus dangereuses que les glaives ou les tridents pour ses adversaires. Et comme doit l'être le meilleur des gladiateurs, elle était pleine de confiance en elle.

C'était plus que son dernier *grand geste*, c'était le point culminant de son existence. De sa vie avec Giovanni. Elle ne lui ferait pas défaut.

Canfield avait étudié cent fois la carte. Il savait quelles routes il devait prendre pour aller à Falke Haus. Ils contourneraient le centre de Zurich et se dirigeraient vers Kloten, tournant à droite au carrefour de Schlieren et suivant la route centrale jusqu'à Bulach. A un mille sur la gauche sur la Winterthurstrasse, ils trouveraient les grilles de Falke Haus.

Il avait poussé la voiture jusqu'à cent quarante kilomètres-heure, puis avait réduit à quatre-vingts sans disloquer les sièges. Le *Bupo* de Genève avait fait son travail. Mais il était payé en conséquence. Presque deux ans de salaire au service de son pays. Et la voiture était immatriculée sous un numéro que personne n'arrêterait, pour la bonne raison que c'étaient des plaques de la police de Zurich. Comment y était-il arrivé? Canfield ne lui avait pas demandé. Elizabeth avait suggéré que ce n'était peut-être qu'une question d'argent.

« Est-ce tout? » demanda Canfield en accompagnant Elizabeth jusqu'à la voiture.

Il faisait allusion à son unique porte-documents.

« C'est assez, dit la vieille dame en le suivant sur le sentier.

– Vous aviez au moins deux mille pages, une centaine de milliers de notes!

– Elles sont sans objet maintenant. »

Elizabeth posa le cartable sur ses genoux et Canfield referma la portière.

« Supposons qu'ils vous posent des questions, dit l'agent en mettant le contact.

– Ils le feront, sans aucun doute. Et s'ils le font, j'y répondrai. »

Elle n'avait pas envie de parler.

Ils roulèrent une vingtaine de minutes, tout se passait bien. Canfield était fier de lui, en navigateur satisfait. Soudain, Elizabeth se mit à parler.

« Il y a une chose que je ne vous ai pas dite et que vous n'avez pas amenée non plus dans la conversation. Il serait juste que j'en fasse mention maintenant.

– De quoi s'agit-il?

– Il est concevable qu'aucun de nous ne sorte vivant de cette conférence. Y avez-vous songé? »

Canfield y avait évidemment songé. Il avait pesé les risques, comme il les assumait tous depuis l'incident Boothroyd sur le *Calpurnia*. Il avait gravi un degré supplémentaire dans le danger en se rendant compte que Janet lui appartenait probablement pour le restant de ses jours. Et il avait plongé totalement en découvrant ce que son mari lui avait fait.

Avec sa balle dans l'épaule, à deux centimètres de la mort, Matthew Canfield était également devenu un gladiateur, un peu comme Elizabeth. Sa colère culminait maintenant.

« Vous vous occupez de vos problèmes, moi je m'occupe des miens. O.K.? fit-il à la vieille dame.

– *Okay*... Puis-je vous dire que vous m'êtes devenu

très cher... Oh! arrêtez ce regard de petit garçon! Gardez ça pour les dames! Je n'en suis plus tout à fait une! Allez, roulez! »

La Winterthurstrasse s'étirait sur une ligne droite de quelque deux cents mètres, bordée d'énormes sapins des deux côtés. Matthew Canfield écrasa l'accélérateur et lança la voiture aussi vite qu'elle le pouvait. Il était neuf heures moins cinq et il était décidé à ce que sa passagère soit à l'heure à son rendez-vous.

Soudain, dans le lointain, pris dans le faisceau des phares, un homme leur fit signe d'arrêter. Il agitait les mains, les croisant au-dessus de sa tête, planté au milieu de la route. Il effectuait le signal international de danger. Malgré la vitesse de Canfield, il ne bougea pas du milieu.

« Accrochez-vous! » cria Canfield en fonçant tout droit, comme s'il n'y avait eu personne au milieu.

A cet instant des coups de feu partirent des deux côtés de la route.

« Couchez-vous! » cria Canfield.

Il écrasait toujours l'accélérateur tout en se tassant sur son siège, les yeux fixés sur la route.

On entendit un cri perçant derrière eux. Un des hommes en embuscade avait été touché dans le tir croisé.

Ils s'éloignèrent, des éclats de verre jonchaient les sièges de la voiture.

« Ça va? dit Canfield d'un ton rude.

— Oui, ça va. Encore combien de temps?

— Très peu. Si nous y arrivons. Ils ont peut-être crevé un des pneus.

— Et s'ils l'ont fait, nous pouvons quand même continuer?

– Vous inquiétez pas! Je ne vais pas m'arrêter pour leur demander un cric! »

Les grilles de Falke Haus apparurent et Canfield prit un virage serré. Une légère pente menait à une énorme place circulaire devant un porche de pierre planté de statues espacées d'un mètre. La porte d'entrée, une massive porte de chêne, était à six mètres d'une volée d'escaliers. Canfield ne pouvait pas approcher davantage son véhicule.

Car il y avait au moins une douzaine de longues limousines sombres rangées autour de la place circulaire dont les chauffeurs discutaient entre eux.

Canfield vérifia son revolver, le mit dans sa poche droite et ordonna à Elizabeth de sortir. Il insista pour qu'elle se glisse jusqu'à son siège pour passer du même côté que lui.

Il marchait légèrement en retrait. Il fit un petit signe de tête aux chauffeurs.

Il était neuf heures une minute quand un domestique, en livrée, ouvrit la porte de chêne.

Ils pénétrèrent dans un grand hall, une sorte de temple élevé à la prétention architecturale. Un second domestique, également en livrée, leur fit signe de se diriger vers une autre porte. Il la leur ouvrit.

A l'intérieur se trouvait la plus longue table que Matthew Canfield pouvait imaginer. Elle devait faire dans les vingt mètres de long et dans les trois mètres de large.

Assis autour de ce meuble massif, une quinzaine d'hommes. De tous âges, de quarante à soixante-dix ans bien sonnés. Tous en tenue de soirée ou en costume sombre. Les yeux fixés sur Elizabeth Scarlatti.

Au bout de la table se trouvait un fauteuil vide, qui semblait attendre qu'on l'occupe. Canfield se demanda un moment si Elizabeth allait s'y asseoir. Puis il se rendit compte que tel n'était pas le cas. Le fauteuil qui lui était destiné se trouvait juste devant eux, pas à l'autre bout de la table. Alors, qui devait remplir le fauteuil vide?

Peu importait. Il n'y avait pas de chaise pour lui. Il alla s'adosser au mur pour regarder.

Elizabeth s'approcha de la table.

« Bonsoir, messieurs. Un certain nombre d'entre nous se sont déjà rencontrés. Je connais les autres de réputation, je vous l'assure. »

L'assemblée tout entière se leva.

L'homme à gauche du fauteuil d'Elizabeth en fit le tour pour lui offrir son siège.

Elle s'assit et tous en firent de même.

« Je vous remercie... Mais il semble qu'il manque quelqu'un. »

Elizabeth regardait le fauteuil vide en face d'elle, à l'autre bout de l'immense table.

Au même instant, une porte s'ouvrit tout au fond de la pièce et un individu très grand entra. Il était vêtu de l'uniforme sec et froid des partisans allemands d'un Nouvel Ordre. Chemise marron foncé, ceinture noire de cuir brillant et baudrier assorti, jodhpurs bruns au-dessus de bottes épaisses et lourdes qui montaient jusqu'aux genoux.

L'homme avait le crâne rasé et son visage était une réplique déformée de ce qu'il avait été.

« Ce fauteuil est occupé, maintenant. Vous êtes satisfaite?

– Pas complètement... Puisque je connais, d'une façon ou d'une autre, toutes les personnes présentes à cette table, j'aimerais savoir qui vous êtes, monsieur?

– Kroeger. Heinrich Kroeger! Autre chose, madame Scarlatti?

– Non, rien. Rien du tout... Herr Kroeger. »

44

« MADAME SCARLATTI, contre mon désir et malgré mon avis, mes associés sont prêts à entendre ce que vous avez à dire, dit Heinrich Kroeger le visage grimaçant sous son crâne luisant. Je crois que ma position en ce qui vous concerne est claire. Je suppose que vous vous en souvenez. »

Il y eut des chuchotements autour de la table, des échanges de regards. Aucun des participants n'était préparé à apprendre qu'Heinrich Kroeger avait eu précédemment des contacts avec Elizabeth Scarlatti.

« Ma mémoire fonctionne très bien. Vos associés représentent la sagesse due à plusieurs siècles d'expérience. Je suppose qu'ils vous dépassent en qualité sur ces deux plans : collectivement et individuellement. »

La plupart des hommes baissèrent les yeux, certains pincèrent leurs lèvres d'un petit sourire. Elizabeth fit lentement, des yeux, le tour des assistants.

« Nous avons réuni ici un intéressant conseil d'administration, dit-elle. De très hauts représentants d'activités très diverses. Certains d'entre nous étaient ennemis, et en guerre, il y a quelques

années, mais nous devons avoir la mémoire courte...
Voyons... »

Sans s'adresser à quelqu'un en particulier, Elizabeth Scarlatti se mit à parler rapidement et presque en cadence.

« Mon propre pays a perdu deux de ses membres, dois-je le faire remarquer, avec tristesse. Mais je ne crois pas qu'il soit l'heure de pleurer MM. Boothroyd et Thornton. Si on leur doit une oraison funèbre, elle ne viendra pas de moi. Mais les Etats-Unis sont encore efficacement représentés par M. Gibson et M. Landor. A eux deux, ils contrôlent vingt pour cent des champs pétrolifères du Sud-Ouest américain. Sans parler des extensions au Nord-Ouest du Canada. Masse de manœuvre combinée : deux cent vingt-cinq millions de dollars. Notre adversaire d'hier, l'Allemagne, nous envoie *Herr* von Schnitzler, *Herr* Kindorf et *Herr* Thyssen, I.G. Farben. Le baron de la Ruhr et les grandes compagnies sidérurgiques. Biens personnels? Qui peut réellement les chiffrer aujourd'hui dans la République de Weimar? Peut-être cent soixante-quinze millions, au moins... Mais dans ce groupe, il manque une personne d'importance. Je crois savoir qu'elle a été cooptée avec succès. Il s'agit de Gustave Krupp. Il remonterait le total des chiffres considérablement... L'Angleterre nous envoie MM. Masterson, Leacock et Innes-Bowen. Un des triumvirats les plus puissants qu'on puisse trouver dans l'Empire britannique. M. Masterson contrôle la moitié des importations de l'Inde, et de Ceylan aussi maintenant, je crois... M. Leacock vaut quasiment la Bourse de Londres à lui seul. Et quant à M. Innes-Bowen, il possède les plus grandes compagnies textiles d'Ecosse et des îles Hébrides. Possessions personnelles que j'évaluerai à trois cents millions... La France a été généreuse aussi : M. d'Almeida, qui possède quasiment à lui seul les compagnies de chemin de fer de France et d'Italie, certainement à cause de la branche italienne de sa famille; et M. Daudet. Y a-t-il parmi nous quelqu'un qui n'ait jamais navigué sur un de ses bateaux ou utilisé un cargo de sa flotte commerciale? Possessions personnelles : cent cinquante millions... Et enfin nos voisins du Nord, de Suède, MM. Myrdal et Olaffsen. Si je comprends bien (et là, Elizabeth fixa délibérément l'homme au visage étrange, son fils, à l'autre bout de la table), l'un de ces messieurs, *Herr* Myrdal, contrôle Donnenfeld, la firme la plus impressionnante du marché de Stockholm. Tandis que *Herr* Olaffsen, grâce à ses nombreuses sociétés, gère la presque totalité de la sidérurgie et des charbonnages suédois. Possessions personnelles calculées à cent vingt-cinq millions... Je dois préciser que le terme *possessions personnelles* s'applique aux biens qui peuvent être réalisés rapidement, facilement et sans mettre les marchés en danger... Sinon, je vous offenserais en limitant ainsi vos fortunes réelles. »

Elizabeth marqua un temps d'arrêt pour poser son porte-documents devant elle. Les hommes autour de la table se figèrent, emplis d'appréhension. Certains d'entre eux étaient sous le choc d'avoir entendu mentionner ce qu'ils considéraient comme des informations hautement confidentielles. Les Américains Gibson et Landor s'étaient tranquillement aventurés dans les champs pétrolifères canadiens, sans sanction légale, violant les traités Etats-Unis-Canada. Les Allemands von Schnitzler et Kindorf avaient tenu secrètes leurs rencontres avec Gustave Krupp, qui luttait désespérément pour rester neutre de peur d'un éventuel renversement de la République de Weimar. Si ces conférences étaient rendues publiques, Krupp avait juré qu'ils plongeraient avec lui. Le Français Louis François d'Almeida dissimulait plus que tout le monde l'extension en Italie de son empire ferroviaire. Si cela se savait, la République française réagirait et lui confisquerait sans doute ses parts. Il était devenu majoritaire en corrompant carrément certains membres du gouvernement royaliste italien.

Myrdal, le lourd Suédois, avait écarquillé les yeux d'incrédulité quand Elizabeth avait défini son rôle à la Bourse de Stockholm. Sa propre firme avait absorbé secrètement Donnenfeld grâce à une série de fusions entre sociétés d'une complexité inimaginable, rendues possibles par des transactions illégales de valeurs américaines. Si ce fait était rendu public, la loi suédoise ferait irruption dans cet écheveau et il serait ruiné. Seuls les Anglais semblaient n'avoir rien à se reprocher, fiers de leur totale réussite. C'était néanmoins encore une erreur. Car Sydney Masterson, héritier indiscutable de l'empire marchand de Sir Robert Clive, n'avait conclu ses arrangements avec Ceylan que très récemment. Ces contrats étaient encore inconnus dans le monde de l'import-export et certains accords seraient certainement contestés. On aurait même pu dire qu'ils étaient purement frauduleux.

Des conversations confuses et à demi-voix démarrèrent autour de la table. Elizabeth éleva la voix pour être entendue.

« Je suppose que certains d'entre vous discutent avec leurs conseillers – je pense que ce sont vos conseillers – et je dois vous dire que si ce genre de réunion appelait des négociateurs de second plan, j'aurais amené mes avocats. Ils auraient pu discutailler pendant que nous continuerions. Nous prendrons les décisions ce soir, messieurs, et ces décisions sont nôtres! »

Heinrich Kroeger, assis sur le bord de son fauteuil, répliqua sèchement, sans la moindre trace d'humour.

« Je ne m'avancerais pas tant que cela quant à ces décisions. Il n'y en aura pas! Il n'y a pas à en prendre! Vous ne nous avez rien dit qui ne puisse pas être su par n'importe quelle compagnie importante. »

Un certain nombre d'hommes – les deux Allemands, d'Almeida, Gibson, Landor, Myrdal et Masterson – évitèrent de regarder Kroeger. Car il se trompait.

« Vous le pensez? Peut-être. Mais alors je vous ai sous-estimé, n'est-ce pas?... Je ne le devrais pas, c'est évident, vous semblez terriblement important. »

L'autre moitié de l'assistance esquissa quelques sourires.

« Votre esprit est aussi épais que votre apparence », dit-elle, contente d'elle-même.

Elle était en train de réussir la partie la plus importante de son intervention. Elle atteignait, elle provoquait Ulster Stewart Scarlett. Elle poursuivit :

« Deux cent soixante-dix millions de valeurs obtenues dans d'étranges conditions ont été vendues dans les circonstances les plus discutables, qui entraînaient une chute d'au moins cinquante, peut-être soixante pour cent, de leur valeur sur les marchés. Je vous accorde le bénéfice du doute et j'en arrive donc à hasarder un chiffre approchant les cent trente-cinq millions de dollars au mieux, au cours actuel des changes, cent huit, au pire. »

Matthew Canfield s'écarta un peu du mur puis reprit sa place.

Les hommes autour de la table étaient sidérés. Le murmure de leurs voix s'amplifia. Leurs conseillers secouaient la tête, acquiesçaient, levaient les sourcils, incapables de répondre. Chaque participant croyait savoir quelque chose sur les autres. Mais, visiblement, aucun ne savait quoi que ce soit d'Heinrich Kroeger. Ils n'étaient pas certains qu'il eût sa place à leur table. Elizabeth rompit l'effet de choc.

« Pourtant, monsieur Kroeger, vous savez qu'un vol, lorsqu'il peut être prouvé, déclenche des réactions immédiates. Il existe des tribunaux et des traités d'extradition. Par conséquent, on peut imaginer que vos possessions personnelles se montent à... Zéro! »

Un silence de mort tomba sur l'assistance. Tous les regards s'étaient tournés vers Heinrich Kroeger. Les mots *vol*, *tribunaux* et *extradition* étaient inacceptables à cette table. C'étaient des mots tabous. Kroeger, l'homme que beaucoup d'entre eux craignaient pour des raisons uniquement dues à son énorme influence dans les deux camps, était averti maintenant.

« Ne me menacez pas, vieille femme, dit Kroeger d'une voix neutre. (Il se radossa dans son fauteuil et regarda sa mère à l'autre bout de l'immense table.) Ne portez pas d'accusations sans motifs. Si vous vous préparez à faire ça, je suis prêt à vous contrer... Si vous ou vos collègues avez été squeezés dans vos négociations, ce n'est pas l'endroit où venir vous lamenter. Vous n'obtiendrez aucune sympathie ici! Je peux même aller jusqu'à dire que vous marchez en terrain ennemi. Souvenez-vous-en! »

Il ne cessait de fixer Elizabeth. Elle soutint son regard un moment, mais finalement détourna la tête.

Elle n'était pas préparée à faire quoi que ce soit avec lui, avec Heinrich Kroeger. Elle ne risquerait pas plus longtemps la vie de sa famille entière. Elle ne prononcerait pas à cette table le nom de Scarlatti. Pas maintenant. Elle n'agirait pas ainsi. Il existait un autre moyen.

Kroeger avait marqué un point. C'était évident pour tout le monde et Elizabeth dut précipiter les choses pour que personne ne puisse tirer profit de sa défaite.

« Gardez vos titres. Ils sont tout à fait immatériels. »

Autour de la table les mots *tout à fait immatériels* appliqués à plus de cent millions de dollars étaient plutôt impressionnants. Elizabeth savait qu'il en serait ainsi.

« Gentlemen, avant qu'on ne m'interrompe, je vous ai donné, par nationalité, le montant des biens personnels de chacun calculés à cinq millions près. Je pensais qu'il serait plus courtois d'agir ainsi que de révéler la valeur de chaque individu – certaines choses sont sacrées, après tout. Pourtant j'ai été assez déloyale pour plusieurs d'entre vous. J'ai fait allusion à certaines négociations, disons délicates, dont je sais que vous les croyiez secrètes, inviolées, d'autant qu'elles seraient dangereuses pour vous si elles étaient connues dans vos propres pays. »

Sept des hommes de Zurich étaient silencieux. Les cinq autres, curieux.

« Je fais référence à mes concitoyens, MM. Gibson et Landor. A MM. d'Almeida, Sydney Masterson et, bien sûr, au brillant *Herr* Myrdal. Je pourrais également inclure deux tiers des investisseurs allemands – *Herr* von Schnitzler et *Herr* Kindorf – mais pour des raisons différentes, je suis certaine qu'ils comprennent. »

Personne ne répondit. Personne ne se tourna vers son conseiller. Tous les regards étaient braqués sur Elizabeth.

« J'entends ne pas demeurer injuste dans ce domaine, messieurs. J'ai quelque chose pour chacun d'entre vous. »

Quelqu'un d'autre que Kroeger prit la parole. C'était l'Anglais, Sydney Masterson.

« Puis-je vous demander à quoi rime tout ceci?... Tous ces renseignements personnels? Je sens que vous avez accompli là un travail considérable et très élaboré, notamment en ce qui me concerne, mais personne n'est entré dans la course pour gagner la croix d'honneur, vous le savez, tout de même!

– Oui, je le sais. S'il en était autrement je ne serais pas ici ce soir.

– Alors pourquoi? Pourquoi ceci? »

L'accent était allemand. La voix appartenait au baron de la vallée de la Ruhr, Kindorf.

« Votre télégramme, enchaîna Masterson – nous avons tous reçu le même – faisait spécifiquement allusion à des terrains d'entente mutuels. Je crois que vous êtes même allée jusqu'à dire que les biens Scarlatti pourraient être mis à notre disposition. C'est très généreux, je dois dire... Mais maintenant je me vois obligé d'être d'accord avec M. Kroeger. Vous semblez nous menacer et je ne suis pas certain d'apprécier.

– Oh! allons, monsieur Masterson! Vous n'avez jamais promis d'or anglais à la moitié des potentats de l'Inde? *Herr* Kindorf n'a jamais soudoyé ses syndicats en promettant des salaires accrus quand les Français seraient sortis de la Ruhr? S'il vous plaît! Vous nous insultez tous! Bien sûr que je suis ici pour vous menacer! et je vous assure que vous allez de moins en moins apprécier! »

Masterson se leva. Plusieurs autres repoussèrent leurs fauteuils. L'atmosphère était hostile.

« Je n'en entendrai pas davantage, dit Masterson.

— Alors demain à midi le Foreign Office, la Bourse de Londres et le bureau des directeurs de la commission anglaise d'importation recevront des informations détaillées sur vos accords hautement illégaux à Ceylan! Vous êtes complètement impliqué! Cette nouvelle pourrait mettre en danger votre respectabilité et vos possessions! »

Masterson était immobile derrière son fauteuil.

« Allez au diable! »

Ce fut tout ce qu'il parvint à balbutier avant de se rasseoir. Une fois de plus, le silence régna autour de la table. Elizabeth ouvrit son porte-documents.

« J'ai ici une enveloppe destinée à chacun d'entre vous. Vos noms y sont inscrits. Dans chaque enveloppe se trouve un état de vos biens. Vos forces, vos faiblesses... Il manque pourtant une enveloppe, celle du très important, du très influent M. Kroeger. Franchement cette absence est insignifiante.

— Je vous préviens! cria Ulster Scarlett.

— Je suis désolée, monsieur Kroeger », dit-elle rapidement mais personne ne perçut son ironie, car personne n'écoutait.

Tout le monde était concentré sur le contenu du porte-documents d'Elizabeth Scarlatti.

« Certaines enveloppes sont plus épaisses que d'autres, mais personne ne devrait trop accorder d'importance à ce facteur. Nous connaissons tous l'aspect négligeable de la diversification au-delà d'un certain point. »

Elizabeth prit les enveloppes.

« Vous êtes une sorcière! cracha Kindorf dont les veines saillaient sur ses tempes.

– Voilà... Je vais vous les distribuer, et pendant que chacun étudie son résumé de portefeuille je vais poursuivre, ce qui, j'en suis certaine, vous plaira beaucoup. »

Les enveloppes s'acheminèrent des deux côtés de la table. Certaines furent ouvertes, déchirées sur-le-champ par quelques anxieux. D'autres, comme les cartes de joueurs de poker expérimentés, furent prises avec délicatesse, avec précaution.

Matthew Canfield était toujours adossé au mur, son bras gauche douloureux, sa main droite crispée sur son revolver dissimulé dans sa poche. Depuis qu'Elizabeth avait identifié Ulster Scarlett grâce aux deux cent soixante-dix millions de dollars d'actions, il ne pouvait plus en détacher son regard. Cet homme qui se faisait appeler Heinrich Kroeger, cet arrogant salaud, était l'homme qu'il voulait! C'était ce monstre qui avait tout fait! C'était lui l'enfer personnel de Janet!

« Je vois que vous avez tous vos enveloppes, sauf bien sûr, M. Kroeger, l'omniprésent. Je vous ai promis de ne pas être injuste et je tiendrai ma promesse. Parmi vous, il y a cinq personnes qui ne pourraient pas saisir correctement l'influence réelle de Scarlatti à moins d'avoir, comme on dit dans le petit commerce, des échantillons applicables à eux seuls. C'est pourquoi, pendant que vous lisez le contenu de vos enveloppes, je vais brièvement évoquer ces points. »

Plusieurs des lecteurs levèrent les yeux vers Elizabeth sans bouger la tête. D'autres écartèrent les papiers d'un air de défi. Quelques-uns les tendirent à leurs conseillers pour pouvoir prêter toute leur attention à la vieille dame. Elizabeth jeta un coup d'œil, par-dessus son épaule, à Matthew Canfield. Elle était inquiète à son sujet. Elle savait qu'il se retrouverait enfin face à face avec Ulster Scarlett et qu'il subissait une pression énorme. Elle essaya de le rassurer du regard, d'un sourire confiant.

Il ne la regardait pas. Elle ne saisit que la haine dans ses yeux qui fixaient un nommé Heinrich Kroeger.

« Gentlemen, je procéderai alphabétiquement... Monsieur Daudet, la République française serait très réticente quant aux franchises qu'elle accorde à votre flotte si elle était au courant de ce que vous avez, sous pavillon panaméen, ravitaillé les ennemis de la France pendant la guerre. »

Daudet resta parfaitement immobile, mais Elizabeth s'amusa du regard des trois Anglais qui se hérissèrent.

Les Anglais, à la fois prévisibles et contradictoires.

« Oh! allons, monsieur Innes-Bowen. Vous n'avez peut-être pas transporté de munitions, mais combien de navires neutres ont-ils été chargés en Inde, remplis de cargaisons de textiles en route pour Bremerhaven et Cuxhaven pendant la même période? Sous votre tutelle, le *Sinn Fein* a grandement prospéré, monsieur Leacock. Vous n'avez pas oublié votre beau lignage irlandais, n'est-ce pas? Les fonds que vous avez fait passer à la rébellion irlandaise ont coûté la vie à des centaines de soldats britanniques à une époque où l'Angleterre ne pouvait vraiment pas se le permettre! Et le calme, le tranquille *Herr* Olaffsen... Le prince des aciéries suédoises... Ou bien est-il roi, maintenant? Cela se pourrait bien puisque le gouvernement suédois lui a payé des fortunes pour des centaines de tonnes de produits à faible teneur en carbone. Pourtant rien ne provenait de ses usines, qui fabriquent une qualité bien supérieure. Ces centaines de tonnes prove-

naient de hauts fourneaux moins raffinés des anti
podes – du Japon! »

Elisabeth fouilla une fois de plus dans son porte-
documents. Autour de la table, les participants
s'étaient figés en une espèce de rigidité cadavéri-
que. Seuls les esprits fonctionnaient. Pour Heinrich
Kroeger, Elizabeth Scarlatti venait d'apposer son
propre sceau sur son arrêt de mort. Il se rencogna
dans son fauteuil et se détendit. Elizabeth sortit un
fin carnet de son porte-documents.

« Nous en arrivons maintenant à *Herr* Thyssen.
C'est lui qui s'en sort le mieux. Pas de fraude
monumentale, pas de trahison, juste quelques illé-
galités mineures et des ennuis majeurs. Un tribut
qui ne cadre pas tout à fait avec la maison d'August
Thyssen, conclut-elle en jetant le carnet au beau
milieu de la table. Des immondices, messieurs,
simplement des immondices! Fritz Thyssen, porno-
graphe! Pourvoyeur de l'obscénité. Des livres, des
photographies, et même des films, imprimés et
filmés dans les maisons closes de M. Thyssen au
Caire. Tous les gouvernements du continent ont
condamné ces arrivages dont ils ignorent la source.
Le voilà, messieurs, il s'agit de votre associé! »

Pendant un très long moment, personne ne parla.
Chacun des présents était soudain face à lui-même.
Chacun calculait les ravages qui pourraient résulter
des révélations de la vieille Scarlatti. Dans chaque
cas, les pertes s'accompagnaient de différents
degrés de disgrâce. Des réputations étaient subitement compromises. La vieille dame avait lancé
douze inculpations et, personnellement, rendu
douze verdicts de culpabilité. Bizarrement, personne ne s'occupait du treizième, Heinrich Kroeger.

Sydney Masterson brisa l'orage qui était dans l'air en toussant très fort, d'une toux diplomatique.

« Très bien, madame Scarlatti, vous avez répondu à la question que je soulevais précédemment. Pourtant je crois devoir vous rappeler que nous ne sommes pas impotents! Accusations et défenses font partie de nos vies. Nos avocats peuvent réfuter toutes ces accusations que vous avez proférées et je peux vous assurer que des poursuites en diffamation ne tarderaient pas!... Après tout, quand on emploie des tactiques de voyou, il existe des répliques du même genre... Si vous croyez que nous craignons les rumeurs, permettez-moi de vous rappeler que l'opinion publique a déjà souvent été modelée avec beaucoup moins d'argent qu'il n'y en a, réuni autour de cette table! »

Les messieurs de Zurich reprirent confiance en entendant les mots de Masterson. Il y eut quelques hochements de tête pour acquiescer à sa contre-offensive.

« Je ne mets pas en doute une seule seconde vos propos, monsieur Masterson. Ni ceux d'aucun d'entre vous... Des fiches qui manquent, des cadres sacrifiés, des boucs émissaires... S'il vous plaît, messieurs! Je voulais simplement vous voir affirmer que vous n'accueilleriez pas ces ennuis avec plaisir. Ni l'anxiété qui accompagne de telles affaires d'un si mauvais goût!

— *Non*, madame », dit Claude Daudet qui était calme extérieurement mais pétrifié à l'intérieur.

Peut-être ses associés ne connaissaient-ils pas bien les Français. Il n'était pas exclu que Daudet risque le peloton d'exécution.

« Vous avez raison, poursuivit-il. Il faut éviter de tels embarras. Alors, où en sommes-nous maintenant? Que nous avez-vous préparé, hein? »

Elizabeth ne répondit pas immédiatement. Elle ne savait pas exactement pourquoi. C'était un comportement instinctif, un besoin intuitif de se retourner pour regarder Matthew Canfield.

L'agent n'avait pas bougé, toujours le dos au mur. Il avait une allure pathétique. Sa veste avait un peu glissé de son épaule gauche révélant son bras en écharpe, sa main droite était toujours cachée dans sa poche. Il semblait avaler continuellement sa salive pour essayer de rester attentif à ce qui l'entourait.

Elizabeth remarqua qu'il évitait de regarder Ulster Scarlett. Il avait réellement l'air d'essayer de s'accrocher à sa raison pour ne pas devenir fou.

« Excusez-moi, messieurs », fit Elizabeth en se levant pour rejoindre Canfield.

Elle se mit devant lui et chuchota :

« Maîtrisez-vous. Je l'exige! Il n'y a rien à craindre! Pas dans cette pièce! »

Canfield répondit lentement, sans remuer les lèvres. Elle pouvait à peine l'entendre, mais ce qu'elle comprit la surprit. Pas tant à cause du contenu qu'en raison de la manière dont il le dit. Matthew Canfield faisait maintenant partie du monde représenté dans cette pièce. Il avait rejoint le cercle. Il était devenu un tueur, lui aussi.

« Dites ce que vous avez à dire et qu'on en finisse... Je le veux. Je suis désolé, mais il me le faut. Regardez-le maintenant, madame, parce que c'est un homme mort.

– Un peu de contrôle! Ce genre de propos ne peut que nous desservir tous les deux », répondit Elizabeth avant de se détourner et de regagner son fauteuil.

Elle resta debout, appuyée au dossier.

« Comme vous pouvez le constater, messieurs,

mon jeune ami ici présent a été sérieusement blessé, à cause de vous, ou par l'un de vous, lors d'un attentat pour m'empêcher d'atteindre Zurich. Un acte provocateur et lâche à l'extrême. »

Les hommes se dévisagèrent les uns les autres.

Daudet, dont l'imagination ne parvenait pas à lui représenter autre chose qu'une disgrâce nationale assortie d'un peloton d'exécution, répondit rapidement.

« Pourquoi ferions-nous une chose pareille, madame Scarlatti ? Nous ne sommes pas des maniaques, des déments. Nous sommes des hommes d'affaires. Personne n'a cherché à vous empêcher de venir à Zurich. Nous en sommes tous témoins, madame. »

Elizabeth releva la tête pour fixer Heinrich Kroeger, en face d'elle.

« Quelqu'un s'y est opposé, en usant de violence, qui est présent à cette réunion. On nous a même tiré dessus il y a moins d'une heure. »

Tout le monde regarda Heinrich Kroeger. Certains commençaient à être en colère. Ce Kroeger était irréfléchi, trop présomptueux.

« Non, répondit-il simplement et avec emphase en leur rendant leurs regards. J'étais d'accord avec votre venue ici. Si j'avais voulu vous arrêter, je vous aurais arrêtée. »

Pour la première fois depuis le début de cette conférence, Heinrich Kroeger regarda le représentant d'articles de sports tout au bout de la pièce, à moitié dissimulé par le manque de lumière. Il avait été modérément surpris quand il s'était rendu compte qu'Elizabeth l'amenait à Zurich avec elle. Surprise modérée parce qu'il connaissait le penchant d'Elizabeth pour employer l'inhabituel, à la fois dans le choix des méthodes et dans le choix de son personnel, et parce qu'elle n'avait personne d'autre sous la main qu'elle pouvait obliger au silence aussi facilement que ce parasite social avide d'argent.

Il devait faire un chauffeur très commode, un serviteur fidèle. Kroeger détestait ce genre d'hommes.

Ou bien était-il autre chose que simplement ça?

Pourquoi le représentant le regardait-il fixement tout à l'heure? Elizabeth avait-elle parlé? Elle ne serait pas folle à ce point. Ce type était du style à la faire chanter la minute suivante.

Une chose était certaine. Il faudrait qu'il meure.

Mais qui avait essayé de le tuer auparavant? Qui avait tenté d'arrêter Elizabeth et pourquoi?

Elizabeth se posait à cet instant la même question. Parce qu'elle avait cru Kroeger quand il avait nié sa participation aux attentats.

« Je vous en prie, poursuivez, madame Scarlatti », dit Fritz Thyssen, son visage de chérubin encore rougi de la colère qui l'avait envahi quand Elizabeth avait révélé son trafic du Caire.

Il s'était d'ailleurs emparé du carnet qu'elle avait jeté au milieu de la table.

« Je vais le faire », dit-elle en se rapprochant de son fauteuil sans s'y asseoir.

Elle prit encore quelque chose dans son porte-documents.

« J'ai un mot à ajouter, messieurs. Et avec lui, nous pourrons conclure notre affaire et prendre des décisions. Il y a une copie pour chacun des douze investisseurs qui restent. Ceux qui sont accompagnés de leurs conseillers devront partager avec eux. Toutes mes excuses, monsieur Kroeger, mais il n'y en a pas pour vous. »

De sa position en bout de table, elle distribua

douze enveloppes de papier bulle. Elles étaient scellées, et au fur et à mesure qu'elles avançaient jusqu'au bout de la table, il était visible que chacun des investisseurs avait un mal énorme à ne pas les déchirer pour en examiner immédiatement le contenu. Mais personne n'osa trahir une telle anxiété.

Quand, enfin, chacun des douze eut reçu son enveloppe, ils commencèrent à les ouvrir, tous ensemble.

Pendant deux minutes, on n'entendit que le froissement des pages tournées. Dans un silence absolu. Même les respirations semblaient momentanément suspendues. Les hommes de Zurich étaient comme hypnotisés par ce qu'ils voyaient. Elizabeth prit la parole.

« Oui, messieurs. Ce que vous avez entre les mains est la liquidation programmée des Industries Scarlatti... Pour que vous n'ayez aucun doute quant à la validité de ces documents, vous remarquerez, je vous prie, qu'après chaque subdivision des holdings, sont dactylographiés les noms des individus ou des compagnies, qui sont les acheteurs... Chacune des personnes ou des corporations mentionnées vous est connue. Sinon personnellement, du moins de réputation. Vous connaissez leurs capacités et je suis certaine que vous n'ignorez pas leurs ambitions. Dans les prochaines vingt-quatre heures, ils posséderont l'empire Scarlatti. »

Pour la plupart des hommes de Zurich, l'information d'Elizabeth n'était que la confirmation subite d'une rumeur persistante. Ils avaient en effet vaguement entendu dire qu'il se produisait quelque chose d'inhabituel chez Scarlatti. Une sorte de prévente dans d'étranges circonstances.

Et c'était ça, donc. La tête des Scarlatti se retirait.

« Une opération considérable, madame Scarlatti, dit Olaffsen d'une voix qui vibra dans toute la pièce. Mais pour reposer la même question que Daudet, que nous avez-vous préparé?

– S'il vous plaît, veuillez noter le montant qui apparaît au bas de la dernière page, messieurs. Mais je suis certaine que vous l'avez tous remarqué. »

Froissement de papier. Chacun des hommes se rendait rapidement en dernière page.

« On y lit sept cent quinze millions de dollars... Les possessions immédiatement réalisables de cette assemblée, une fois rassemblées et calculées à leur plus haut niveau, s'élèvent à un milliard cent dix millions de dollars... Par conséquent, il existe entre nous une différence de trois cent quatre-vingt-quinze millions de dollars... Il existe une autre façon de regarder cette différence. En la prenant à l'envers. La liquidation de Scarlatti réaliserait soixante-quatre pour cent des biens de cette assemblée, si, messieurs, vous pouviez convertir ceux-ci assez vite pour empêcher un krach des marchés financiers. »

Silence.

Un certain nombre des membres de cette assemblée se précipita sur les premières enveloppes pour vérifier leurs comptes personnels.

L'un d'eux, Sydney Masterson, se tourna vers Elizabeth, avec un sourire contraint.

« Et je suppose, madame Scarlatti, que ces soixante-quatre pour cent sont la massue que vous brandissez au-dessus de nos têtes?

– Précisément, monsieur Masterson.

– Chère madame, je me pose réellement des questions sur votre santé mentale...

– Si j'étais vous, je ne me les poserais pas.

– Eh bien, c'est moi qui vais les poser, *Frau* Scarlatti, coupa von Schnitzler, d'I.G. Farben, d'un ton très désagréable, en se balançant sur sa chaise comme s'il s'amusait à discuter avec une simple d'esprit. Ce que vous avez accompli a dû être un sacrifice dramatique... Je me demande dans quel but vous l'avez fait ? Vous ne pouvez pas acheter ce qui n'est pas à vendre... Nous ne sommes pas un service public. Vous ne pouvez pas écraser sous la défaite quelque chose qui n'existe pas ! »

Il gardait de l'allemand un zézaiement prononcé et son arrogance était aussi insupportable qu'on le disait. Elizabeth le détestait intensément.

« Tout à fait correct, von Schnitzler.

– Alors, rit l'Allemand, vous vous êtes peut-être comportée comme une idiote. Je n'aimerais pas absorber vos pertes. Je veux dire, sincèrement, que vous ne pouvez pas aller voir un *Baumeister* mythique et lui dire que vous avez plus de fonds que nous et que, par conséquent, il doit nous jeter à la rue ! »

Plusieurs hommes de Zurich se mirent à rire.

« Bien sûr, vous avez raison. Ce serait tellement plus simple, messieurs, n'est-ce pas ? Ne faire appel qu'à une entité, négocier avec un seul pouvoir. Dommage que je ne puisse pas procéder comme ça. Cela m'aurait été beaucoup plus facile et tellement moins onéreux... Mais je suis forcée de prendre l'autre route, la plus coûteuse... Je vais tourner les choses autrement. J'ai pris l'autre route, messieurs. Tout est accompli. Les heures qui s'écoulent nous rapprochent de l'exécution. »

Elizabeth regarda l'assemblée. Certains avaient les yeux rivés sur elle, cherchant le plus infime signe de manque de confiance ou de bluff. D'autres avaient fixé leur attention sur des objets pour n'écouter que sa voix, cherchant la faille, la faute d'appréciation ou le manque de jugement. Tous pouvaient secouer une nation d'un seul geste, d'un seul mot.

« Demain, à l'ouverture des marchés financiers, qui est sujette aux décalages horaires, d'énormes transferts de capitaux Scarlatti auront lieu vers les cinq pays représentés ici. A Paris, Berlin, Londres, Stockholm et New York, des négociations ont déjà été menées pour l'achat massif de parts dans vos principales compagnies... Avant midi du jour suivant, messieurs, Scarlatti sera minoritaire dans beaucoup de vos nombreuses entreprises... Six cent soixante-dix millions de dollars d'actions!... Vous rendez-vous compte de ce que cela signifie, messieurs ?

– *Ja!* rugit Kindorf. Vous allez faire monter les prix et nous réaliserons des fortunes! Vous ne posséderez rien en fin de compte.

– Chère madame, vous êtes extraordinaire », dit Innes-Bowen, dont les textiles stagnaient.

Il était plus que ravi de cette perspective haussière.

D'Almeida, qui se rendait compte qu'elle ne pouvait rien contre sa compagnie de chemins de fer, voyait les choses autrement.

« Vous ne pouvez pas acheter une seule part de ma propriété, madame!

– Certains d'entre vous ont moins de chance que d'autres, monsieur d'Almeida. »

Leacock, le financier, se mit à parler, sa voix cultivée reflétant un très léger accent irlandais.

« En acceptant ce que vous dites, et tout ceci est entièrement possible, madame Scarlatti, en quoi

478

allons-nous souffrir?... Nous n'avons pas perdu une fille mais gagné une associée minoritaire. »

Il se tourna vers les autres espérant qu'ils trouveraient son analogie humoristique.

Avant de parler, Elizabeth retint son souffle. Elle attendit que tous les regards soient à nouveau braqués sur elle.

« Donc, avant midi, Scarlatti sera dans la position que je viens de vous préciser... Une heure plus tard, un raz de marée va démarrer à la Kurfürstendamm de Berlin pour finir à Wall Street! Une heure plus tard, Scarlatti se retirera de toutes ces compagnies, vendant ses parts selon un rapport de cinq centimes pour un dollar... Simultanément, toutes les informations que Scarlatti a accumulées sur vos activités plus que discutables seront diffusées par voie télégraphique dans chacun de vos pays d'origine... Vous pouvez contrecarrer la diffamation elle-même, messieurs. Ce sera très différent quand elle s'accompagnera d'une panique boursière! Certains parviendront à rester à peu près intacts. D'autres seront balayés. La majorité d'entre vous sera affectée d'une façon désastreuse! »

Après une seconde d'un silence absolu, la pièce explosa. Les conseillers étaient questionnés péremptoirement. On attendait des réponses.

Heinrich Kroeger se leva de son fauteuil et se mit à crier.

« Stop! Stop! bande d'idiots, arrêtez! Elle ne le fera jamais! Elle bluffe!

— Est-ce vraiment ce que vous pensez? cria Elizabeth par-dessus le brouhaha.

— Vous êtes démente, *Frau* Scarlatti!

— Essayez... Kroeger! Essayez! cria Matthew Canfield debout près d'Elizabeth les yeux fous de rage.

« – Qui êtes-vous, espèce de colporteur? fit l'homme nommé Kroeger debout, les mains agrippées à la table, d'une voix aiguë.

– Regardez-moi bien! je suis celui qui va vous exécuter!

– Quoi! »

Heinrich Kroeger plissa ses yeux déformés. Il était stupéfait. Qui était ce parasite? mais il n'avait pas le temps de penser. Les voix des hommes de Zurich avaient atteint un crescendo. Ils s'engueulaient tous.

Heinrich Kroeger tapa sur la table. Il fallait qu'il reprenne le contrôle de la situation. Il devait les calmer.

« Arrêtez!... Ecoutez-moi! Si vous m'écoutez, je vais vous dire pourquoi elle ne peut pas faire ça! Elle ne le peut pas, je vous le dis! »

Une par une les voix se turent. Les hommes de Zurich regardaient Kroeger. Il pointa un doigt vers Elizabeth Scarlatti.

« Je connais cette putain! Je l'ai déjà vue faire! Elle rassemble des hommes influents, des gens puissants, et elle les effraie. Ils paniquent tous et ils vendent! Elle joue sur la *peur*, bande de lâches! Sur la peur! »

Daudet prit la parole, avec un calme étonnant.

« Vous n'avez répondu à rien. Pourquoi ne pourrait-elle pas faire ce qu'elle a dit? »

Kroeger ne détachait pas ses yeux d'Elizabeth Scarlatti.

« Parce qu'elle devrait détruire tout ce qu'elle a construit pour ce faire! elle devrait sacrifier Scarlatti! »

Sydney Masterson parla, mais c'était à peine plus qu'un murmure.

« Cela me semble évident. Mais la question demeure sans réponse.

– Elle ne pourrait pas vivre sans ce pouvoir! Vous avez ma parole! Elle ne pourrait pas vivre sans ça!

– C'est votre opinion, dit Elizabeth en regardant son fils. Vous demandez à la majorité des présents de tout risquer sur votre seule opinion?

– Allez au diable!

– Ce Kroeger a raison, chérie. (L'accent texan était plus que sensible.) Vous allez vous ruiner! Vous n'aurez plus un pot pour pisser dedans!

– Votre langage est aussi cru que vos opérations financières, monsieur Landor, répliqua Elizabeth.

– Le langage, je lui pisse dessus, ma vieille! je fais du fric et c'est de ça qu'on parle! Pourquoi voulez-vous nous faire cette crasse?

– Que je le fasse est amplement suffisant, monsieur Landor... Messieurs, je disais que le temps nous est compté. Les prochaines vingt-quatre heures seront soit un mardi normal, soit un jour inoubliable pour les capitales financières du monde occidental... Certains ici survivront. Ce seront les exceptions. Qui seront-ils, messieurs?... A la lumière de ce que je vous ai dit, je vous ferai remarquer que, lorsque la majorité permet à la minorité de causer sa destruction, nous sommes face à une mauvaise décision financière.

– Mais que voulez-vous de nous? demanda Myrdal en marchandeur prudent... Quelques-uns ici préféreraient affronter vos menaces qu'accepter vos exigences... Parfois je pense que tout n'est qu'un jeu gigantesque. Quelles sont ces exigences?

– Que cette association soit immédiatement dissoute. Que tous les liens financiers et politiques avec une faction allemande quelconque soient

481

immédiatement résiliés! Que ceux d'entre vous à qui la commission alliée de contrôle paie des appointements en toute confiance démissionnent immédiatement!

– Non! Non! Non! Non! éclata Heinrich Kroeger. (Il tapait de toutes ses forces des deux poings sur la table.) Il a fallu des années pour construire cette organisation! Nous contrôlerons l'économie de l'Europe. Nous contrôlerons toute l'Europe!

– Ecoutez-moi, messieurs, dit Elizabeth d'un ton calme et solennel. M. Myrdal dit que ce n'est qu'un jeu! Bien sûr ce n'est qu'un jeu! Un jeu où nous dépensons nos vies. Nos âmes! Un jeu qui nous consume et nous exigeons plus et plus, jusqu'à ce qu'enfin nous creusions notre propre tombe... *Herr* Kroeger dit que je ne pourrai pas vivre sans le pouvoir que j'ai cherché et obtenu. Il a peut-être raison, messieurs! Il est peut-être temps pour moi d'atteindre cette fin logique que j'appelle maintenant et pour laquelle je suis prête à payer le prix... Bien entendu, messieurs, je ferai comme j'ai dit. Je souhaite bienvenue à la mort!

– Que ce soit la vôtre, alors, dit Masterson. Pas la nôtre. »

Il comprenait.

« Ainsi soit-il, monsieur Masterson. Je ne suis pas écrasée, vous savez. Je vous abandonne un devoir : affronter l'étrange monde nouveau dans lequel nous entrons. Ne pensez pas que je ne vous comprenne pas, messieurs! Je comprends parfaitement ce que vous avez fait. Et l'horreur du pourquoi!... Vous regardez vos petits royaumes personnels et vous avez peur. Vous voyez vos pouvoirs menacés par des théories politiques et économiques, d'étranges concepts qui vous attaquent par la racine. Vous êtes submergés d'anxiété. Vous voulez protéger le système féodal qui vous a faits. Et peut-être devez-vous le protéger. Il ne durera pas longtemps... Mais vous ne le protégerez pas de *cette* façon-là!

– Puisque vous comprenez si bien, pourquoi alors nous arrêtez-vous? Ce système nous protégerait tous. Vous également. Pourquoi vouloir nous arrêter? demanda d'Almeida qui pouvait survivre à la perte de ses chemins de fer franco-italiens si le reste était préservé.

– Cela commence toujours comme ça. Le mieux est l'ennemi du bien... Disons que je vous arrête parce que ce que vous êtes en train de faire est beaucoup plus une infamie qu'un remède. C'est tout ce que j'ai à en dire!

– De votre part c'est grotesque! Je vous le répète, elle ne peut pas le faire! »

Kroeger tapait du plat de la main sur la table, mais personne ne prêtait attention à lui.

« Quand vous dites que le temps nous est compté, madame Scarlatti, que voulez-vous dire exactement? D'après tout ce que vous venez de nous assener, j'ai l'impression qu'il ne nous reste plus une minute. Nous sommes embarqués sur la galère...

– Un homme à Genève, monsieur Masterson, attend un appel téléphonique de ma part. S'il reçoit ce coup de fil, un télégramme partira pour mes bureaux de New York. Si ce télégramme arrive, toute l'opération sera annulée. S'il n'y arrive pas, tout sera exécuté à l'heure dite.

– C'est impossible! Une opération si complexe dépendant d'un télégramme? Je ne vous crois pas! dit Daudet certain maintenant de sa ruine.

– Bien sûr, une telle opération me coûte énormément.

483

– Bien plus que ça, madame. A l'avenir, personne ne vous fera confiance. Scarlatti sera isolé!

– C'est une probabilité, monsieur Masterson, pas une certitude. Le marché est versatile... Eh bien, messieurs, votre réponse? »

Sydney Masterson se leva de sa chaise.

« Donnez ce coup de téléphone. Il n'y a pas d'autre choix, n'est-ce pas, messieurs? »

Les hommes de Zurich se regardèrent tous, lentement. Ils se levèrent tous, tout aussi lentement, ramassant les papiers devant eux.

« C'est fini. Je suis *out*, dit Kindorf en pliant l'enveloppe bulle dans sa poche.

– Vous êtes une tigresse. Je n'aimerais pas vous rencontrer dans une arène, même avec une armée derrière moi, dit Leacock quasiment pétrifié.

– C'est peut-être de la merde, mais j'vais pas aller glisser dessus, fit Landor à Gibson qui avait du mal à respirer.

– Nous ne pouvons pas savoir... Voilà le problème, répétait Gibson.

– Attendez! Attendez! Attendez une minute! hurla Heinrich Kroeger. Si vous faites ça, si vous sortez d'ici, vous êtes tous morts! Tas de sangsues! Tous crevés! Sangsues! Tas de lâches!... Vous nous sucez le sang, vous passez des accords avec nous et puis vous vous retirez?... Vous avez peur pour vos petites affaires? Bande de sales bâtards juifs! On n'a pas besoin de vous! D'aucun de vous! Mais vous aurez besoin de nous! On vous déchiquettera et on vous donnera à manger à nos chiens! Tas de porcs! »

Kroeger était écarlate. Ses mots s'écrasaient les uns sur les autres.

« Arrêtez, Kroeger, dit Masterson en faisant un pas vers l'homme au visage refait. C'est fini! Vous ne comprenez donc pas? C'est fini!

« – Restez où vous êtes, espèce de merde, espèce de pédé d'Anglais! » cria Kroeger en sortant son revolver de son holster.

Canfield debout près d'Elizabeth vit qu'il s'agissait d'un quarante-cinq à canon long, capable de couper un homme en deux d'une seule balle.

« Restez où vous êtes!... Fini! Rien n'est fini tant que je n'ai pas décidé que c'était fini. Sales porcs puants! Vermisseaux effarouchés! Nous sommes allés trop loin!... Personne ne nous arrêtera maintenant!... »

Il balançait le pistolet en direction d'Elizabeth et de Canfield.

« Fini?... Je vais vous dire qui est fini? C'est elle! Hors de mon chemin! »

Il s'avança sur la gauche de la table, tandis que Daudet poussait un petit cri ridicule.

« Je vous en prie, monsieur, ne faites pas ça! Ne la tuez pas! Si vous la tuez, nous sommes ruinés!

– Je vous avertis, Kroeger! Si vous l'assassinez, vous nous en répondrez! Vous ne nous intimidez pas! Nous n'allons pas nous autodétruire à cause de vous! » fit Masterson juste à côté de Kroeger, épaule contre épaule.

L'Anglais ne bougeait pas.

Sans un mot, sans un avertissement, Heinrich Kroeger braqua son revolver sur l'estomac de Masterson et fit feu. Le coup fut assourdissant et Sydney Masterson fut projeté en l'air. Il retomba sur le plancher, l'abdomen déchiqueté, mort sur le coup.

Les onze hommes de Zurich glapirent. Heinrich Kroeger continuait d'avancer. Ceux qui étaient sur son chemin s'écartèrent vivement.

Elizabeth Scarlatti était restée à sa place. Elle riva ses yeux sur ceux de son fils, son fils meurtrier.

« Je maudis le jour où tu es né! Tu déshonores la maison de ton père! Mais sache ceci, Heinrich Kroeger, et sache-le bien! »

La voix caverneuse de la vieille dame emplissait maintenant la pièce. Sa puissance était telle que son fils en fut momentanément figé, les yeux débordants de haine, tandis qu'elle prononçait son arrêt de mort.

« Ton idendité sera révélée en première page de tous les journaux du monde civilisé après ma mort! On te traquera pour ce que tu es! Un fou, un meurtrier, un voleur! Et tous les hommes ici présents, chaque investisseur de Zurich seront bannis en tant qu'associés d'un dément, s'ils te laissent en vie ce soir! »

Une rage incontrôlable explosa dans les yeux déformés d'Heinrich Kroeger. Son corps trembla de fureur. Il saisit un fauteuil devant lui qui lui barrait le passage et l'envoya s'écraser au sol. Tuer n'était plus suffisant. Il fallait qu'il le fasse à bout portant, il fallait qu'il voie le corps d'Elizabeth Scarlatti éclater devant lui.

Matthew Canfield avait le doigt sur la détente de son revolver dans sa poche. Il n'avait jamais tiré à travers ainsi et il savait que s'il manquait son coup, Elizabeth et lui allaient mourir. Il se demandait combien de temps il pourrait se retenir. Il allait viser la poitrine de l'homme qui s'approchait, la cible la plus large possible. Enfin il ne put plus attendre.

La détonation du petit revolver et l'impact de la balle dans son épaule furent un tel choc que Kroeger, une fraction de seconde, écarquilla les yeux, sidéré.

C'était assez, juste assez pour Canfield.

De toutes ses forces, il projeta d'un coup d'épaule

e corps fragile d'Elizabeth sur le plancher, hors de vue de Kroeger. Lui, Canfield, se jeta sur la gauche, dégaina son revolver et tira encore, très vite, sur Kroeger.

Le gros revolver de Kroeger tomba sur le sol quand il s'écroula.

Canfield se redressa, oubliant l'insupportable douleur de son épaule gauche, qu'il venait de meurtrir davantage sous son propre poids. Il sauta sur Ulster Stewart Scarlett, commença à lui écraser le visage à coups de crosse. Il ne pouvait pas s'arrêter.

Détruire ce visage! cet horrible visage!

Finalement on le tira en arrière.

« *Gott!* Il est mort! Halte! Stop! Vous ne pouvez pas faire plus! » criait le gros Fritz Thyssen qui le retenait.

Matthew Canfield se sentit faiblir et s'écroula.

Les hommes de Zurich avaient fait cercle. Plusieurs aidaient Elizabeth, d'autres se penchaient sur Kroeger.

Des coups rapides furent frappés à la porte qui donnait dans le hall.

Von Schnitzler prit les choses en main.

« Laissez-les entrer! » ordonna-t-il avec un accent allemand.

D'Almeida se précipita pour ouvrir. Plusieurs chauffeurs se tenaient derrière la porte. Canfield se rendit compte que ces hommes n'étaient pas simplement des chauffeurs. Il ne se trompait pas. Ils étaient tous armés.

Allongé sur le sol, en proie à la douleur, en état de choc, Canfield vit une brute blonde se pencher sur le corps d'Heinrich Kroeger. Il écarta les autres un instant pour soulever une paupière du monstre immobile.

C'est alors que Canfield se demanda si l'agonie des heures précédentes ne jouait pas des tours à sa vue, qu'il croyait jusqu'ici infaillible.

L'homme blond ne s'était-il pas penché pour chuchoter quelque chose à l'oreille d'Heinrich Kroeger?

Etait-il encore en vie?

Von Schnitzler se tenait au-dessus de Canfield.

« On va l'emmener. J'ai ordonné qu'on lui donne le coup de grâce. Peu importe. Il est mort. Tout est fini. »

L'obèse von Schnitzler cria quelques ordres en allemand aux pseudo-chauffeurs. Certains commencèrent à soulever le corps inanimé, mais l'homme blond les arrêta et ne les laissa plus toucher le corps.

Il souleva Heinrich Kroeger et l'emporta. Les autres suivirent.

« Comment va-t-elle? » demanda Canfield en désignant Elizabeth qui s'était assise dans un fauteuil.

Elle regardait la porte par où venait de disparaître le corps de cet être dont personne ne savait qu'elle était la mère.

« Très bien! Elle va pouvoir donner son coup de téléphone, maintenant! » dit Leacock, essayant du mieux qu'il pouvait de prendre un air décidé.

Canfield se releva péniblement et marcha jusqu'à Elizabeth. Il posa une main sur sa joue ridée. Il ne put pas s'en empêcher.

Des larmes coulaient sur ses joues anguleuses, sans arrêt, comme un fleuve silencieux et intarissable.

Puis Canfield leva les yeux. Il venait d'entendre le bruit d'une puissante voiture démarrant au-dehors. Il fut en alerte sur-le-champ.

Von Schnitzler avait dit qu'on donnerait un coup de grâce. Mais aucun coup de feu n'avait été tiré.

Un kilomètre et demi plus loin, sur la Winterthurstrasse, deux hommes traînaient le corps d'un individu vers un camion. Ils ne savaient pas exactement quoi faire. Le mort les avait engagés pour arrêter une voiture se rendant à Falke Haus. Il les avait payés d'avance. Et maintenant il était mort, tué par une balle destinée au conducteur de la voiture qui était passée par là une heure auparavant. Pendant qu'ils traînaient le corps sur la pente caillouteuse, du sang jaillit de la bouche de l'homme et se répandit sur sa moustache impeccablement taillée.

Le nommé Poole était mort.

Quatrième partie

45

Le major Matthew Canfield, quarante-cinq ans – bientôt quarante-six – étendit ses jambes en diagonale à l'arrière de la voiture de l'armée. Ils venaient d'arriver à Oyster Bay et le sergent au teint brouillé rompit le silence.

« On approche, major. Vous feriez mieux de vous réveiller. »

Se réveiller. Ce serait aussi simple que ça. La sueur lui coulait sur les tempes. Son cœur suivait un rythme désordonné, comme un moteur emballé.

« Merci, sergent. »

La voiture vira vers l'est jusqu'à Harbor Road, puis prit le long de la côte. Plus ils approchaient de sa maison, plus le major Canfield tremblait. Il serrait les poings, retenait son souffle, se mordait les lèvres. Il ne pouvait pas s'effondrer. Il ne pouvait pas s'accorder le moindre apitoiement sur lui-même. Il ne pouvait pas faire ça à Janet. Il lui devait tant.

Le sergent prit à gauche pour entrer dans le parc et s'arrêta devant le sentier qui menait à une grande maison de bois peint. Le sergent adorait conduire jusqu'à Oyster Bay avec son riche major. Il y avait toujours un bon dîner, malgré le rationnement, et les alcools les plus fins. Que des trucs de luxe pour le mec à Canfield, voilà ce qu'on disait dans sa caserne.

Le major sortit lentement de la voiture. Le sergent était inquiet. Quelque chose qui n'allait pas. Il espérait que cela ne voulait pas dire qu'ils allaient faire demi-tour et rentrer à New York. Le major semblait avoir un certain mal à se tenir debout.

« *Okay*, major?

– *Okay*, sergent... Ça vous dirait de camper dans la cabine à bateaux ce soir? dit Canfield sans le regarder.

– Bien sûr. Super, major! »

C'était toujours là qu'il dormait. L'appartement, appelé cabane à bateaux, avait un réfrigérateur garni et une cargaison de boîtes de bière. Même un téléphone. Mais le sergent n'avait jamais eu la permission de s'en servir. Il décida de tenter sa chance.

« Vous aurez besoin de moi, major? Est-ce que je peux appeler deux ou trois copains pour qu'ils me rejoignent? »

Le major disparaissait dans le sentier.

« Faites ce que vous voulez, sergent, dit-il par-dessus son épaule. Ne touchez pas à l'émetteur, c'est tout. Compris?

– Tu parles! euh, je veux dire, merci, major! » cria le sergent en filant vers la plage.

Matthew Canfield se tenait devant la porte blanche encadrée de lampes tempête.

Sa maison.

Janet.

La porte s'ouvrit et elle fut là, devant lui. Ses cheveux commençaient à grisonner. Son nez, légèrement retroussé au-dessus de sa bouche délicate,

494

sensible, ses grands yeux marron pleins d'interrogations. La beauté désirable et fragile de son visage. L'inquiétude et la tendresse infinie qu'elle irradiait.

« J'ai entendu la voiture. Personne ne file jusqu'à la cabane à bateaux comme Evans!... Matthew. Matthew! Mon amour! Tu pleures! »

46

L'AVION, un B 29 de l'armée, plongea du haut des nuages colorés par les rayons d'un soleil couchant, jusqu'à l'aéroport de Lisbonne. Un caporal de l'Air Force parcourut l'allée centrale.

« Attachez vos ceintures, s'il vous plaît! Défense de fumer! Nous atterrirons dans cinq minutes. »

Il parlait d'une voix monotone, conscient que ses passagers devaient être importants et qu'ainsi il serait, lui aussi, plus important, mais courtois, quand il aurait à leur dire quelque chose.

L'adolescent assis à côté de Matthew Canfield n'avait presque pas ouvert la bouche depuis leur départ de Shannon. Plusieurs fois son père avait essayé de lui expliquer qu'ils prenaient des couloirs aériens hors de portée de la Luftwaffe et qu'il n'y avait pas lieu de s'inquiéter. Andrew Scarlett avait murmuré quelque vague approbation et s'était replongé dans ses magazines.

La voiture qui les attendait sur l'aéroport était une Lincoln blindée, avec deux types de l'O.S.S. à l'avant. Les vitres étaient à l'épreuve des balles et le moteur gonflé pouvait monter à deux cents à l'heure. Ils avaient cinquante-quatre kilomètres à faire jusqu'à Tejo, jusqu'à un aéroport à Alenguer.

Une fois à Alenguer, l'homme et le garçon embarquèrent dans un T.B.F. de la Navy, spécialement conçu pour les vols à très basse altitude et dénué du moindre signe d'identification. Cet avion sans cocardes devait les mener à Berne. Tout le long de sa route, Anglais, Américains et résistants français avaient mis au point un programme minutieux destiné à assurer sa protection.

A Berne, un véhicule du gouvernement suisse les attendait, flanqué d'une escorte de huit motards, un devant, un derrière et trois de chaque côté. Ils étaient tous armés, malgré la Convention de Genève qui interdisait de telles pratiques.

Ils roulèrent jusqu'à un village à trente kilomètres à peine, au nord, vers la frontière allemande. Kreuzlingen.

Ils arrivèrent dans une petite auberge isolée du reste de la civilisation et ils sortirent de la voiture. Le chauffeur démarra en trombe, les motards disparurent.

Matthew Canfield conduisit le garçon vers l'escalier de l'auberge.

Dans le hall d'entrée, on entendait les sons plaintifs d'un accordéon, venant de ce qui ressemblait à une salle à manger à demi vide. Le hall d'entrée, très haut de plafond, avait quelque chose d'inhospitalier, comme si les hôtes n'étaient pas les bienvenus.

Matthew Canfield et Andrew Scarlett s'approchèrent du comptoir.

« S'il vous plaît, veuillez dire à la chambre 6 qu'Avril Rouge est ici. »

Comme le réceptionniste branchait la ligne, le

garçon se mit à trembler, Canfield le prit par le bras
et le serra pour le calmer.

Ils montèrent les escaliers. C'étaient deux hom
mes maintenant qui se tenaient devant la porte
numéro 6.

« Je ne peux plus rien te dire, Andy, sauf que
nous sommes ici pour une personne. Du moins,
c'est pour ça que moi je suis ici. Janet. Ta mère.
Essaie de t'en souvenir.

– J'essaierai, papa, dit le garçon après avoir pris
une grande bouffée d'air. Ouvre la porte! Ouvre la
porte! »

La pièce était sombre, éclairée par deux petites
lampes posées sur deux petites tables. Elle était
décorée selon la manière préférée des Suisses pour
les touristes : de gros tapis, des meubles épais, des
fauteuils rembourrés et des housses un peu partout.

Au bout de la pièce, un homme était assis dans
l'ombre. Un rai de lumière tombait sur sa poitrine
mais n'éclairait pas son visage. Il était vêtu d'un
costume de tweed brun, dont la veste était surpi-
quée de pièces de cuir.

Il se mit à parler, d'une voix sèche.

« Vous êtes?

– Canfield et Avril Rouge. Kroeger?

– Fermez la porte. »

Matthew Canfield ferma la porte et fit quelques
pas vers leur interlocuteur, se mettant devant
Andrew Scarlett. Il voulait protéger le garçon. Il mit
sa main droite dans la poche de son manteau.

« J'ai un revolver braqué sur vous, Kroeger. Ce
n'est pas le même revolver, mais c'est la même
poche que lors de notre dernière rencontre. Cette
fois-ci, je ne me ferai pas rouler. Est-ce assez
clair?

– Si vous voulez, vous pouvez même le sortir de votre poche et me l'appuyer sur la tempe... Je ne peux pas y faire grand-chose. »

Canfield s'approcha de la silhouette tassée dans le fauteuil.

C'était horrible.

L'homme était à moitié invalide. Il semblait que la moitié gauche de son corps fût entièrement paralysée, jusqu'à la mâchoire. Ses mains étaient croisées sur son front, paumes vers l'extérieur, les doigts remuant spasmodiquement. Mais ses yeux étaient en alerte.

Ses yeux.

Son visage... Couvert de taches blanches, taches de peau greffée sous ses cheveux coupés ras. Il se remit à parler.

« Ce que vous voyez a été sorti de Sébastopol. Opération Barberousse.

– Qu'avez-vous à nous dire, Kroeger ?

– D'abord, Avril Rouge... Dites-lui de s'approcher.

– Viens ici, Andy. Près de moi.

– Andy ! fit l'homme cloué dans son fauteuil en éclatant de rire entre ses lèvres serrées. N'est-ce pas mignon ? Andy ! Viens ici, Andy ! »

Andrew Scarlett rejoignit son beau-père et se tint à ses côtés, dominant l'homme.

« Alors, c'est toi le fils d'Ulster Scarlett ?

– Je suis le fils de Matthew Canfield ! »

Canfield était immobile, observant le père et le fils.

Il se sentit soudain étranger à cette scène. Il avait la sensation qu'un vieillard mutilé et un mince adolescent allaient livrer bataille. Et il n'appartenait pas à leur monde.

« Non, jeune homme. Tu es le fils d'Ulster Stewart Scarlett, héritier des Scarlatti!

– Je suis exactement ce que j'ai envie d'être! Je
n'ai rien à voir avec vous! »

Le jeune homme respirait très fort. Sa peur se
dissipait maintenant, et Canfield voyait qu'elle était
remplacée par une rage froide, inéluctable.

« Du calme, Andy, du calme! dit-il.

– Pourquoi? Pour qui? Pour lui?... Regarde-le! il
est pratiquement mort... Il n'a même plus de visage!

– Arrête! cria Ulster Scarlett d'une voix aiguë qui
rappela à Canfield une grande salle à Zurich des
années auparavant. Arrête, idiot!

– Pourquoi? Pour te faire plaisir?... Pourquoi? Je
ne te connais pas! Je ne veux pas te connaître!... Tu
es parti il y a très très longtemps! »

Le jeune homme désigna Canfield.

« Il t'a remplacé. Je l'écoute, lui. Toi, tu n'es rien
pour moi!

– Ne me parle pas comme ça! Comment oses-
tu? »

Canfield lui coupa la parole, très sec.

« J'ai amené Avril Rouge, Kroeger! Qu'est-ce que
vous avez à offrir? Pour quoi sommes-nous ici? Il
est temps d'en parler!

– Il doit d'abord comprendre! dit le visage difforme, la tête brimbalant d'avant en arrière.

– Il faut lui faire comprendre!

– Si cela avait autant de signification pour vous,
Kroeger, pourquoi l'avoir caché ? Pourquoi être
devenu Heinrich Kroeger? »

Le mouvement de la tête s'arrêta. Les yeux mi-
clos, couleur de cendre, fixèrent le vide. Canfield se
souvint avoir entendu Janet parler de ce genre de
regard.

« Parce qu'Ulster Scarlett n'était pas fait pour représenter l'Ordre nouveau. Le monde nouveau! Ulster Scarlett a rempli son rôle et, une fois cette mission achevée, son existence n'était plus nécessaire... Il devenait un obstacle... Qui aurait tourné à la mauvaise plaisanterie... Il fallait l'éliminer...

– Peut-être y avait-il aussi autre chose?

– Quoi?

– Elizabeth. Elle vous aurait encore arrêté... Elle vous aurait arrêté, exactement comme à Zurich. »

A la mention du nom d'Elizabeth, Heinrich Kroeger se racla la gorge et cracha. C'était une vision horrible.

« Cette putain!... Nous avons commis une erreur en 1926... Soyons honnête, j'ai commis une erreur... J'aurais dû lui demander de se joindre à nous... Elle l'aurait fait, vous savez. Elle désirait les mêmes choses que nous...

– Vous vous trompez.

– Ah! vous ne la connaissiez pas. »

L'ancien agent répliqua doucement d'un ton neutre.

« Je la connaissais, je vous assure... Elle méprisait tout ce que vous prôniez. »

Le nazi partit d'un rire, comme en aparté.

« Voilà qui est très amusant... Je lui avais dit qu'elle prônait tout ce que je méprisais...

– Alors vous aviez tous deux raison.

– Aucune importance, elle est en enfer maintenant.

– Elle est morte en vous croyant mort depuis longtemps. Elle s'est éteinte en paix avec elle-même.

– Ah! vous ne pouvez pas savoir combien j'ai été tenté de tout dire, toutes ces dernières années, spécialement quand nous avons pris Paris!... Mais j'attendais Londres... Je voulais aller à Whitehall annoncer à la terre entière qui j'étais, et contempler la destruction de l'empire Scarlatti!

– Elle était morte avant l'entrée des Allemands à Paris.

– Cela importait peu.

– Peut-être. Mais vous aviez aussi peur d'elle disparue que vivante.

– Je n'avais peur de personne! Je n'ai eu peur de rien! hurla Heinrich Kroeger.

– Alors pourquoi n'avoir pas exécuté vos menaces? La maison Scarlatti vit encore.

– Elle ne vous l'a jamais dit?

– Dit quoi?

– Cette putain s'était toujours protégée sur ses flancs et sur ses arrières. Elle avait trouvé qui corrompre. Mon principal ennemi dans le Troisième Reich. Goebbels. Elle n'a jamais cru que j'avais été tué à Zurich. Goebbels savait qui j'étais. Après 1933, elle a menacé notre respectabilité à coups de mensonges, de mensonges à mon sujet. Le Parti était plus important que ma vengeance personnelle. »

Canfield contemplait cet homme détruit. Comme toujours Elizabeth avait agi plusieurs coups d'avance sur tout le monde. Loin devant...

« Une dernière question?

– Laquelle?

– Pourquoi Janet? »

L'homme, recroquevillé dans son fauteuil, leva sa main droite avec difficulté.

« Pour lui... Lui! dit-il en pointant son index sur Andrew Scarlett.

– Pourquoi?

– Je croyais! Je crois encore! Heinrich Kroeger faisait partie d'un monde nouveau! D'un nouvel

502

rdre! La véritable aristocratie!... Plus tard tout
.urait été sien!

– Mais pourquoi Janet? »

Heinrich Kroeger, épuisé, écarta la question.

« Une putain... Qui a besoin d'une putain? On ne
.herche que le sexe... »

Canfield sentait la colère monter en lui, mais à
.on âge et vu le travail qu'il effectuait, il se domina.
.Mais il n'était plus assez rapide pour arrêter le
.eune homme à ses côtés.

Andrew Scarlett se jeta en avant et gifla Kroeger.
.Le coup était fort et cinglant.

« Salaud! Espèce d'ordure!

– Andy! Arrête! dit Canfield en tirant le garçon en
arrière.

– *Unehelich!* »

Les yeux d'Heinrich Kroeger semblaient sortir de
ses orbites, tournoyant en tous sens.

« C'est pour toi! C'est pour ça que tu es ici! Tu
dois savoir!... Tu comprends et tu reprendras le
flambeau, le flambeau de l'Ordre nouveau! Pense!
Pense à l'aristocratie! Pour toi... Pour toi... »

Il prit une feuille de papier dans sa poche intérieure, d'un mouvement gauche et pénible.

« C'est à toi! Prends! »

Canfield s'empara du papier et, sans le regarder,
le tendit à Andrew Scarlett.

« Ce sont des numéros! Rien qu'une série de
numéros. »

Matthew Canfield savait ce que signifiaient ces
numéros. Mais avant qu'il puisse lui expliquer,
Kroeger prit la parole.

« Ce sont des comptes en Suisse, mon fils... Mon
unique fils. Ils contiennent des millions! Des mil-
liards! Mais il y a certaines conditions. Conditions
que tu apprendras à comprendre! Quand tu vieilli-

ras, tu sauras qu'il faut affronter ces conditions et tu les affronteras!... Car ce pouvoir, c'est le pouvoir de changer le monde et la manière dont nous voulions le changer! »

Le garçon regarda la silhouette difforme tassée dans le fauteuil.

« Suis-je supposé vous remercier? demanda-t-il.

– Un jour tu me remercieras. »

C'en était assez pour Matthew Canfield.

« Ça suffit! Avril Rouge a eu son message. Maintenant, à moi. Qu'avez-vous à livrer, Kroeger?

– C'est dehors. Aidez-moi à sortir.

– Pas question! Qu'est-ce qu'il y a dehors? Votre équipe en manteaux de cuir?

– Il n'y a personne. Que moi. »

Canfield regarda l'épave humaine et la crut. Il commença à aider Heinrich Kroeger à se lever.

« Attends-moi ici, Andy, je reviens. »

Le major Matthew Canfield, en uniforme, aida le mutilé en tweed brun à descendre les escaliers. Ils traversèrent le hall où un employé tendit ses béquilles au nazi. Le major américain et le nazi franchirent la porte extérieure.

« Où allons-nous, Kroeger?

– Vous ne croyez pas qu'il est plus que temps que vous m'appeliez par mon vrai nom? Mon nom est Scarlett, ou si vous préférez, Scarlatti. »

Le nazi les conduisit vers la droite, loin de la route, dans l'herbe haute.

« Vous êtes Heinrich Kroeger, pour moi. C'est tout.

– Vous vous rendez bien compte que c'est vous, et vous seul, qui avez provoqué notre échec à Zurich. Vous avez avancé notre calendrier de deux ans au moins... Personne ne l'a jamais suspecté... Vous aviez l'air d'un tel imbécile! (Heinrich Kroeger

504

éclata de rire.) Il faut un imbécile pour faire des idioties! »

Il rit encore de sa propre plaisanterie.

« Où allons-nous?

– Encore une centaine de mètres. Tenez votre revolver braqué, si vous voulez. Il n'y a personne.

– Qu'avez-vous à offrir? Vous pouvez me le dire.

– Pourquoi pas? Vous allez les tenir en laisse bientôt. (Kroeger boitilla jusqu'au milieu du champ.) Et quand vous les aurez, je serai libre. Souvenez-vous-en.

– Nous avons passé un accord. De quoi s'agit-il?

– Les Alliés seront ravis. Eisenhower vous donnera sûrement une médaille!... Vous allez ramener avec vous les plans complets des fortifications de Berlin. Seule l'élite du haut commandement allemand les connaît... Les bunkers, les souterrains, les emplacements des fusées, les dépôts de vivres et de munitions, et même le poste de commandement du Führer. Vous serez un héros et je serai inexistant. Nous avons bien travaillé, vous et moi. »

Matthew Canfield s'immobilisa.

Les plans des fortifications de Berlin avaient été obtenus deux mois auparavant par les services de renseignements alliés.

Berlin le savait.

Berlin l'admettait.

Quelqu'un l'avait attiré dans un piège, mais ce n'était pas lui, Matthew Canfield. C'était le haut commandement nazi qui venait de jeter l'un des siens dans les mâchoires de la mort.

« Dites-moi, Kroeger, qu'arriverait-il si je prenais vos plans, votre monnaie d'échange pour Avril Rouge, et que je ne vous laisse pas partir? Qu'arriverait-il?

– C'est simple. Doenitz lui-même a reçu mon témoignage. Je lui ai tout raconté, tout, il y a deux semaines. Si je ne suis pas de retour à Berlin d'ici quelques jours, il va s'inquiéter. J'ai encore de la valeur. Je dois donc rentrer, puis... disparaître. Si je ne rentre pas, le monde entier sera au courant! »

Matthew songeait qu'ils se trouvaient dans la situation la plus paradoxale possible. Mais cela ne dépassait pas ce qu'il avait imaginé. Il avait tout écrit dans le dossier original, scellé depuis des années dans les archives du Département d'Etat.

Et maintenant un homme à Berlin, un homme qu'il ne connaissait que de réputation, Doenitz, en était arrivé aux mêmes conclusions.

Heinrich Kroeger, Ulster Stewart Scarlett, était au bout du rouleau.

Doenitz avait permis à Kroeger – porteur de faux cadeaux – de se rendre à Berne. Doenitz, selon les règles non écrites de la guerre des ombres, s'attendait à ce qu'il soit tué. Doenitz savait qu'aucun pays ne pouvait se permettre d'avoir ce dément sous son pavillon. Que ce soit en cas de victoire ou de défaite. Et c'était l'ennemi qui devait l'exécuter afin qu'il n'y ait aucun doute possible. Doenitz était un de ces ennemis rares dans ces jours de haine. Un homme que ses adversaires respectaient, comme Rommel. Il était un guerrier, vicieux et habile peut-être, mais un homme avec une morale.

Matthew Canfield sortit son revolver et tira deux fois.

Heinrich Kroeger s'effondra, mort, dans l'herbe haute.

Ulster Stewart Scarlett était enfin parti. Enfin.

Matthew Canfield retraversa le champ pour regagner la petite auberge. La nuit était claire et un trois-quarts de lune brillait, étalait sa blancheur sur les feuillages immobiles autour de lui.

La simplicité de ce qui venait de se produire le frappa soudain.

Mais la crête de la vague paraît simple, presque décevante. On ne voit pas les myriades de pressions qui, depuis les abîmes, font rouler et monter la vague couronnée d'écume.

C'était fini.

Et il y avait Andrew.

IMPRIMÉ EN FRANCE PAR BRODARD ET TAUPIN
58, rue Jean Bleuzen - Vanves - Usine de La Flèche.
LIBRAIRIE GÉNÉRALE FRANÇAISE - 14, rue de l'Ancienne-Comédie - Paris.
ISBN : 2 - 253 - 03964 - 0